2025年度版

中小企業診断士

最速合格のための 第1次試験 過去問題

⑤ 経営情 ム

TAC中小企業診断士講座

TAC出版
TAC PUBLISHING Group

はじめに

日本中小企業診断士協会連合会の発表によれば、令和６年度までの過去５年間の第１次試験の各科目の「科目合格者」等の平均値は次のようになっています。

	科目受験者数(①)	科目合格者数(②)	科目合格率(①/②)
経済学・経済政策	15,086	2,371	15.7%
財務・会計	15,251	2,352	15.4%
企業経営理論	14,884	3,993	26.8%
運営管理（オペレーション・マネジメント）	15,033	2,484	16.5%
経営法務	14,959	2,786	18.6%
経営情報システム	14,704	2,373	16.1%
中小企業経営・中小企業政策	15,761	1,910	12.1%

科目ごとに、科目合格者数および科目合格率は異なりますが、いずれにしても、「科目合格者」の存在は、同時に「科目不合格者」を生じさせる結果となっています。

初学者はもちろんのこと、不合格科目を残した受験経験者にとって、第１次試験の合格を果たすには、各科目の出題傾向を把握し、その対策を立てるということが必要となります。

受験生の皆さんは、次の言葉を一度は耳にしたことがあると思います。

> 知彼知己者　百戰不殆（彼（かれ）を知り己を知れば、百戦して殆（あやう）からず）

これは「孫子（謀攻篇）」にある名文句ですが、前段の「彼を知(り)る」ためには、これまでの受験生が戦ってきた「過去問」を活用することが必要です。

戦う相手を研究して熟知することは、スポーツや企業活動などの「戦いの場」では当然必要だ、ということはよくご理解いただけると思います。これは試験においても同様で、戦う相手である「試験委員」が作成した「問題」の研究は、勝つためには必要不可欠な作業だと考えてください。

また、「過去問」の活用目的として「己を知る」ということがあります。本試験の出題傾向や内容は極端に変化するものではありません。ですから、受験生の皆さんが常日頃取り組まれている学習の成果を測定するためのひとつの手段として「過去問」

を活用し、その成果をさらなる実力向上につなげていくことが必要であると理解してください。

先程引用した「孫子」の名文句の後には「不知彼不知己　毎戦必殆（彼を知らず己を知らざれば、戦う毎に必ず殆し）」という文が続いています。受験生の皆さんが取り組む戦いでこのような事態にならないように、相手である「本試験（過去問）」をよく研究し、さらに、普段の学習成果の目安として「過去問」を役立てていただければ、本試験での「勝利」は間違いないと確信しています。

2024年10月
ＴＡＣ中小企業診断士講座
講師室、事務局スタッフ一同

本書の利用方法

本書には、過去５年分の第１次試験の問題と詳細な解説を収載しています。

1．本書の問題には、学習における目安として、以下のマークを付していますので、参考としてください。

★ 重要 ★　基本的な論点だったり、過去に繰り返し出題されたりするなど、重要度の高い問題です。過去問はひと通り解くことが望ましいですが、時間的に余裕のない方は、このマークのある問題を優先的に解くとよいでしょう。

参考問題　出題年度以降に法律や制度改正があり、正解肢が変わったり、なくなったりした問題等を示しています。これらの問題は、今年度の第１次試験対策としてふさわしくない問題となりますので、出題形式や出題論点を確認する程度の利用にとどめていただければよいでしょう。

2．各年度の解説の冒頭に、解答・配点・TACデータリサーチによる正答率の一覧表を載せています。学習の際の参考としてください。

3．巻末に、「出題傾向分析表」を載せています。出題領域の区分は、弊社刊の「最速合格のためのスピードテキスト」の章立てに対応しているので、復習する際に便利です。

中小企業診断士
第1次試験
経営情報システム

▶目　次◀

令和6年度問題

令和6年度問題

第1問 ★重要★

タッチパネルの原理や機能に関する記述の正誤の組み合わせとして、最も適切なものを下記の解答群から選べ。

a　静電容量方式は、指先で触れた部分で赤外線が遮られる中断点を捉えて位置を検出する。

b　静電容量方式は、機器の画面の複数点を指先で同時に触れて操作できる。

c　赤外線方式は、指先で触れた部分の表面電荷の変化を捉えて位置を検出する。

d　赤外線方式は、機器の画面の複数点を指先で同時に触れて操作できる。

[解答群]

ア　a：正　b：正　c：正　d：誤

イ　a：正　b：誤　c：誤　d：正

ウ　a：誤　b：正　c：誤　d：正

エ　a：誤　b：正　c：誤　d：誤

オ　a：誤　b：誤　c：正　d：正

第2問

文字コードに関する記述とその用語の組み合わせとして、最も適切なものを下記の解答群から選べ。

a　7ビットの文字コードであり、英数字、制御文字および一部の記号を含む128種類のコードを表現できる。

b　UNIX系OSのために開発された符号化方式であり、日本語の符号化方式の名称には“-JP”が付く。

c　世界の主要な文字を表現できる文字集合であり、ISO/IEC 10646によって定義される文字集合と互換性を保つ対応が図られている。

［解答群］

ア	a：ASCII	b：EUC	c：Unicode
イ	a：ASCII	b：ISO-2022	c：JIS X 0208
ウ	a：ASCII	b：ISO-2022	c：Unicode
エ	a：Unicode	b：EUC	c：JIS X 0208
オ	a：Unicode	b：ISO-2022	c：JIS X 0208

第3問 ★ 重要 ★

オブジェクト指向プログラミングに関する記述として、最も適切なものはどれか。

a　多相性は、プログラムの実行時に変数に値が代入されると、その値に基づいてデータの型が自動的に決定される仕組みである。

b　インスタンス化は、オブジェクトの属性と機能を外部から隠蔽（いんぺい）する仕組みである。

c　継承は、下位クラスが上位クラスの属性と機能を引き継ぐ仕組みである。

d　カプセル化は、上位クラスで定義された機能を下位クラスの役割に応じて再定義する仕組みである。

［解答群］

ア	a：正	b：正	c：誤	d：誤
イ	a：正	b：誤	c：正	d：正
ウ	a：正	b：誤	c：正	d：誤
エ	a：誤	b：正	c：誤	d：正
オ	a：誤	b：誤	c：正	d：誤

第4問 ★ 重要 ★

Webページやアプリケーションの作成に当たっては、色覚を考慮した画面設計が求められる。

次の文章の空欄A～Dに入る用語の組み合わせとして、最も適切なものを下記の解答群から選べ。

ディスプレイに表示される色（カラー）は、R（Red）、G（Green）、B（Blue）の

3色の混合の割合で表現される。このR、G、Bの3色のことを[A]の3原色という。[A]の3原色は、混ぜれば混ぜるほど明度が高くなるので[B]混色と呼ばれている。24ビットカラーの場合、[C]を表現でき、全部で約1,677万色を表現できる。

図の色と背景色の明度に差がある組み合わせや反対色同士の組み合わせは[D]が高いが、反対色同士でも明度が近いと[D]が低くなる。

[解答群]

ア	A：色	B：加法	C：256階調	D：識別性
イ	A：色	B：減法	C：256階調	D：識別性
ウ	A：光	B：加法	C：256階調	D：視認性
エ	A：光	B：加法	C：1,024階調	D：視認性
オ	A：光	B：減法	C：1,024階調	D：視認性

第5問

情報システムの利用のしやすさに関する記述の正誤の組み合わせとして、最も適切なものを下記の解答群から選べ。

a　ユーザビリティとは、ユーザがシステムを操作するために使用する手段と方法の総称である。

b　UX（User Experience）とは、ユーザがシステム・製品・サービスを利用する際に、効果的に、効率的に、満足して利用できるかの度合いのことである。

c　UI（User Interface）とは、システム・製品・サービスの利用前、利用中および利用後に生じるユーザの知覚および反応のことである。

d　ウェブアクセシビリティとは、高齢者や障がい者など、心身の機能に関する制約や利用環境などに関係なく、すべての人がウェブで提供される情報や機能を支障なく利用できることである。

[解答群]

ア	a：正	b：正	c：正	d：誤
イ	a：正	b：誤	c：誤	d：誤
ウ	a：誤	b：正	c：正	d：正
エ	a：誤	b：正	c：誤	d：正
オ	a：誤	b：誤	c：誤	d：正

第6問　★重要★

クラウドコンピューティングの実装形態に関する記述として、最も適切なものはどれか。

ア　エッジクラウドでは、クラウドサービスは、サービスの提供者と利用者の間でサービス提供の交渉が可能であり、利用者の具体的なニーズに合わせて提供される。
イ　コミュニティクラウドでは、クラウドサービスは、共通の懸念事項を持つ異なる組織の成員から構成される共同体の専用使用のために提供される。
ウ　ハイブリッドクラウドでは、クラウドサービスは、複数のパブリッククラウドサービスを組み合わせて提供される。
エ　パブリッククラウドでは、クラウドサービスは、複数の利用者からなる単一組織の専用使用のために提供される。
オ　プライベートクラウドでは、クラウドサービスは、営利を目的としない利用者の専用使用のために提供される。

第7問　★重要★

以下に示す表は、ある小売店が利用している受注管理表の一部である。この表を正規化した構造として、最も適切なものを下記の解答群から選べ。ただし、単価は商品コードによって一意に定まるものとする。

受注番号	受注日	得意先コード	商品コード	受注数量	単価	合計金額
10001	2024-04-01	3011	A B C	5 1 2	1000 2000 3000	13000
10002	2024-04-01	1022	B C	4 1	2000 3000	11000
10003	2024-04-02	2033	A C	6 3	1000 3000	15000
⋮	⋮	⋮	⋮	⋮	⋮	⋮
⋮	⋮	⋮	⋮	⋮	⋮	⋮

［解答群］

ア
受注番号	受注日	得意先コード	合計金額

商品コード	単価

受注番号	商品コード	受注数量

イ
受注番号	受注日	得意先コード	商品コード

得意先コード	商品コード	単価

受注番号	商品コード	合計金額

ウ
受注番号	受注日	得意先コード	合計金額

得意先コード	商品コード	単価

得意先コード	商品コード	受注数量

エ
受注番号	得意先コード	合計金額

商品コード	単価

得意先コード	商品コード	受注数量

受注番号	受注日

オ
受注番号	受注日	商品コード	合計金額

商品コード	単価

受注番号	得意先コード	受注数量

第8問　★重要★

以下に示す、ある小売店における販売データ「取引記録」から、販売店別の商品ごとの販売個数を集計した「店舗別商品販売個数」を作成することを考える。

取引記録

取引 ID	商品 ID	販売店 ID	販売個数
T0001	Y	A	2
T0002	Y	A	1
T0003	X	A	3
T0004	Y	B	3
T0005	Y	A	1
T0006	X	B	2
T0007	X	B	3
T0008	Z	A	1
T0009	X	A	1
⋮	⋮	⋮	⋮

店舗別商品販売個数

商品 ID	販売店 A	販売店 B
X	622	274
Y	817	351
Z	151	72

以下のSQL文の空欄①～③に入る語句の組み合わせとして、最も適切なものを下記の解答群から選べ。

【SQL文】

```
SELECT
  商品ID,
  SUM (CASE [ ① ] WHEN 'A' THEN [ ② ] ELSE 0 END) AS 販売店A,
  SUM (CASE [ ① ] WHEN 'B' THEN [ ② ] ELSE 0 END) AS 販売店B
FROM
  取引記録
GROUP BY
  [ ③ ]
ORDER BY
  [ ③ ];
```

[解答群]

ア	①：商品ID	②：1	③：販売店ID
イ	①：商品ID	②：販売個数	③：販売店ID
ウ	①：販売店ID	②：1	③：商品ID
エ	①：販売店ID	②：1	③：販売店ID
オ	①：販売店ID	②：販売個数	③：商品ID

第9問 ★重要★

通信プロトコルに関する記述として、最も適切なものはどれか。

ア DHCPは、ドメイン名とIPアドレスを関連付ける際に用いられる。

イ DNSは、プライベートIPアドレスをグローバルIPアドレスに変換する際に用いられる。

ウ　MIMEは、電子メールにおいて、テキストだけではなく、音声、画像、動画などを扱う際に用いられる。

エ　NNTPは、タイムサーバの時刻を基にネットワークに接続される機器の時刻を同期させる際に用いられる。

オ　SMTPは、Webブラウザが、WebサーバからHTML形式のファイルを受け取る際に用いられる。

第10問

近年、デジタルトランスフォーメーション（DX）推進の取り組みが中小企業にも拡大している。DX推進に関する下記の設問に答えよ。

設問1 ●●●

DX認定制度は、DX推進の準備が整っていると認められた企業を国が認定する制度であり、デジタル技術による社会変革に対して経営者に求められる事項を取りまとめた「デジタルガバナンス・コード」に対応している。

経済産業省および情報処理推進機構（IPA）による「DX認定制度 申請要項（申請のガイダンス）」（第2版）では、下記に示す〈デジタルガバナンス・コードの項目〉とDX認定制度の申請項目の対応関係が説明されている。

〈デジタルガバナンス・コードの項目〉

1. 経営ビジョン・ビジネスモデル
2. 戦略
   2.1. 組織づくり・人材・企業文化に関する方策
   2.2. ITシステム・デジタル技術活用環境の整備に関する方策
3. 成果と重要な成果指標
4. ガバナンスシステム

上記の「2.1. 組織づくり・人材・企業文化に関する方策」に対応するDX認定制度の申請項目として、最も適切なものはどれか。

ア　最新の情報処理技術を活用するための環境整備の具体的方策の提示

イ　サイバーセキュリティに関する対策の的確な策定及び実施

ウ　実務執行総括責任者が主導的な役割を果たすことによる、事業者が利用する情

報処理システムにおける課題の把握
エ　実務執行総括責任者による効果的な戦略の推進等を図るために必要な情報発信
オ　戦略を効果的に進めるための体制の提示

設問2

情報処理推進機構（IPA）が公開している「中小規模製造業者の製造分野におけるデジタルトランスフォーメーション（DX）推進のためのガイド」では、中小規模製造業が先進的にDXに取り組んでいる事例を基に、これからDXに取り組む企業に向けて、その必要性や進め方がまとめられている。

このガイドに記載されている内容に関する記述の正誤の組み合わせとして、最も適切なものを下記の解答群から選べ。

a　スマートサービスは、AIやIoTなどのデジタル技術を使い、顧客に高い体験価値を与えるサービスのことで、モノの使用状況に基づいてメンテナンスなどを行うサービスのほか、モノづくりのノウハウを提供・サポートするサービスも含まれる。

b　スマートファクトリーは、生産設備をデジタル化し、ネットワーク上でデータをやりとりすることで効率化している工場のことである。

c　製造分野のDXは、顧客価値を高めるため、製造分野で利用されている製造装置や製造工程の監視・制御（OT：運用技術）などのデジタル化を軸に、ITとの連携により製品やサービス、ビジネスモデルの変革を実現することと定義されている。

d　中小規模製造業におけるDXにおいては、収益増に直結するスマートプロダクトへの取り組みから行うことが推奨されている。

[解答群]

ア	a：正	b：正	c：正	d：誤
イ	a：正	b：正	c：誤	d：誤
ウ	a：正	b：誤	c：正	d：正
エ	a：誤	b：正	c：正	d：正
オ	a：誤	b：誤	c：誤	d：正

第11問 ★重要★

クラウドサービスを利用する際、セキュリティやコンプライアンスなどの責任範囲を、クラウドサービスを提供する事業者とクラウドサービスの利用者の間で明確に分担するという考え方を「責任共有モデル」と呼ぶ。クラウドサービス事業者とクラウドサービス利用者の間の責任分界に関する記述として、最も適切なものはどれか。

ア　IaaSを利用する場合、ミドルウェアやOSを管理する責任はクラウドサービス事業者が負う。

イ　PaaSを利用する場合、ハードウェアやネットワークを管理する責任はクラウドサービス利用者が負う。

ウ　SaaS事業者が他社のIaaS/PaaSを利用してクラウドサービスを提供する場合、提供するクラウドサービス全体の管理責任をIaaS/PaaS事業者が負う。

エ　SaaSを利用する場合、クラウドサービス事業者が提供するアプリケーションを利用するためのデータやアプリケーション上で生成したデータを管理する責任はクラウドサービス利用者が負う。

オ　クラウドサービス利用者がIaaSの設定をシステムインテグレータに準委任契約で外部委託する場合、最終責任をシステムインテグレータが負う。

第12問

ビジネスモデルキャンバスに関する記述として、最も適切なものはどれか。

ア　エンドユーザーの視点から特定の目的を達成するプロセスを記述することで、企業がシステムの機能要件を分析する枠組みである。

イ　業務の流れや役割、ビジネスルール、情報の流れなどを図式化することで、企業が組織内のコミュニケーションを促進し、システム開発や業務改善の機会を分析する枠組みである。

ウ　顧客セグメント、価値提案、チャネル、顧客との関係、収益の流れ、リソース、主要活動、パートナー、コスト構造の9つの視点から、企業がどのように価値を創造し顧客に届けるかを分析する枠組みである。

エ　組織内の知識・技術と組織外のアイデアやノウハウを組み合わせて、企業が新製品やサービスを分析する枠組みである。

オ　ビジネス、データ、アプリケーション、テクノロジーの4つのアーキテクチャを用いて、企業が組織の構造と機能を全体最適の観点から分析する枠組みである。

第13問

キャッシュレス決済の技術や仕組みに関する記述の正誤の組み合わせとして、最も適切なものを下記の解答群から選べ。

a　ICチップ付きクレジットカードには、カード番号・氏名・有効期限などの基本情報の他にPIN（暗証番号）が保存されている。

b　3Dセキュアとは、インターネット上でクレジットカード決済を安全に行うための本人認証サービスのことである。

c　クレジットカードによるタッチ決済とは、クレジットカードのICチップに保存された情報を決済端末で読み取る非接触型決済のことである。

d　QRコード決済において店舗提示型（MPM）とは、決済に際し、支払者がQRコードを表示して店舗側の処理端末に読み取らせる方式のことである。

［解答群］

ア	a：正	b：正	c：正	d：誤
イ	a：正	b：正	c：誤	d：誤
ウ	a：正	b：誤	c：誤	d：誤
エ	a：誤	b：正	c：正	d：正
オ	a：誤	b：誤	c：正	d：正

第14問　★ 重要 ★

アジャイル開発手法の1つにスクラムがある。スクラムの特徴に関する記述として、最も適切なものはどれか。

ア　開発者は、製品開発に必要な機能、タスク、要件などをリストアップしたプロダクトバックログの優先順位を決定する。

イ　スクラムマスターは、スクラムチームから生み出されるプロダクトの価値を最大化させる責任がある。

ウ　スプリントレビューは、主要なステークホルダーに作業の結果を提示し、プロダクトゴールに対する進捗を話し合うイベントである。

エ　プロダクトオーナーには、開発チームの開発における障害物を取り除く責任がある。

オ　レトロスペクティブは、開発チームの全員が、昨日行ったこと、今日行うこと、障害になっていることを話し合い、全員で開発状況を共有するイベントである。

第15問 ★ 重要 ★

システム障害やサイバー犯罪などに備えてデータをバックアップしておくことは重要である。バックアップに関する記述の正誤の組み合わせとして、最も適切なものを下記の解答群から選べ。

a　クラウドバックアップとは、クラウド上にあるデータをオンプレミスのストレージにバックアップすることである。

b　ロールバックとは、データベースシステムなどに障害が発生した時に、更新前のトランザクションログを使ってトランザクション実行前の状態に復元する処理である。

c　イメージバックアップとは、画像や動画などのイメージデータを圧縮せずにバックアップすることである。

d　ウォームサイトとは、障害発生時に、バックアップされたデータやプログラムを活用してシステムを復元し業務を再開できるように、バックアップする予備のサイトのことである。

[解答群]

ア	a：正	b：誤	c：正	d：誤
イ	a：正	b：誤	c：誤	d：誤
ウ	a：誤	b：正	c：正	d：正
エ	a：誤	b：正	c：正	d：誤
オ	a：誤	b：正	c：誤	d：正

第16問 ★ 重要 ★

システム開発やソフトウェア開発において、工数やコストの面から開発規模を見積もることは重要である。以下の記述のうち、最も適切なものはどれか。

ア　CoBRA法とは、LOC法で算出されたソフトウェア規模に補正係数を掛け合わせて開発規模を見積もる方法である。

イ　COCOMO法とは、データの構造や流れに着目してソフトウェアの開発規模を見積もる方法である。

ウ　COSMIC法とは、開発工数が開発規模に比例すると仮定するとともに、さまざまな変動要因によって工数増加が発生することを加味して開発規模を見積もる方法である。

エ　ファンクションポイント法とは、開発するシステムの入力や出力などの機能を抽出し、それぞれの難易度や複雑さに応じて重み付けし点数化することによって、ソフトウェアの開発規模を見積もる方法である。

オ　類推法とは、WBSで洗い出された作業単位ごとに工数を見積もり、この合計をシステム全体の工数と考えて開発規模を見積もる方法である。

第17問

近年パスワードレス認証が普及してきた。パスワードレス認証の方法に関する記述として、最も適切なものはどれか。

ア　パスキー認証では、生体認証は用いられない。

イ　パスキー認証では、複数のデバイス間で同じパスキー（FIDO認証資格情報）を用いることができる。

ウ　パスキー認証では、利用者の電話番号にワンタイムパスコードを通知して、そのコードを用いて認証する。

エ　パスキー認証とは、一度の認証で許可されている複数のサーバやアプリケーションを利用できる仕組みをいう。

オ　パスキー認証は、パスワード認証に比べてDoS攻撃への耐性がある。

第18問

サイバー攻撃の手口はますます多様化し、巧妙になっている。ゼロデイ攻撃に関する記述として、最も適切なものはどれか。

ア　機密情報を盗み取ることなどを目的として、特定の組織や個人を狙って行うサイバー攻撃のことである。

イ　サイバー攻撃への対策が手薄な関連企業などを踏み台にして、狙った企業へ攻撃を行うことである。

ウ　サイバー攻撃を目的としたツール・サービスや、サイバー攻撃によって手に入れた個人情報などを金銭でやり取りするサービスのことである。

エ　情報通信技術を使用せずに、人間の心理的な隙などを突いて、コンピュータに侵入するための情報を盗み出すことである。

オ　脆弱(ぜいじゃく)性に対する修正プログラム（パッチ）や回避策が公開される前に脆弱性を悪用して行われるサイバー攻撃のことである。

第19問　参考問題

情報セキュリティ管理に関する記述の正誤の組み合わせとして、最も適切なものを下記の解答群から選べ。

a　CC（Common Criteria）とは、組織内での情報の取り扱いについて、機密性・完全性・可用性を確保するための仕組みのことである。

b　CSIRT（Computer Security Incident Response Team）とは、24時間365日体制で企業のネットワークやデバイスを監視し、インシデントの検出を行う組織のことである。

c　CVE（Common Vulnerabilities and Exposures）とは、情報セキュリティにおける脆弱(ぜいじゃく)性やインシデントに付与された固有の名称や番号のカタログのことである。

d　CVSS（Common Vulnerability Scoring System）とは、情報システムの脆弱(ぜいじゃく)性の深刻度を、基本評価基準、現状評価基準、環境評価基準の３つの基準で評価する枠組みのことである。

［解答群］

ア	a：正	b：正	c：正	d：誤
イ	a：正	b：正	c：誤	d：誤
ウ	a：正	b：誤	c：正	d：正
エ	a：誤	b：誤	c：正	d：正
オ	a：誤	b：誤	c：誤	d：正

第20問

ある会社では、本店とA支店の間を通信回線で結んでいる。A支店は重要な支店であるため、バックアップ回線として別の通信会社の通信回線を新たに契約することにした。

バックアップ回線新設後の通信回線の信頼度を表す計算式として、最も適切なものはどれか。ただし、旧来の通信回線の信頼度をa（0≦a≦1）、新しく契約する通信回線の信頼度をb（0≦b≦1）とする。

ア　$a \times b$
イ　$1 - a \times b$
ウ　$1 - (1 - a) \times (1 - b)$
エ　$(1 - a) \times (1 - b)$
オ　$(a \times b)^2$

第21問　★ 重要 ★

A社では、BAC（完成時総予算）が1,000万円の情報システム開発プロジェクトが進行中である。プロジェクト期間のちょうど半分が経過した時点での進捗を把握したところ、AC（コスト実績値）が600万円、PV（出来高計画値）が500万円、EV（出来高実績値）が400万円であった。
このままのコスト効率でプロジェクトが進んでいくと、プロジェクトが完了した時にどれくらいのコストがかかると予想できるか。最も適切なものを選べ。

ア　　667万円
イ　1,000万円
ウ　1,200万円
エ　1,250万円
オ　1,500万円

第22問

以下に示す表１は、2000年以降における中小企業の経営者年齢の相対度数分布である。また、表2は、表１を基にして作成された累積相対度数分布である。経営者年齢分布の最頻値（モード）や中央値（メディアン、中位数）に関する記述として、最も適切なものを下記の解答群から選べ。

表１　相対度数分布

年齢＼年	2000 年	2005 年	2010 年	2015 年	2020 年
15 〜 19	0.0%	0.0%	0.0%	0.0%	0.0%
20 〜 24	0.0%	0.0%	0.0%	0.0%	0.0%
25 〜 29	0.4%	0.3%	0.2%	0.2%	0.1%
30 〜 34	1.4%	1.4%	1.2%	1.0%	0.5%
35 〜 39	3.6%	3.4%	4.0%	3.3%	2.0%
40 〜 44	6.6%	6.3%	6.8%	7.7%	5.2%
45 〜 49	11.5%	9.1%	9.4%	10.1%	10.0%
50 〜 54	20.3%	13.6%	11.3%	11.8%	11.9%
55 〜 59	19.1%	22.2%	15.2%	13.1%	13.8%
60 〜 64	15.8%	18.1%	21.8%	15.6%	15.0%
65 〜 69	11.1%	12.4%	14.3%	18.1%	14.7%
70 〜 74	6.0%	7.6%	8.6%	10.2%	14.6%
75 〜 79	2.6%	3.6%	4.6%	5.4%	7.1%
80 〜	1.4%	1.9%	2.6%	3.5%	5.1%

出典:中小企業庁　2022年版「中小企業白書」全文　本文掲載図表（Excel版）
（注）「2020年」については、2020年９月時点のデータを集計している。

表２　累積相対度数分布

年齢＼年	2000 年	2005 年	2010 年	2015 年	2020 年
15 〜 19	0.0%	0.0%	0.0%	0.0%	0.0%
20 〜 24	0.0%	0.0%	0.0%	0.0%	0.0%
25 〜 29	0.4%	0.3%	0.2%	0.2%	0.1%
30 〜 34	1.8%	1.7%	1.4%	1.2%	0.6%
35 〜 39	5.4%	5.1%	5.4%	4.5%	2.6%
40 〜 44	12.0%	11.4%	12.2%	12.2%	7.8%
45 〜 49	23.5%	20.5%	21.6%	22.3%	17.8%
50 〜 54	43.8%	34.1%	32.9%	34.1%	29.7%
55 〜 59	62.9%	56.3%	48.1%	47.2%	43.5%
60 〜 64	78.7%	74.4%	69.9%	62.8%	58.5%
65 〜 69	89.8%	86.8%	84.2%	80.9%	73.2%
70 〜 74	95.8%	94.4%	92.8%	91.1%	87.8%
75 〜 79	98.4%	98.0%	97.4%	96.5%	94.9%
80 〜	99.8%	99.9%	100.0%	100.0%	100.0%

[解答群]

ア　2000年から2020年にかけて年を追うごとに、最頻値は大きくなる。

イ　2000年と2005年の各中央値は、2010年以降のどの中央値よりも小さい。

ウ　2000年においては、最頻値が中央値よりも大きい。

エ　2015年においては、最頻値が中央値よりも小さい。

オ　各年の中で最頻値が最も大きいのは、2020年である。

第23問

ある二値分類問題に対する２つの予測モデルAとBに対して、1,000件のデータを用いて性能評価を行ったところ、以下の混同行列が得られた。

モデルA

	予測：陽性	予測：陰性
実際：陽性	75	25
実際：陰性	25	875

モデルB

	予測：陽性	予測：陰性
実際：陽性	15	45
実際：陰性	5	935

モデルAとBの性能評価に関する記述の正誤の組み合わせとして、最も適切なものを下記の解答群から選べ。

ただし、正解率、適合率、再現率は、以下のように定義される。

・正解率：全体の件数のうち、陽性と陰性を正しく予測した割合

・適合率：陽性と予測した件数のうち、実際も陽性である割合

・再現率：実際に陽性である件数のうち、陽性と予測した割合

a　モデルAの正解率は、モデルBの正解率と等しい。

b　モデルAの適合率は、モデルBの適合率よりも大きい。

c　モデルAの再現率は、モデルBの再現率よりも大きい。

[解答群]

ア　a：正　b：正　c：正

イ　a：正　b：正　c：誤

ウ　a：正　b：誤　c：正

エ　a：誤　b：正　c：正

オ　a：誤　b：誤　c：誤

第24問

生成AIに見られる現象の１つにハルシネーションがある。ハルシネーションに関する記述として、最も適切なものはどれか。

ア　AIが生成したデータをAI自らが学習することで、言語モデルの精度が低下したり多様性が失われたりする現象のこと。

イ　事実に基づかない情報や実際には存在しない情報をAIが生成する現象のこと。

ウ　人間がAIとの対話中に、そのAIが感情や意図を持っているかのように感じる現象のこと。

エ　人間がAIを反復的に利用することで、特定の意見や思想が正しいと信じ込むようになる現象のこと。

オ　モデル訓練時の入力データの統計的分布と、テスト時／本番環境での入力データの統計的分布が、何らかの変化によってズレてくる現象のこと。

令和6年度
解答・解説

令和6年度 解答

問題	解答	配点	正答率※
第1問	ウ	4	C
第2問	ア	4	C
第3問	オ	4	C
第4問	ウ	4	C
第5問	オ	4	D
第6問	イ	4	D
第7問	ア	4	C
第8問	オ	4	B
第9問	ウ	4	B
第10問（設問1）	オ	4	C
第10問（設問2）	ア	4	B
第11問	エ	4	C
第12問	ウ	4	C
第13問	ア	4	C
第14問	ウ	4	D
第15問	オ	4	C
第16問	エ	4	A
第17問	イ	4	D
第18問	オ	4	A
第19問	ー	4	E
第20問	ウ	4	B
第21問	オ	4	B
第22問	イ	4	B
第23問	ウ	4	B
第24問	イ	4	C

※TACデータリサーチによる正答率
正答率の高かったものから順に、A～Eの５段階で表示。
A：正答率80％以上　B：正答率60％以上80％未満　C：正答率40％以上60％未満
D：正答率20％以上40％未満　E：正答率20％未満

解答・配点は一般社団法人日本中小企業診断士協会連合会の発表に基づくものです。
※令和６年９月３日に日本中小企業診断士協会連合会より、第19問は、すべての受験者の解答を正解として取り扱う旨が発表された。

令和  年度 解説

経営情報システムは、問題文25ページ（本試験用問題用紙）、設問数25問であった。出題は、令和３年度から25問全てが５択の問題である。

出題形式は、全ての選択肢で正誤を判断する問題が８問（昨年０問）、計算問題が３問（昨年４問）、最も適切な組み合わせ問題が０問（昨年３問）になったことが主な変化であった。

情報技術からは12問が出題され、全体の48％を占めた。ソフトウェア開発関連からの出題は３問と少なく、経営情報管理からは８問が出題された。全体では、令和５年度と同様に、ITトレンド用語（時事用語）からの出題が多くなった。

情報技術からは、タッチパネル（第１問）、文字コード（第２問）、オブジェクト指向プログラミング（第３問）、色覚を考慮した画面設計（第４問）、正規化（第７問）、SQL（第８問）、プロトコル（第９問）、バックアップ（第15問）、パスワードレス認証（第17問）、ゼロデイ攻撃（第18問）、情報セキュリティ管理（第19問）、通信回線の信頼度（第20問）、といった問題が出題された。情報技術分野でこれまで問われたことのない知識を問う出題が多くなったことが難化の要因としてあげられる。

ソフトウェア開発では、頻出論点である見積り手法（第16問）とEVMS（第21問）の両問は確実に得点したい。一方で、スクラム（第14問）は、スクラムで用いられる手法が問われており、対応が難しかった。

経営情報管理は、「UX」「ウェブアクセシビリティ」（第５問）、「コミュニティクラウド」（第６問）、「３Dセキュア」「タッチ決済」「QRコード決済における店舗提示型(MPM)」（第13問）、「ハルシネーション」（第24問）といったITトレンド用語の概要がわからないと、正答が難しかった。一方で、デジタルガバナンス・コード（第10問設問１）と中小規模製造業者の製造分野におけるデジタルトランスフォーメーション(DX) 推進のためのガイド（第10問設問２）は、知らないガイドラインであったと思うが、問題文と選択肢を正確に読解すれば消去法でなんとか正答できた。また、二値分類問題の性能評価は令和５年度第24問と同じ論点が出題されたので、過去問題を解いて復習していた受験生は正答できたと思われる。

統計解析は、データの代表値（第22問）が出題された。相対度数分布と累積相対度数分布の読み方と代表値の意味が問われており、正答したいレベルの問題であった。

令和６年９月３日に第19問は全員正解として取り扱う旨が中小企業診断協会から発表されたが、全体では令和５年度に比べ難化した。難化の要因は、これまで出題されたことがないITに関する時事問題（ITトレンド用語）を問う問題が、経営情報管理の分野だけでなく、情報技術分野からも出題が増えていることがあげられる。日頃からIT系のニュース番組やネット記事などに触れる機会をつくり、知らないIT用語があれば調べることを習慣化したい。

第1問

タッチパネルに関する問題である。代表的なタッチパネル方式の特徴が問われており、対応はやや難しい。

a　×：本肢は、**赤外線方式**のタッチパネルの検出原理である。静電容量方式は、画面に指で触れると発生する微弱な電流、つまり静電容量（電荷）の変化をセンサーで感知し、タッチ位置を検出する。

b　○：正しい。静電容量方式は、マルチタッチ（多点検出）に対応している。

c　×：本肢は、**静電容量方式**のタッチパネルの検出原理である。赤外線方式は、タッチパネルの周囲の発光側と受光側に赤外線の発光素子と受光素子を対に配置し、ユーザが画面をタッチすると赤外線が遮られることにより、タッチの縦横位置を検出する。

d　○：正しい。赤外線方式のタッチパネルには「２軸走査方式」と「多軸走査方式」の２つの方式がある。２軸走査方式は、１つの発光素子に対して１つの受光素子を組み合わせる方法を採用しており、シングルタッチしか認識できなかった。しかし、発光素子１つに対して複数の受光素子を組み合わせる多軸走査方式では、マルチタッチ（多点検出）が可能となった。このため、現在では多軸走査方式が主流となっている。

よって、**a**：誤、**b**：正、**c**：誤、**d**：正、なので、**ウ**が正解である。

第2問

文字コードに関する問題である。知名度が低い文字コードの名称と特徴が問われており、対応はやや難しい。

用　語		内　容
a	ASCII	ASCII（American Standard Code for Information Interchange）は、ANSI（米国規格協会）で規格化され、アルファベット、数字、特殊文字、制御文字などを扱う7ビットの文字コードである。
b	EUC	EUC（Extended Unix Code：拡張UNIXコード）は、ASCIIをもとにしており、UNIXで日本語が扱えるように拡張した文字コードである。日本語の符号化方式に対応した名称は、EUC-JPである。
c	Unicode	すべての文字（世界中の文字）を、16ビット（2バイト）で表す文字コードである。しかし、2^{16} = 65,536（個）の文字しか割り当てられないため、割り当てられる文字数を減らすために、同じ意味を持ち異形である文字に同じコードを割り当てている。さらに、Unicode（UCS-4）は、ISOにより規格化されている4バイトで表す文字コードである。

よって、**ア**が正解である。

正解以外の用語については以下のとおりである。

用　語	内　容
ISO-2022	国際標準化機構（ISO）が標準化したさまざまな国や地域の文字を表す文字コードである。ISO-2022は7ビットと8ビットの環境の両方で使用できるように設計されている。
JIS X 0208	日本産業規格（JIS）によって定義された日本語文字セットのひとつで、日本語を表現するために使用される。英数字、漢字、カタカナ、ひらがな、記号などを含んでいる。

第3問

オブジェクト指向プログラミングに関する問題である。オブジェクト指向プログラミングの特徴が問われており、対応はやや難しい。

オブジェクト指向プログラミングを構成する主な要素として、「継承」「カプセル化」「多相性（ポリモーフィズム）」がある。

a　×：本肢は、**動的型付け**に関連する内容である。多相性（ポリモーフィズム）は、あるひとつのメソッドや関数の呼び出しに対して、オブジェクトごとに異なる機能や動作をする仕組みである。これを簡単に説明すると次のようなイメージである。動物園に「動物」という名前のボタンがある。このボタンを押すと、さまざまな動物たち（犬、猫、鳥）がそれぞれのやり方で反応する。

動物（犬）のボタンを押すと、「ワンワン！」と鳴く。

動物（猫）のボタンを押すと、「ニャーニャー！」と鳴く。

動物（鳥）のボタンを押すと、「チュンチュン！」と鳴く。

ここで、ボタンの名前はすべて「動物」であるが、押したときの反応（動作）は動物ごとに異なる。これが多相性（ポリモーフィズム）に相当する。プログラムでも、同じメソッド（たとえば「表示する」）を使っても、異なるオブジェクト（たとえば「犬のオブジェクト」と「猫のオブジェクト」）がそれぞれ違う方法で動作することができる。この仕組みにより、コードがより柔軟で再利用しやすくなる。

b　×：本肢は、**カプセル化**の内容である。インスタンス化は、オブジェクト指向プログラミングにおいて、クラスという設計図から実際の値としてデータを生成することである。たとえば、「色、モデル、エンジンの種類」というクラスがあるとすれば、そのインスタンスは「赤、スポーツカー、ガソリンエンジン」というようにつくられる。

c　○：正しい。既存のクラスから、新たに記述したクラスに変数定義やメソッドを引き継ぐ仕組みである。

d　×：カプセル化は、オブジェクト指向プログラミングの基本概念のひとつで、データとそれに関連するメソッドをひとつのオブジェクトにまとめ、その内部の実装詳細を隠蔽する仕組みである。カプセル化には、**上位クラスで定義された機能を下位クラスの役割に応じて再定義するといった仕組みはない。**

よって、**a**：誤、**b**：誤、**c**：正、**d**：誤、なので、**オ**が正解である。

第4問

色覚を考慮した画面設計に関する問題である。デジタル画面の色表現で用いられるRGBと印刷の色表現で用いられるCMYKの違いについての詳細な知識が問われており、対応はやや難しい。

RGBとCMYKの違いは以下のとおりである。

図表　RGBとCMYKの違い

	RGB	CMYK
用途	デジタル画面 （モニター、テレビ、スマホなど）	印刷 （ポスター、雑誌、チラシなど）
色のモデル	光の三原色	色の三原色
基本色	赤（Red）、 緑（Green）、 青（Blue）	藍／シアン（Cyan）、 紅紫／マゼンタ（Magenta）、 黄／イエロー（Yellow）、 黒／キー（Key）
色の混ぜ方	加法混色 各色を加えることで色を作り出す。 色が重なると明るくなる。	減法混色 各色を引き算して色を作り出す。 色が重なると暗くなる。

色域	256 階調 (256 × 256 × 256) 約 1,677 万色	101 階調 (101 × 101 × 101 × 101) 約 1 億色
色の表現方法	赤 (255, 0, 0)、 緑 (0, 255, 0)、 青 (0, 0, 255)	シアン (100, 0, 0, 0)、 マゼンタ (0, 100, 0, 0)、 イエロー (0, 0, 100, 0)、 キー (0, 0, 0, 100)
	24 ビットの場合	0 ～ 100% まで 1% 刻みの場合

用　語		内　容
A	光	RGB は、光の 3 原色である。
B	加法	RGB は、3 つの光を混ぜれば混ぜるほど明度が高くなるので加法混色とよぶ。
C	256 階調	RGB は、赤、緑、青のそれぞれで 256 階調あり、この組み合わせで約 1,677 万色を表現できる。
D	視認性	色の視認性は、注意を向けている状態や対象を探しているときに、その対象がどれだけ見つけやすいかを示す指標である。背景色と図の色の明度に差があると視認性が高まる。

よって、**ウ**が正解である。

正解以外の用語については以下のとおりである。

用　語	内　容
色	色の 3 原色は CMYK の色のモデルである。
減法	色を混ぜれば混ぜるほど明度が低くなる色の混ぜ方を減法混色とよぶ。CMYK の特徴である。
識別性	複数の要素がある場合に、それぞれの要素をどれだけ簡単に区別し認識できるかを示す指標である。色を効果的に使い分けることで、複数の要素をわかりやすく表現することが可能になる。路線図はその代表的な例であり、異なる路線や情報を色分けすることで、視覚的に理解しやすくしている。

第5問

情報システムの利用のしやすさに関する問題である。各記述でIT用語の微妙な違いが問われており、対応はやや難しい。

a　×：本肢は、UI (User Interface) の内容である。ユーザビリティの内容は、選択肢**b**を参照。

b　×：本肢は、**ユーザビリティ**の内容である。UXの内容は、選択肢**c**を参照。

c　×：本肢は、UX (User Experience) の内容である。UIの内容は、選択肢**a**を参照。

d　○：正しい。ウェブアクセシビリティ (Web Accessibility) は、すべてのユーザがウェブコンテンツにアクセスし、利用できるようにするための設計と開発の原則である。視覚、聴覚、運動能力、認知能力など、障害や制約をもつユーザがウェブサイトを問題なく利用できるようにすることを目的としている。

よって、**a**：誤、**b**：誤、**c**：誤、**d**：正、なので、**オ**が正解である。

第6問

クラウドコンピューティングに関する問題である。クラウドコンピューティングの実装形態別の特徴が問われており、対応はやや難しい。

ア ×：エッジクラウド（Edge Cloud）は、データセンターやクラウドサービスがネットワークのエッジ、つまりユーザやデバイスに近い場所に配置されるアーキテクチャである。これにより、データ処理がエッジで行われ、低遅延が実現される。エッジクラウド（エッジコンピューティングと同義）では、クラウドサービスの提供者と利用者の間で個別にサービス提供の交渉が行われることは一般的ではない。エッジクラウドのサービスは、主にサービス提供者があらかじめ定義したサービスレベルや構成で提供されることが多く、利用者が個別にサービス内容や構成を交渉する機会は**限定的である**。また、利用者が個別に具体的なニーズに合わせてサービスをカスタマイズすることは**通常ない**。利用者のニーズに合わせたカスタマイズは、主に**プライベートクラウド**で行われる。

図表　クラウドコンピューティングとエッジコンピューティング

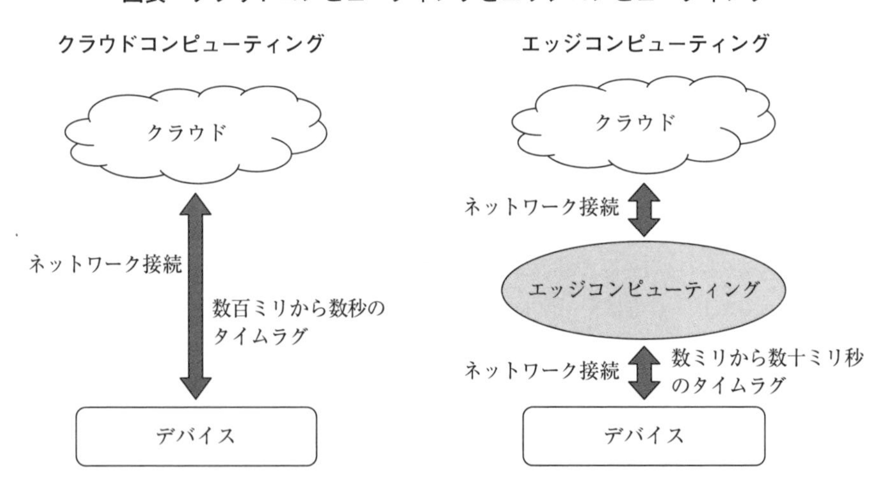

イ ○：正しい。特定の業種（例：教育機関や製造業など）が共用するクラウドサービスの形態で、複数の企業や団体が共通のニーズや要件をもつ場合に利用される。

コミュニティクラウドは、パブリッククラウドに比べ、セキュリティ、柔軟性の面で利点がある。コミュニティクラウドは、パブリッククラウドとプライベートクラウドの間に位置する形態であり、両者のメリットを活かせることが強みである。

ウ　×：ハイブリッドクラウドは、**パブリッククラウドとプライベートクラウドを併用する形態**である。

図表　利用環境による分類

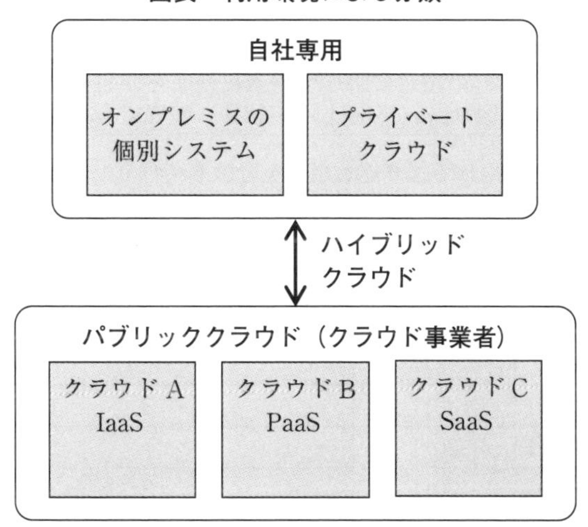

エ　×：パブリッククラウドは、業界・業種を問わず企業や個人に向けてクラウド環境を提供するオープンな形態である。本肢にある、**単一組織の専用使用のために提供されている**、という箇所が誤りである。

オ　×：プライベートクラウドは、企業が自社専用のクラウド環境を構築し、社内の各部署やグループ会社に提供する形態である。本肢にある、**営利を目的としない利用者**、という箇所が誤りである。営利目的か非営利目的であるかは問わない。

よって、**イ**が正解である。

第7問

正規化に関する問題である。非正規形～第３正規形までの基本的な知識が問われており、確実に得点したい。

非正規形、第１正規形、第２正規形、第３正規形の要件は以下のとおりである。

用　語	内　容
非正規形	商品コードや商品名などに、1行における1項目に複数の値を含む繰り返し項目が存在する表である。リレーショナルデータベースでは、非正規形の表を登録することができないため、正規化を進める必要がある。
第1正規形	非正規形の表に現れる繰り返し項目を分離した状態の表である。第1正規形のデータは、1行における1項目に1つの値が入るようになる。
第2正規形	主キーの一部だけで一意に決まる項目を別表に分離した状態（部分関数従属がない状態）の表である。
第3正規形	主キー以外の項目によって一意に決まる項目を別表に分離した状態（推移的関数従属が存在しない状態）の表である。

第1正規化は、表中に現れる繰り返し項目を分離して独立した行にすることである。繰り返し項目とは、1行における1項目に複数の値を含んでいる状態を指す。与えられた受注管理表は繰り返し項目が存在するため、第1正規化を行う必要がある。第1正規化を行い繰り返し項目がない第1正規形の表は以下のようになる。

受注番号	受注日	得意先コード	商品コード	受注数量	単価	合計金額
10001	2024-04-01	3011	A	5	1000	13000
10001	2024-04-01	3011	B	1	2000	13000
10001	2024-04-01	3011	C	2	3000	13000
10002	2024-04-01	1022	B	4	2000	11000
10002	2024-04-01	1022	C	1	3000	11000
10003	2024-04-02	2033	A	6	1000	15000
10003	2024-04-02	2033	C	3	3000	15000
⋮	⋮	⋮	⋮	⋮	⋮	⋮
⋮	⋮	⋮	⋮	⋮	⋮	⋮

第2正規化は、主キーの一部だけから特定できる項目を別の表にすることである。第2正規化を行う場合には、主キーを特定することが必要となる。主キーを特定するには、表で管理される情報に「ID」「コード」「番号」などを付加した項目名を探すとよい。与えられた受注管理表は受注情報を管理するものであり、「受注番号」という項目が含まれている。「受注番号」の具体的な値を見ると、各行で重複があるため、「受注番号」と他の項目を併せた複合キーが主キーになることがわかる。

続いて「受注番号」以外で「ID」「コード」「番号」などが含まれる項目について、「受注番号」が同一の行において値が異なるものを探してみる。すると、「受注番号」と「商品コード」を併せると受注管理表の1行を特定できることがわかる。「受注番号」に従属する項目が、「受注日」「得意先コード」「合計金額」である。「商品コード」に従属する項目は、問題文に「単価」であると記載されている。第2正規化は、主キーが複合キーの場合に、主キーの一部だけで一意に決まる項目を別表に分離することであるため、第２正規化を行うと以下の３つの表になる。なお、実線は主キー項目、破線は外部キー項目を意味する。

受注番号	商品コード	受注数量
10001	A	5
10001	B	1
10001	C	2
10002	B	4
10002	C	1
10003	A	6
10003	C	3
⋮	⋮	⋮
⋮	⋮	⋮

受注番号	受注日	得意先コード	合計金額
10001	2024-04-01	3011	13000
10001	2024-04-01	3011	13000
10001	2024-04-01	3011	13000
10002	2024-04-01	1022	11000
10002	2024-04-01	1022	11000
10003	2024-04-02	2033	15000
10003	2024-04-02	2033	15000
⋮	⋮	⋮	⋮
⋮	⋮	⋮	⋮

商品コード	単価
A	1000
B	2000
C	3000
B	2000
C	3000
A	1000
C	3000
⋮	⋮
⋮	⋮

第３正規化は、主キー以外の項目によって一意に決まる項目を別の表にすることである。主キー以外の項目によって一意に決まる項目は存在しない。また、第３正規化では計算で求められる項目（導出項目）の削除も行う。合計金額が導出項目に該当するため、この項目を削除する。第３正規化を行うと以下の３つの表になる。なお、実線は主キー項目、破線は外部キー項目を意味する。

受注番号	商品コード	受注数量
10001	A	5
10001	B	1
10001	C	2
10002	B	4
10002	C	1
10003	A	6
10003	C	3
⋮	⋮	⋮
⋮	⋮	⋮

受注番号	受注日	得意先コード
10001	2024-04-01	3011
10001	2024-04-01	3011
10001	2024-04-01	3011
10002	2024-04-01	1022
10002	2024-04-01	1022
10003	2024-04-02	2033
10003	2024-04-02	2033
⋮	⋮	⋮
⋮	⋮	⋮

商品コード	単価
A	1000
B	2000
C	3000
B	2000
C	3000
A	1000
C	3000
⋮	⋮
⋮	⋮

本問の選択肢を見ると、選択肢**ア**から選択肢**オ**まで全ての選択肢に第３正規化で削除した「合計金額」が含まれている。一方、本問では、「正規化した構造として最も適切なものを解答群から選べ」、と記載されており、第３正規化まで行うといった指定はない。よって、第２正規形である選択肢**ア**が最も適切であると判断できる。

よって、**ア**が正解である。

第8問

SQL文に関する問題である。取引記録から店舗別商品販売個数を抽出するために、SELECT句にCASE式と集合関数SUMが使われているが、GROUP BY句とORDER BY句の知識で選択肢を絞れるため、確実に得点したい。

SQL文の基本的な構成は以下のとおりである。

■SELECT句（SELECT 列名） FROM句（FROM テーブル名）

条件句（WHERE/GROUP BY/ORDER BYなど）

FROM句では、「取引記録」をテーブルとして指定している。

次にGROUP BY句は、指定された列が同じ値の行は同一のグループとして扱われる。また、本問ではORDER BY句にもGROUP BY句と同じ列名［③］が指定されている。ORDER BY句は、表の任意の列を降順または昇順に整列することができる。ASC（Ascending）は昇順、DESC（Descending）は降順を表し、省略した場合にはASCが指定されたものとみなされる。本問では、ASCまたはDESCの指定がないため、ASC（昇順）が指定されているとわかる。店舗別商品販売個数（出力結果）をみると「販売店A」と「販売店B」は昇順ではないことがわかる。一方、「商品ID」はアルファベットが値として与えられている。アルファベットの場合、昇順が指定されるとAからZのアルファベット順（上から下）に並ぶことから、GROUP BY句の列名である［③］には「**商品ID**」が入ることがわかる。GROUP BY句の列名にも「商品ID」が入ることから商品IDでグループ化されることがわかる。

SELECT句には、

商品ID,

SUM（CASE ［①］ WHEN 'A' THEN ［②］ ELSE 0 END）AS 販売店A,

SUM（CASE ［①］ WHEN 'B' THEN ［②］ ELSE 0 END）AS 販売店B

が指定されている。CASE式の基本的な構成は以下のとおりである。

■CASE式

CASE 列名 ←列名を対象とした条件分岐

　WHEN 条件A THEN 処理A ←列名が条件Aの場合に処理Aを行う

　WHEN 条件B THEN 処理B ←列名が条件Bの場合に処理Bを行う

　ELSE 処理C ←列名が上記条件を満たさない場合に処理Cを行う

END AS 新列名 ←CASE式の列名を新列名にする

本問ではCASE式のWHEN句に「'A'」と「'B'」が指定されていることから、CASE式の列名である[①]には、「**販売店ID**」が入ることがわかる。

次にTHEN [②]はCASE式の列名である販売IDの値が「A」や「B」の場合に行う処理であるため、店舗別商品販売個数（出力結果）から「**販売個数**」が入ることがわかる。本問はCASE式を使用して、販売店IDが「A」の場合は販売個数の値をそれ以外の場合は0を返す。また、集合関数SUMでこれらの値を合計し、その結果を「販売店A」という新列名で表示する。同様に、販売店IDが「B」の場合は販売個数の値をそれ以外の場合は0を返す。また、集合関数SUMでこれらの値を合計し、その結果を「販売店B」という新列名で表示する。

よって、**オ**が正解である。

第9問

プロトコルに関する問題である。TCP/IPの代表的な通信プロトコルが問われており、確実に得点したい。

ア　×：本肢は、**DNS（Domain Name System）**の内容である。DHCPは、インターネットやLANなどに接続するPCに対してIPアドレスを始めとして、ホスト名や経路情報、DNSサーバの情報など、通信に必要な設定情報を自動的に割り当てるプロトコルである。

イ　×：**NATまたはNAPT**の内容である。DNSは、選択肢**ア**の内容を参照。

ウ　○：正しい。MIMEは、画像や音声、動画など、テキスト以外のデータを電子メールで送信するための通信規格である。従来、電子メールは半角英数字のテキストデータしか扱うことができなかった。MIMEを利用すると、添付された画像や音声・動画などのテキスト以外のデータをすべてテキストデータに変換して電子メールを送信する。

エ　×：本肢は、**NTP（Network Time Protocol）**の内容である。NNTP（Network News Transfer Protocol）は、Newsサーバ間でNetNewsの記事を交換したり、ユーザが記事を投稿したりする際に用いられるプロトコルである。NetNewsとは、インターネット上の複数のサーバ（Newsサーバ）にて主にテキストデータを配布・保存するシステムを指す。電子掲示板と類比されることが多い。

オ　×：本肢は、**HTTP（HyperText Transfer Protocol）**の内容である。SMTP（Simple Mail Transfer Protocol）は、サーバ間でメールのやり取りをしたり、クライアントがサーバにメールを送信したりする際に用いるプロトコルである。

よって、**ウ**が正解である。

第10問

設問1

デジタルガバナンス・コードに関する問題である。多くの受験生は初見であったと思うため、対応はやや難しい。

経済産業省および独立行政法人情報処理推進機構（IPA）による「DX認定制度申請要項（申請のガイダンス）」（第２版）にある＜デジタルガバナンス・コードの項目＞とDX認定制度の申請項目が問われている。「2.1. 組織づくり・人材・企業文化に関する方策」に最も合致するDX認定制度の申請項目を選ぶ。

DX認定制度は、社会におけるデジタル技術の活用と変革を促進するために設けられたものである。この制度は、経営者に求められる事項をまとめた「デジタルガバナンス・コード」に準拠しており、デジタル化推進の準備が整っている企業を国が公式に認定する。認定を受けた企業は、「デジタル技術を活用して自社のビジネスを変革する準備が整っている企業」として評価される。この認定により、企業は自社の信頼性や技術力をアピールすることができ、さらに公的な支援措置を受けることが可能となる。

図表　デジタルガバナンス・コードとDX認定制度の申請項目の関係

デジタルガバナンス・コードの項目	DX認定制度の申請書の項目
1. 経営ビジョン・ビジネスモデル	⑴　企業経営の方向性及び情報処理技術の活用の方向性の決定
2. 戦略	⑵　企業経営及び情報処理技術の活用の具体的な方策（戦略）の決定
2.1. 組織づくり・人材・企業文化に関する方策	⑵①　戦略を効果的に進めるための体制の提示
2.2. IT システム・デジタル技術活用環境の整備に関する方策	⑵②　最新の情報処理技術を活用するための環境整備の具体的方策の提示
3. 成果と重要な成果指標	⑶　戦略の達成状況に係る指標の決定
4. ガバナンスシステム	⑷　実務執行総括責任者による効果的な戦略の推進等を図るために必要な情報発信
	⑸　実務執行総括責任者が主導的な役割を果たすことによる、事業者が利用する情報処理システムにおける課題の把握
	⑹　サイバーセキュリティに関する対策の的確な策定及び実施

出所：経済産業省 独立行政法人情報処理推進機構「DX認定制度 申請要項（申請のガイダンス）」

ア　×：上の図表から、本肢は、「2.2. ITシステム・デジタル技術活用環境の整備に関する方策」の申請項目である。

イ　×：上の図表から、本肢は、「4. ガバナンスシステム」の申請項目である。

ウ　×：上の図表から、本肢は、「4. ガバナンスシステム」の申請項目である。

エ　×：上の図表から、本肢は、「4. ガバナンスシステム」の申請項目である。

オ　○：正しい。上の図表から、「2.1. 組織づくり・人材・企業文化に関する方策」の申請項目である。

よって、**オ**が正解である。

設問2

中小規模製造業者の製造分野におけるデジタルトランスフォーメーション（DX）推進のためのガイドの内容が問われており、対応はやや難しい。

製造業におけるDXの目指す姿として、同ガイドでは主に以下の３つをあげている。

図表　製造業におけるDXの目指す姿

目指す姿	説　　明	DX 変革の分類
スマートファクトリー	あらゆる生産工程の見える化と、データ活用により生産の全体プロセス最適化	生産プロセス変革
スマートプロダクト	強みを持つ中核技術とデジタル技術を融合した付加価値向上	製品変革（付加価値向上）
スマートサービス	モノ売りから顧客体験を優先するコトづくりのモデル	ビジネスモデル変革

出所：中小規模製造業のためのDX推進ガイドサマリー 2023年改訂版

a　○：正しい。独立行政法人情報処理推進機構が発行する、「中小規模製造業者の製造分野におけるDX推進ガイド活用用語集」によると、スマートサービスは、AIやIoTなどのデジタル技術を使い、顧客に高い体験価値を与えるサービス、と記載されている。

b　○：正しい。独立行政法人情報処理推進機構が発行する、「中小規模製造業者の製造分野におけるDX推進ガイド活用用語集」によると、スマートファクトリーは、生産設備をデジタル化し、ネットワーク上でデータをやりとりすることで効率化している工場、と記載されている。

c　○：正しい。独立行政法人情報処理推進機構が発行する、「製造分野DX推進ガイドのサマリー」によると、製造分野のDXとは、顧客価値を高めるため、製造分野で利用されている製造装置や製造工程の監視・制御などのデジタル化を軸に、ITとの連携により、製品やサービス、ビジネスモデルの変革を実現すること、と定義されている。

d　×：独立行政法人情報処理推進機構が発行する、「中小規模製造業者の製造分野におけるデジタルトランスフォーメーション（DX）推進のためのガイド 製造分野DXの理解」によると、DXにより目指す姿として、「スマートファクトリー」「スマートプロダクト」「スマートサービス」をあげている。この目指す姿は**どれかひとつだけを目指すのではなく、デジタル化を進めていく段階で追加・変更等をしていくことがよいとされている**。たとえば、最初は「スマートファクトリー」を中心に目指しつつ、一部は「スマートプロダクト」や「スマートサービス」に向けた取組みも進めておき、その後「スマートファクトリー」が順調に進んだ段階で、「スマートプロダクト」や「スマートサービス」の取組みをより強化していく、といったような流れが現実的ではないかと記載されている。本肢の「収益増に直結するスマートプロダクトへの取組みから行うことが推奨されている」という部分が不適切である。

よって、**a**：正、**b**：正、**c**：正、**d**：誤、なので、**ア**が正解である。

第11問

クラウドサービスの責任分界に関する問題である。IaaS、PaaS、SaaSにおける利用者とクラウド事業者の管理の範囲が問われており、対応はやや難しい。

図表　クラウドサービスのパターン

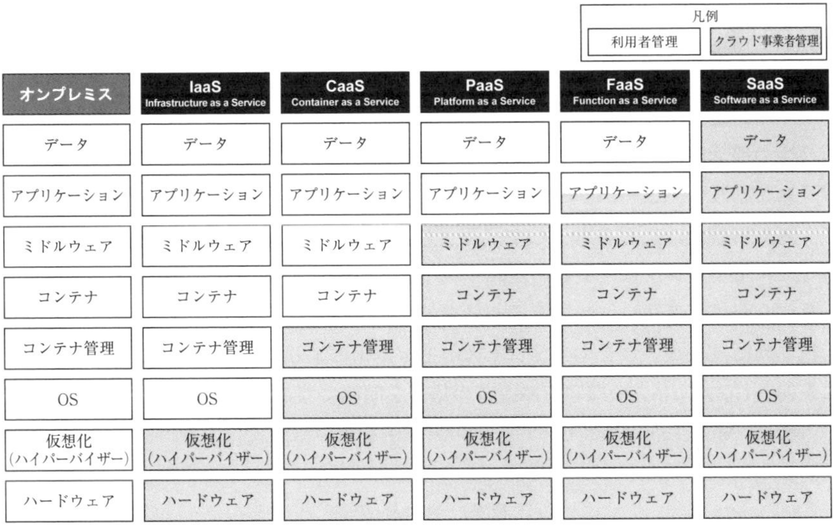

凡例：利用者管理／クラウド事業者管理

オンプレミス	IaaS Infrastructure as a Service	CaaS Container as a Service	PaaS Platform as a Service	FaaS Function as a Service	SaaS Software as a Service
データ	データ	データ	データ	データ	データ
アプリケーション	アプリケーション	アプリケーション	アプリケーション	アプリケーション	アプリケーション
ミドルウェア	ミドルウェア	ミドルウェア	ミドルウェア	ミドルウェア	ミドルウェア
コンテナ	コンテナ	コンテナ	コンテナ	コンテナ	コンテナ
コンテナ管理	コンテナ管理	コンテナ管理	コンテナ管理	コンテナ管理	コンテナ管理
OS	OS	OS	OS	OS	OS
仮想化（ハイパーバイザー）	仮想化（ハイパーバイザー）	仮想化（ハイパーバイザー）	仮想化（ハイパーバイザー）	仮想化（ハイパーバイザー）	仮想化（ハイパーバイザー）
ハードウェア	ハードウェア	ハードウェア	ハードウェア	ハードウェア	ハードウェア

出所：独立行政法人情報処理推進機構（IPA）「DX白書2021」

ア　×：上の図表のとおり、IaaSはクラウドサービス**利用者**がミドルウェアやOSを管理する責任を負う。

イ　×：上の図表のとおり、PaaSはクラウドサービス**事業者**がハードウェアやネットワークを管理する責任を負う。

ウ　×：提供するクラウドサービス全体の管理責任は、**SaaS事業者**が負う。SaaS事業者が他社のIaaSやPaaSを利用してクラウドサービスを提供する場合、管理責任の分担が発生する。具体的には、SaaS事業者とIaaS/PaaS事業者との契約に基づき、IaaS/PaaS事業者は提供するインフラストラクチャやプラットフォームの管理責任を負う。一方で、クラウドサービス利用者と契約するのはSaaS事業者であることから、クラウドサービス利用者との契約に基づき、提供するクラウドサービス全体の管理責任は、**SaaS事業者**が負う。

エ　○：正しい。上の図のとおり、SaaSは、クラウドサービス事業者がデータを利用する機能まで提供するが、データ自体の管理責任はサービス利用者にある。

オ　×：準委任契約は、特定の業務の遂行が目的であり仕事の結果や成果物に対して完成の義務を負わないことが原則である。業務の結果に対して不備があったとしても、**委任者は受任者（システムインテグレータ）に対して最終責任を求めることはできない**。

よって、**エ**が正解である。

第12問

ビジネスモデルキャンバスに関する問題である。新規事業の立ち上げなどで事業アイデアを構造化するためのフレームワークであるビジネスモデルキャンバスを構成する９つの要素が問われており、対応はやや難しい。

ア　×：本肢は、**ユースケース**に関連した内容である。

イ　×：本肢は、**ビジネスプロセスモデリング（BPM）**の内容である。ビジネスプロセスモデリングは、業務の流れや役割、ビジネスルール、情報の流れなどを視覚化するための手法であり、企業が効率的な組織運営やシステム開発、業務改善を目指す際に役立つ。ビジネスプロセスのモデル化により、社内のコミュニケーションが向上し、プロセスの問題点や改善の機会を明確になる。たとえば、BPMN（Business Process Model and Notation）などの表記法を用いて図式化する。

図表　BPMNの例

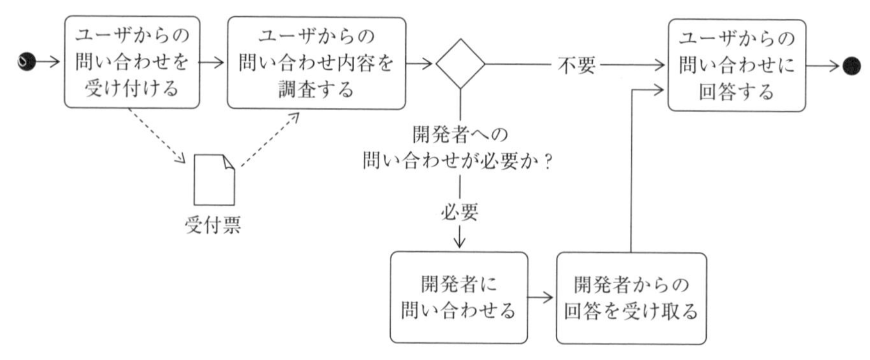

ウ　○：正しい。ビジネスモデルキャンバス（Business Model Canvas）は、企業やプロジェクトのビジネスモデルを視覚的に整理し、分析するためのツールである。アレックス・オスターワルダーとイヴ・ピニュールが提唱したこのフレームワークは、以下の９つの要素から成り立つ。ビジネスモデルキャンバスは、これらの要素を１ページにまとめて視覚的に表示することで、ビジネスモデルの全体像を把握しやすくし、戦略の立案や改善に役立てるツールである。

図表　ビジネスモデルキャンバスの９つの要素

項　目	概　　要
顧客セグメント	誰が自社の顧客であるかを特定する。具体的には、ターゲットとなる市場や顧客のグループを定義する。
価値提案	顧客に提供する価値や解決する問題、満たすニーズを明確にする。競争優位性や独自性を示す。
チャネル	顧客に価値を届けるための方法やルートを定義する。販売チャネルや流通経路、コミュニケーションの手段などが含まれる。
顧客との関係	顧客とどのように関係を築き、維持するかを示す。これには、カスタマーサポートやパーソナライズなどが含まれる。
収益の流れ	どのようにして収益を得るかを示す。売上モデル、価格設定、収益源などを示す。
リソース	ビジネスモデルを実行するために必要なリソースや資産を特定する。これには、人的資源、物理的資源、知的資源、財務資源などが含まれる。
主要活動	ビジネスモデルを機能させるために必要な主要な活動やプロセスを定義する。製品の開発、マーケティング、営業などが含まれる。
パートナー	ビジネスモデルを支えるためのパートナーシップや提携先を特定する。これには、供給者、戦略的パートナー、外部委託などが含まれる。
コスト構造	ビジネスモデルを運営するための主要なコストや費用を示す。固定費、変動費、規模の経済（スケールメリット）などがここに含まれる。

図表　ビジネスモデルキャンバスのイメージ

出所：Osterwalder, Business Model Generation

エ　×：本肢は、**オープンイノベーション**に関連した内容である。

オ　×：本肢は、**エンタープライズアーキテクチャ（EA）**の内容である。

よって、**ウ**が正解である。

第13問

キャッシュレス決済に関する問題である。キャッシュレス決済の技術や仕組みが問われており、対応はやや難しい。

a　〇：正しい。ICチップには、カードの所有者が事前に設定した暗証番号が保存されている。決済の際には、その暗証番号を入力し、ICチップに記録されている番号と一致することで取引が完了する仕組みである。

b　〇：正しい。3Dセキュアは、オンラインでのクレジットカード決済をより安全にするための本人認証プロセスである。一般的には「3DS」や「3Dセキュア」とよばれる。3Dセキュアを用いたクレジットカード決済では、カード番号や有効期限といった基本情報に加えて、クレジットカード発行会社に事前に登録したIDとパスワードを入力する。このプロセスにより、カード会員の認証が行われ、決済の安全性が高まる。

c　〇：正しい。クレジットカードのタッチ決済は、非接触型決済のひとつである。クレジットカードに内蔵されたNFC（Near Field Communication）技術を使用して、決済端末にカードをかざすだけで支払いが完了する。

図表　タッチ決済が使えるカード

出所：日本クレジットカード協会『タッチ決済について』

図表　タッチ決済が利用される理由

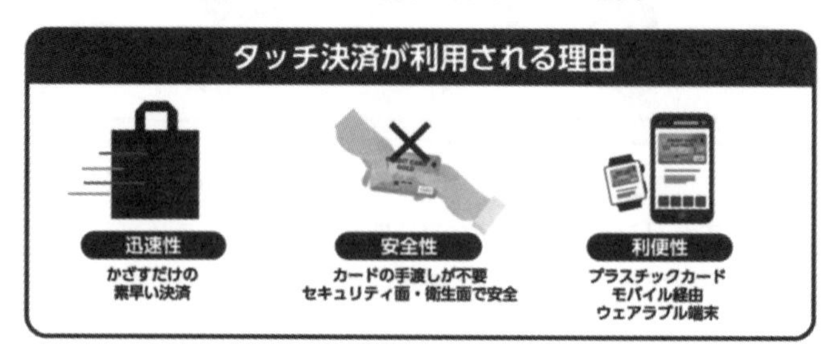

出所：日本クレジットカード協会『タッチ決済について』

d　×：本肢は、QRコード決済における**消費者提示型（CPM：Consumer Presented Model）**の内容である。店舗提示型（MPM：Marchant Presented Mode）は、店舗側がQRコードを表示する。支払者がそのQRコードをスマートフォンなどでスキャンして、支払いを完了させる。QRコードを使って支払いをするQRコード決済には、消費者提示型と店舗提示型がある。

図表　QRコード決済での支払いの流れ

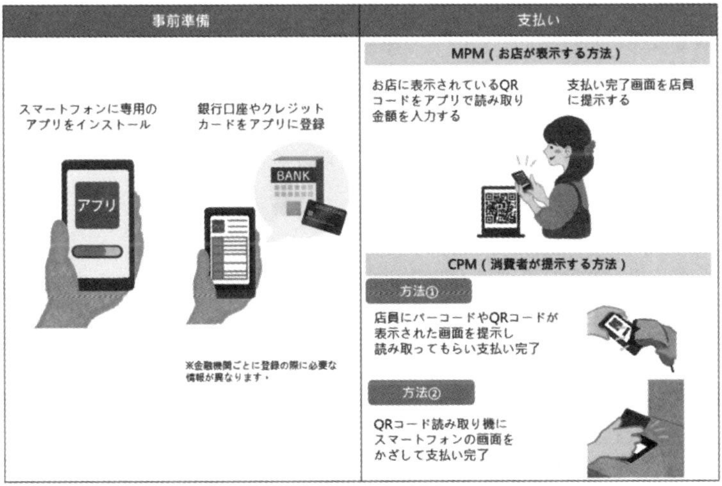

出所：経済産業省『キャッシュレス関連用語集』

よって、**a**：正、**b**：正、**c**：正、**d**：誤、なので、**ア**が正解である。

第14問

スクラムに関する問題である。アジャイル開発のひとつであるスクラムの構成員の役割やスプリント期間中のイベントの内容が問われており、対応はやや難しい。

ア　×：プロダクトバックログの優先順位を決定するのは、**プロダクトオーナー**である。スクラムガイド「スクラム公式ガイド：ゲームのルール」によると、スクラムチームは「スクラムマスター1名」、「プロダクトオーナー1名」、「複数人の開発者」で構成されると記載されており、開発者、プロダクトオーナー、スクラムマスターの明確な責任がそれぞれ定義されている。プロダクトオーナーは、スクラムチームから生み出されるプロダクトの価値を最大化することの結果に責任をもつ。プロダクトバックログは、アジャイル開発のひとつであるスクラムにおいて、製品開発に必要な機能、タスク、要件などをリストアップしたものであり、プロダクトオーナーが管理する。

イ　×：プロダクトの価値を最大化させる責任は、**プロダクトオーナー**が負う。スクラムマスターは、スクラムガイドで定義されたスクラムを確立させることの結果に責任をもち、開発者やプロダクトオーナーを支援する役割がある。

ウ　○：正しい。スプリントとはアジャイル開発の代表的なフレームワークである「スクラム」における工程の反復単位である。スプリントは通常１か月以内の決まった期間に設定される。スプリントレビューの目的は、スプリントの成果を検査し、今後の対応を決定することである。スクラムチームは、主要なステークホルダーに作業の結果を提示し、プロダクトゴールに対する進捗について話し合う。スプリントレビューにおいて、スクラムチームとステークホルダーは、スプリントで何が達成され、自分たちの環境で何が変化したかについてレビューする。この情報に基づいて、参加者は次にやるべきことに協力して取り組む。新たな機会に見合うようにプロダクトバックログを調整することもある。（出所：スクラム公式ガイド：ゲームのルール）

エ　×：本肢の内容は、**スクラムマスター**の責任である。プロダクトオーナーの責任は選択肢**ア**の解説を参照。

オ　×：本肢は、**デイリースクラム**の内容である。デイリースクラムは、スクラムチームのメンバーがスプリント期間中に毎日開催する15分程度のイベントである。レトロスペクティブは、スプリントの終了時に行う振り返りミーティングである。今回のスプリントで発生した問題点の抽出や改善策を話し合う場である。

よって、**ウ**が正解である。

第15問

バックアップに関する問題である。バックアップ手法の名称と仕組みが問われており、対応はやや難しい。

a　×：クラウドバックアップは、インターネット経由で外部のサーバにデータをバックアップする仕組みであり、本肢の**オンプレミス（自社専用）**という部分が誤りである。オンプレミスとは、ユーザ企業が情報システムのインフラ（基盤）を自社で保有し、自社が管理する設備において運用する形態を指す。オンプレミスは、クラウドコンピューティングを利用する運用形態と対比して用いられる。

b　○：正しい。ロールバックはソフトウェア障害に用いられるバックアップ手法である。障害の発生時点で処理中だったトランザクションによる更新をログファイルの更新前情報を使って取り消し、データベースを処理前の状態に戻す。

図表　ロールバックのイメージ

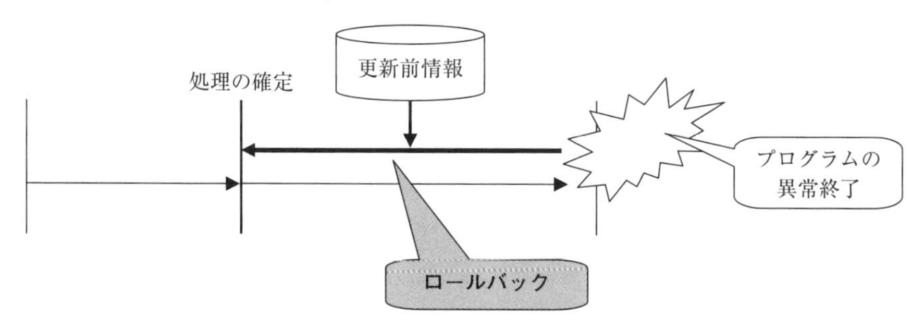

c　×：バックアップは、イメージバックアップとファイルバックアップに分けられる。イメージバックアップは、**データファイルやアプリケーションだけでなく、ユーザアカウントやシステム設定、オペレーティングシステム全体を丸ごとバックアップする手法**である。バックアップ対象の全体をひとつの「イメージファイル」として保存し、ファイルやフォルダを階層構造のまま完全に再現する。

d　○：正しい。コンピュータシステムが災害で破損した場合に備え、遠隔地に設置され、迅速に業務を引き継ぐためのバックアップサイトである。このバックアップサイトは常に待機状態にあり、システムの復旧をスムーズに行うためにウォームスタンバイの状態で待機する。

よって、**a**：誤、**b**：正、**c**：誤、**d**：正、なので、**オ**が正解である。

第16問

見積り手法に関する問題である。代表的な見積り手法の名称と特徴が問われており、確実に得点したい。

ア　×：CoBRA法は、経験豊富なプロジェクトマネージャなどの見積り熟練者の経験および知識を抽出し、それを変動要因として定義・定量化することで、透明性と説明性が高いコスト見積りを実現する方法である。開発工数は開発規模に比例することを仮定するとともに、さまざまな変動要因によって工数増加が発生することを加味している。本肢の、**LOC法で算出されたソフトウェア規模に補正係数を掛け合わせて開発規模を見積もる方法という内容は、CoBRA法に適さない**ため誤りである。

イ　×：本肢は、**COSMIC法**の内容である。COCOMO法は、B.W.ベームが提案した代表的な統計的コスト見積りモデルである。COCOMOでは、ソフトウェアの生産性に影響を与えるさまざまな要因を明らかにし、開発形態や開発規模に応じたモデル式によって、ソフトウェア開発の工数や期間を推定する。

ウ　×：本肢は、**COCOMO法**の内容である。COSMIC法（Common Software Measurement International Consortium）は、ソフトウェアの機能的な規模を測定するために、データの構造や流れに着目する。具体的には、データの入力、処理、出力に関連する機能を分析し、その機能の規模を「COSMIC Function Points（CFP）」という単位で測定する。データの流れに基づいてソフトウェアの機能的な規模を評価する。

エ　○：正しい。ファンクションポイント法は、ソフトウェアがもつ機能（ファンクション）に基づいて、システムの開発規模を見積もる方法である。ファンクションポイント法では、「外部入力」「外部出力」「内部論理ファイル」「外部インタフェースファイル」「外部照会」の５つに機能を分類して複雑度を算出する。

図表　ファンクションポイント法のイメージ

ファンクション数算出表

機能	複雑度			横合計
	単純	普通	複雑	
外部入力	■× 3 =	■× 4 =	■× 6 =	—
外部出力	■× 4 =	■× 5 =	■× 7 =	—
内部論理ファイル	■× 7 =	■× 10 =	■× 15 =	—
外部インタフェースファイル	■× 5 =	■× 7 =	■× 10 =	—
外部照会	■× 3 =	■× 4 =	■× 6 =	—
			ファンクション数	—

■は機能の個数

①　②

① 外部入力や外部出力、内部論理ファイルなどの機能の複雑度別の個数を求める。

② 与えられている重みを掛けて、各機能の数値を合算することにより、ファンクション数を算出する。

③ １ファンクションあたりに必要となる開発工数などをファンクション数に乗じて、ファンクションポイントを算出する。

オ　×：本肢は、**ボトムアップ法**の内容である。類推法は、過去の類似プロジェクトの実績を基礎に見積もる方法である。

よって、**エ**が正解である。

第17問

パスワードレス認証に関する問題である。パスワードレス認証の代表的な手法であるパスキー認証の仕様が問われており、対応はやや難しい。

ア　×：パスキーは、パスワードを使用せずに認証を実現する技術で、「マルチデバイス対応FIDO認証資格情報」の通称である。パスワードレス認証の普及に努める非営利団体FIDO Alliance（FIDOアライアンス）と、Webの標準化を担うW3C（World Wide Web Consortium）が共同で規格化した。パスキー認証は、パスワードに変わる**生体認証（指紋や顔など）やパターンなどを使って認証する**方法であり、スマートフォンやノートパソコンなどの多くのモバイルデバイスで用いられている。

イ　○：正しい。パスキー（FIDO認証資格情報）を用いることで、複数のデバイス間で同じパスキーを利用できる。パスキーは、パスワードレス認証のための技術で、ユーザの認証情報を安全に管理し、ログインや認証のプロセスを簡素化する。FIDO（Fast IDentity Online）規格に基づいており、デバイス間での認証情報の一貫性と安全性を提供する。パスキーの情報は、通常、クラウドベースのセキュアなストレージに保存される。このため、ユーザが新しいデバイスを追加した場合、既存のデバイスをリセットした場合でも、パスキーの情報をクラウドから安全に同期し、再利用できるため、複数デバイス間で同じパスキーが利用できる。

ウ　×：パスキー認証では、**パスコードなどの文字列を用いた認証は行われない**ため誤りである。

エ　×：本肢は、**シングルサインオン**（SSO）の内容である。

オ　×：DoS攻撃（Denial of Service Attack）は、サーバに大量のリクエストやデータを意図的に送り込むことで、そのサーバを機能不全に陥らせるサイバー攻撃である。この攻撃は、アクセスが集中することでサーバが過負荷状態になり、正常なサービス提供ができなくなることを狙っている。DoS攻撃に対して、**パスキー認証がパスワード認証に比べて耐性があるとはいえない**ため、誤りである。

よって、**イ**が正解である。

第18問

ゼロデイ攻撃に関する問題である。ゼロデイ攻撃（Zero Day攻撃）の意味から正答の選択肢が推測できるため、確実に得点したい。

ア　×：本肢は、**スピアフィッシング（Spear Phishing）**の内容である。特定の個人や組織をターゲットにし、攻撃者がその対象についての情報を事前に収集してから攻撃する。スピアフィッシングは、一般的なフィッシング攻撃に比べてより高度にターゲットを絞り込んだ攻撃である。

イ　×：本肢は、**サプライチェーン攻撃**の内容である。サプライチェーン攻撃（Supply Chain Attack）は、ターゲットとする企業や組織の直接的なセキュリティ対策を回避するために、その企業のサプライチェーン（供給網）にある関連企業やサービスプロバイダを攻撃するサイバー攻撃である。

ウ　×：本肢は、**ダークウェブ（ダークネット）**の一種である。IDやパスワードのリスト、個人情報、偽造クレジットカード情報などの違法なデータが集積するダークウェブが存在する。近年、大手企業がサイバー攻撃を受け、機密情報が漏洩してダークウェブ上に公開されるという事件が発生し関心を集めた。

エ　×：本肢は、**ソーシャルエンジニアリング**の内容である。ソーシャルエンジニアリングは、話術や盗み聞き、盗み見などの非技術的な方法により、組織内部の人間からパスワードや機密情報のありかを不正に取得する手口の総称である。

オ　○：正しい。ゼロデイ攻撃は、セキュリティの脆弱性がまだ開発者によって修正される前に行われるサイバー攻撃を指す。修正プログラムが提供される日をn日目と考えたとき、その前日以前のサイバー攻撃が該当する。修正プログラムが提供されるまで根本的な対策を講じることができないため、大きな脅威となる可能性がある。ゼロデイ攻撃の可能性を減らすために外部の専門家などに脆弱性の発見を依頼し、発見した人に報奨金を支払うことでプログラムの脆弱性を無くそうとする企業が増えている。

図表　ゼロデイ攻撃のイメージ

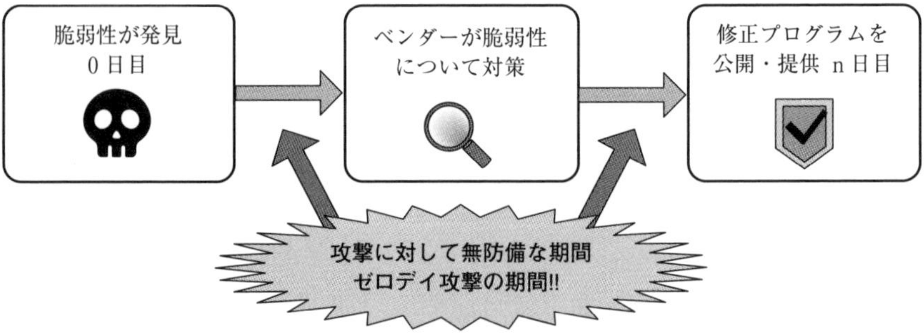

よって、**オ**が正解である。

第19問

情報セキュリティ管理に関する問題である。情報セキュリティに関連する複数のガイドラインの内容が問われており、対応は難しい。なお、本問は当初**エ**が正解の選択肢として発表されたが、その後令和６年９月３日に全員正解とすることが中小企業診断協会から発表された。

a　×：本肢は、ISMS（Information Security Management System）の内容

である。情報セキュリティマネジメントシステム（ISMS）は、企業や組織が自己の情報セキュリティを確保・維持するために、セキュリティポリシーに基づいたセキュリティレベルの設定やリスク評価の実施などを継続的に運用する仕組みのことである。CC（Common Criteria）は、情報セキュリティの観点から、情報技術に関連した製品およびシステムが適切に設計され、その設計が正しく実装されていることを評価するための国際標準規格である。

b　×：本肢は、SOC（Security Operation Center）の内容である。CSIRT（Computer Security Incident Response Team）は、セキュリティインシデントが発生した際に対応するチームのことである。CSIRTとSOCは、どちらもセキュリティチームであるが、その役割は異なる。SOCは、主に脅威を事前に発見し、対策を講じることに焦点を当て、インシデントが発生する前に問題を未然に防ぐことを目的とする。一方で、CSIRTは、実際にセキュリティインシデントが発生した後に、その対応と解決を行うことに専念する。いずれのチームも、効果的な運営には高度なセキュリティスキルが不可欠であり、その専門知識を駆使して各自の役割を全うする必要がある。

図表　SOCとCSIRTの関係

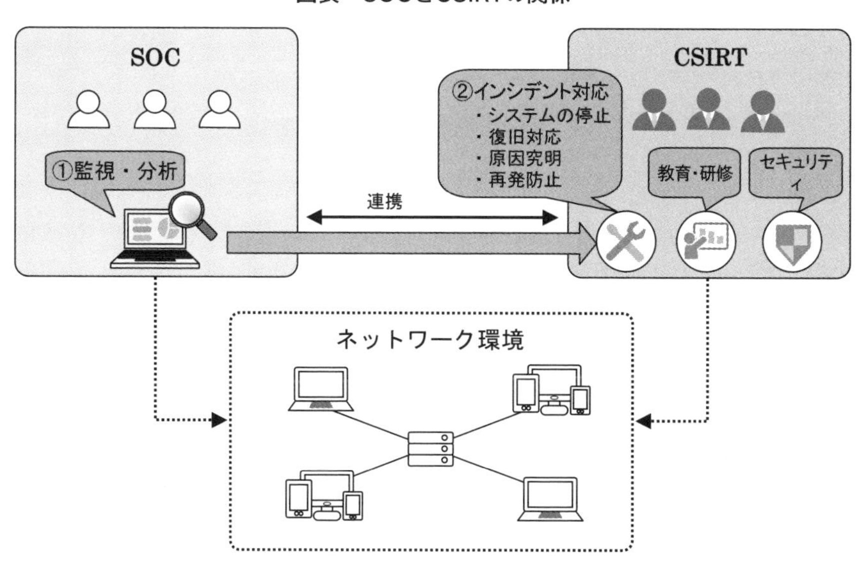

出所：NTTコミュニケーションズ

c　○：正しい。CVE（Common Vulnerabilities and Exposures：共通脆弱性識別子）は、情報セキュリティの分野で発見された脆弱性やセキュリティインシデントに対して、一意の識別番号と名称を付与し、それを体系的にリスト化したデータベースである。

d ×：令和６年８月時点の最新版である「CVSS v4.0」（令和５年に公開）では、情報システムの脆弱性の深刻度を「**基本評価基準**」「**脅威評価基準**」「**環境評価基準**」「**補足評価基準**」の**４つ**の基準で評価する。

図表 CVSS v4.0の評価基準の全体像

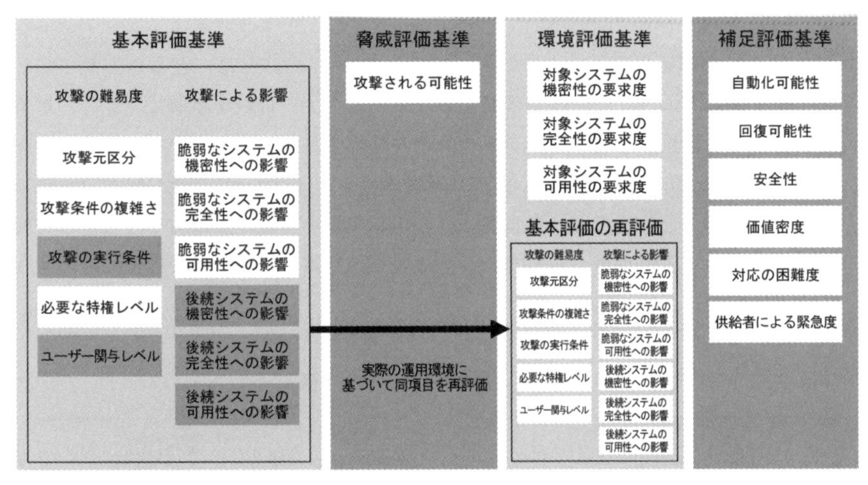

出所：独立行政法人情報処理推進機構（IPA）「脆弱性対応におけるリスク評価手法p.15」

本肢で記述がある、「基本評価基準」「現状評価基準」「環境評価基準」の３つの基準で評価するのは、令和６年８月時点で最新版ではないCVSS v3とCVSS v3.1の内容である。CVSS v4.0で「現状評価基準」の名称が「脅威評価基準」に変更され、新たに「補足評価基準」が加えられた。なお、中小企業診断協会から令和６年８月５日に発表された本問の解答によると、当初本肢は「正」として扱われていたが、CVSS v4.0は令和５年にリリースされているため、本試験が実施された令和６年８月４日から判断しても、本肢は誤りである。

第20問

通信回線の信頼度に関する問題である。通信回線の信頼度を計算するための式が問われた。各選択肢の計算式の意味を考えれば正答できるため、確実に得点したい。

バックアップ回線が新設された後の通信回線の信頼度を計算するには以下の手順を

取る。

① メイン回線とバックアップ回線が同時に故障する確率を求める

② メイン回線かバックアップ回線のどちらか一方の回線が正常に動作している確率を求める

旧来の通信回線の信頼度をa、新しく契約する通信回線の信頼度をbとすると、両方の回線が同時に故障する確率は以下になる。

(1－a)×(1－b)

したがって、どちらか一方の回線が正常に動作している確率（全体の信頼度）は以下のように計算できる。

1－(1－a)×(1－b)

この式が、バックアップ回線新設後の通信回線の信頼度を表す最も適切な計算式である。この式は、どちらかの回線が正常に動作している確率を示し、全体のシステムの信頼度を表す。

よって、**ウ**が正解である。

第21問

EVMSに関する問題である。最終的なコスト見積り値を計算で求めることが問われている。EVMSの計算は本試験の頻出論点であるため、確実に得点したい。

EVMSは、完成時総予算（最終的なコスト見積り値）であるEACを以下の計算式で求める。

$$EAC = AC + (BAC - EV) \times \frac{AC}{EV}$$

AC（Actual Cost：コスト実績値）
BAC（Budget At Completion：完成時総予算）
EV（Earned Value：出来高実績値）報告時点での作業の成果物を金銭換算した金額のこと

$$EAC = AC + (BAC - EV) \times \frac{AC}{EV} = 600 + (1{,}000 - 400) \times \frac{600}{400} = \mathbf{1{,}500}\ \text{（万円）}$$

よって、**オ**が正解である。

第22問

データの代表値に関する問題である。相対度数分布と累積相対度数分布から代表値（中央値と最頻値）を読み取ればよいため、確実に得点したい。

相対度数分布は、各カテゴリや区間の頻度を全体のデータ数で割ったものである。

これは、各カテゴリのデータが全体の中でどの程度の割合を占めているかを示す。相対度数分布は、データの割合を把握するのに有用である。

累積相対度数分布は、各カテゴリや区間までの度数の合計を表す。累積相対度数分布は、データの分布がどのように累積していくかを示し、特定の値以下のデータの割合を理解するのに役立つ。

中央値は、データを大きさの順に並べた際にちょうど中央にくる値である。データが偶数個の場合は、中央に近い2つの値の平均値が中央値となる。最頻値は、最も度数（頻度）の多い値である。

ア　×：相対度数分布から、最頻値は、2000年が50～54歳、2005年が55～59歳、2010年が60～64歳、2015年が65～69歳、2020年が60～64歳である。2015年から2020年は最頻値が**小さく**なっている。

イ　○：正しい。累積相対度数分布から、2000年の中央値は55～59歳、2005年の中央値は55～59歳、2010年の中央値は60～64歳、2015年が60～64歳、2020年が60～64歳である。累積相対度数分布で50％が含まれる年齢層が中央値を含むと考える。

ウ　×：相対度数分布から2000年の最頻値は50～54歳、累積相対度数分布から2000年の中央値は55～59歳であり、最頻値が中央値よりも**小さい**。

エ　×：相対度数分布から2015年の最頻値は65～69歳、累積相対度数分布から2015年の中央値は60～64歳であり、最頻値が中央値よりも**大きい**。

オ　×：相対度数分布から最頻値は、2000年は50～54歳、2005年は55～59歳、2010年は60～64歳、2015年は65～69歳、2020年は60～64歳である。各年で最も最頻値が大きいのは**2015年**である。

よって、**イ**が正解である。

第23問

二値分類問題の評価指標に関する問題である。機械学習を用いて構築した分類モデルの分類精度を評価するための評価指標が2年連続で問われている。問題文に正解率、適合率、再現率の条件が定義されており、モデルAとモデルBの表を正確に読解して計算すれば正答の選択肢が選べるため、確実に得点したい。

データのカテゴリをどの程度当てはめられるかを定量化する指標として、「正解率（accuracy）」「適合率（precision）」「再現率（recall）」などがある。これらは、混同行列（confusion matrix）から計算する。混同行列は、分類問題におけるモデルの性能を評価するための具体的な表形式の表示方法である。特に、二項分類や多クラス分類の結果を視覚的に理解するのに便利である。

混同行列には、以下の主要な要素が含まれる。

●真陽性（TP：True Positive）：
実際に陽性であるものを、モデルが陽性と予測した件数。
●真陰性（TN：True Negative）：
実際に陰性であるものを、モデルが陰性と予測した件数。
●偽陽性（FP：False Positive）：
実際には陰性であるものを、モデルが陽性と誤って予測した件数。
●偽陰性（FN：False Negative）：
実際には陽性であるものを、モデルが陰性と誤って予測した件数。

図表　混同行列

		予測	
		陽性	陰性
実際	陽性	TP（真陽性の件数）	FN（偽陰性の件数）
	陰性	FP（偽陽性の件数）	TN（真陰性の件数）

この混同行列を使用して、次の重要な性能指標を計算する。

① 正解率（全体の件数のうち、陽性と陰性を正しく予測した割合）：

$$\frac{TP+TN}{TP+FP+FN+TN}$$

② 適合率（陽性と予測した件数のうち、実際も陽性である割合）：

$$\frac{TP}{TP+FP}$$

③ 再現率（実際に陽性である件数のうち、陽性と予測されたものの割合）：

$$\frac{TP}{TP+FN}$$

a　○：正しい。モデルAの正解率は、$\frac{75+875}{1{,}000}=\frac{950}{1{,}000}$であり、モデルBの正解率は、$\frac{15+935}{1{,}000}=\frac{950}{1{,}000}$である。両者の正解率は等しい。

b　×：モデルAの適合率は、$\frac{75}{75+25}=\frac{75}{100}=\frac{3}{4}$であり、モデルBの適合率は、$\frac{15}{15+5}=\frac{15}{20}=\frac{3}{4}$である。両者の適合率は等しい。

c　○：正しい。モデルAの再現率は、$\frac{75}{75+25}=\frac{75}{100}=\frac{3}{4}$であり、モデルBの再現率は、$\frac{15}{15+45}=\frac{15}{60}=\frac{1}{4}$である。モデルAの再現率は、モデルBの再現率よりも大きい。

よって、a：正、b：誤、c：正、なので、**ウ**が正解である。

第24問

生成AIに関する問題である。生成AIが引き起こす現象のひとつであるハルシネーションの意味が問われており、対応はやや難しい。

ア ×：本肢は、AIモデルの**「モデル崩壊」**に関連する内容である。生成AI(Generative AI）や自己教師あり学習（Self-supervised Learning）において発生する現象であり、AIが自ら生成したデータを学習し続けることで、次第にその性能や生成データの多様性が低下することを指す。

イ ○：正しい。生成AIにおける「ハルシネーション（Hallucination)」は、モデルが現実に存在しない、もしくは事実に基づかない情報を生成する現象を指す。ハルシネーションは、英語で幻覚を意味する。この問題は自然言語処理（NLP）などの分野で顕著に現れる。

ウ ×：本肢は、**ハルシネーションには関連しない**内容である。

エ ×：本肢は、生成AIのアルゴリズムによって助長される**エコーチェンバー**に関連する内容である。ハルシネーションには関連しない内容である。

オ ×：本肢は、**データドリフト(Data drift)**の内容である。特徴量ドリフト(Feature drift）や共変量シフト（Covariate shift）ともよばれる。

よって、**イ**が正解である。

令和5年度問題

令和5年度 問題

第1問 ★重要★

フラッシュメモリに関する記述として、最も適切な組み合わせを下記の解答群から選べ。

a 揮発性メモリであるので、紫外線を照射することでデータを消去できる。
b 不揮発性メモリであるので、電源を切っても記憶していたデータを保持できる。
c NAND型とNOR型を比べると、読み出し速度はNAND型の方が速い。
d NAND型とNOR型を比べると、書き込み速度はNAND型の方が速い。
e NOR型は、USBメモリやSSDなどの外部記憶装置に用いられている。

[解答群]
ア aとd
イ aとe
ウ bとc
エ bとd
オ cとe

第2問

正規表現は、さまざまな文字列を汎用的な形式で表現する方法の1つであり、テキストエディタ、プログラミング言語、検索エンジンなどで利用可能になっている。正規表現の用途に関する記述として、最も不適切なものはどれか。

ア 顧客名簿の電子メールアドレスから@より前の部分（ユーザ名）を取得する。
イ 店舗別売上高一覧から売上高の大きい上位5店舗を抽出する。
ウ 文章中の「METI」を「経済産業省」に置き換える。
エ 報告書の「3/31/2023」の形式で表記されている日付を「2023-3-31」の形式に変換する。
オ 領収書に記載するクレジットカード番号の一部を「*」で伏字にする。

第3問　★重要★

深層学習（ディープラーニング）に関する以下の文章の空欄A～Dに入る用語の組み合わせとして、最も適切なものを下記の解答群から選べ。

深層学習は、ディープニューラルネットワークを用いた学習方法のことである。ニューラルネットワークは、入力層、［A］、出力層の3つの層から構成されるが、特に［A］が複数あるニューラルネットワークはディープニューラルネットワークと呼ばれる。

また、ニューラルネットワークの中の［B］において、複数の入力の重み付け総和などの値から、その出力を決定するための関数は［C］と呼ばれる。代表的な［C］には、［D］、双曲線正接関数、ReLUなどがあり、これらは目的に応じて使い分けられる。

[解答群]

ア　A：畳み込み層　B：シナプス　C：誤差関数
　　D：シグモイド関数

イ　A：畳み込み層　B：ニューロン　C：活性化関数
　　D：ハッシュ関数

ウ　A：隠れ層　B：シナプス　C：誤差関数
　　D：シグモイド関数

エ　A：隠れ層　B：ニューロン　C：活性化関数
　　D：シグモイド関数

オ　A：隠れ層　B：ニューロン　C：誤差関数
　　D：ハッシュ関数

第4問

近年、デジタルデータの多様化に伴い、構造化データに加えて半構造化データならびに非構造化データの利活用の重要性が高まっている。半構造化データの例として、最も適切な組み合わせを下記の解答群から選べ。

なお、ここで半構造化データとは、あらかじめスキーマを定義せず、データにキーやタグなどを付加することで、データ構造を柔軟に定義できるデータをいう。

a　音・画像・動画データ
b　リレーショナルデータベースの表
c　JSON形式のデータ
d　XML形式のデータ
e　YAML形式のデータ

［解答群］
ア　aとbとe
イ　aとcとd
ウ　aとcとe
エ　bとdとe
オ　cとdとe

第5問

データベース管理システム（DBMS）に関する記述として、最も適切なものはどれか。

ア　インデックス法とは、プログラムがDBMSへアクセスする際に、一度確立したコネクションを維持して再利用するための仕組みをいう。
イ　ストアドプロシージャとは、表やビューに対する一連の処理を1つのプログラムとしてまとめ、DBMSに格納したものをいう。
ウ　トリガとは、SQLの問い合わせによって得られた結果セットのレコードを1つずつ読み込んで行う処理をいう。
エ　レプリケーションとは、IoT機器などから連続的に発生するデータをリアルタイムに収集、分析、検出、加工する処理をいう。
オ　ロールフォワードとは、表のフィールド値を更新すると、関連づけられている他の表のフィールド値も同時に更新させるための仕組みをいう。

第6問

サーバへのアクセス集中はサーバのレスポンス低下を招き、著しく利便性を損なう可能性がある。そこで、ロードバランサ（負荷分散装置）を設置するなどして、適切に負荷を分散させる必要がある。
負荷分散に関する記述として、最も適切なものはどれか。

ア　DNSラウンドロビン方式とは、ロードバランサがDNS（Domain Name Server）の機能を持つことによってクライアントのリクエストを振り分ける方式のことである。

イ　DSR（Direct Server Return）とは、クライアントからサーバへのリクエスト時にはロードバランサを経由させるが、サーバからクライアントへのレスポンス時にはロードバランサを経由せずに、クライアントにパケットを直接送る仕組みのことである。

ウ　アダプティブ方式とは、事前に設定された割り当て比率に応じて、クライアントからのリクエストを振り分ける方式のことである。

エ　最速応答時間方式とは、接続数が最も少ないサーバに、クライアントからのリクエストを振り分ける方式のことである。

オ　マルチホーミングとは、複数のISP（Internet Service Provider）と契約してインターネット接続回線を複数持つことであり、アクセスが集中してある回線で通信障害が発生したときに、ロードバランサが他の回線に切り替える仕組みのことである。

第7問　★重要★

Webサイトを構築する場合などにおいては、音・画像・動画データを利用することが多い。これらの保存にはさまざまなファイル形式が利用される。これらのファイル形式に関する記述として、最も適切なものはどれか。

ア　AVIは、ストリーミング配信向けの動画データのファイル形式であり、動画データの再生や複製、変更を制限することができる。

イ　BMPとJPEGは、可逆圧縮方式による画像データのファイル形式であり、フルカラーで画像データを保存できる。

ウ　GIFとPNGは、非可逆圧縮方式による画像データのファイル形式であり、フルカラーで画像データを保存できる。

エ　MP3は、可逆圧縮方式による音データのファイル形式であり、音楽CD並みの音質を保ちながら音データを保存できる。

オ　MP4は、音・画像・動画などの複数データをまとめて格納することができるファイル形式である。

第8問　★重要★

以下に示す表は、ある小売店が利用している受注管理表の一部である。この

表に関する正規化の観点からの記述として、最も適切なものを下記の解答群から選べ。ただし、枝番は１回の受注で商品コード別に連番で発行される番号であるとし、単価は商品コードによって一意に定まるものとする。

受注番号	枝番	受注日	得意先コード	商品コード	販売数量	単価
10001	1	2023-04-01	9876	P101	1	30,000
10001	2	2023-04-01	9876	P201	2	15,000
10001	3	2023-04-01	9876	P301	5	10,000
10002	1	2023-04-02	5555	P201	1	15,000
10002	2	2023-04-02	5555	P401	3	20,000

［解答群］

ア　第１正規形であるが、第２正規形ではない。

イ　第１正規形ではない。

ウ　第２正規形であるが、第１正規形ではない。

エ　第２正規形であるが、第３正規形ではない。

オ　第３正規形である。

第９問

以下に示す、ある小売店における販売データ「取引記録」から併売分析を行いたい。異なる２つの商品の組み合わせに対して、それらが同時に取引された件数を求める「集計結果」を得るためのSQL文を考える。

取引記録

管理番号	取引ID	商品ID	数量
1	T001	P002	1
2	T001	P010	1
3	T002	P002	3
4	T002	P007	2
5	T003	P005	1
6	T003	P010	1
7	T003	P007	2
⋮	⋮	⋮	⋮

集計結果

商品1	商品2	件数
P003	P004	10
P004	P010	9
P001	P008	7
P004	P007	7
P001	P010	6
P002	P004	6
P005	P008	6
⋮	⋮	⋮

以下のSQL文の空欄①～③に入る記述の組み合わせとして、最も適切なものを下記の解答群から選べ。

【SQL文】

```
SELECT
    A.商品ID as 商品1, B.商品ID as 商品2, COUNT（*）as 件数
FROM
    取引記録 as A, 取引記録 as B
WHERE
    [ ① ] and [ ② ]
GROUP BY
    A.商品ID, B.商品ID
ORDER BY
    件数[ ③ ];
```

[解答群]

ア　①：A.取引ID ＝ B.取引ID　②：A.商品ID ＜ B.商品ID　③：DESC

イ　①：A.取引ID ＝ B.取引ID　②：A.商品ID ＜ B.商品ID　③：ASC

ウ　①：A.取引ID ＝ B.取引ID　②：A.商品ID ＜＞ B.商品ID　③：ASC

エ　①：A.取引ID ＜ B.取引ID　②：A.商品ID ＝ B.商品ID　③：DESC

オ　①：A.取引ID < B.取引ID　②：A.商品ID <> B.商品ID　③：ASC

第10問　★重要★

ストレージ技術に関する以下のa～eの記述とその用語の組み合わせとして、最も適切なものを下記の解答群から選べ。

a　RAID技術の１つで、ストライピングによって管理する方式。

b　RAID技術の１つで、ミラーリングによって管理する方式。

c　ファイバチャネルやTCP/IPなどの転送方式を利用して構築されたストレージ専用のネットワーク。

d　既存のネットワーク（LAN）に直接接続し、コンピュータなどからネットワークを通じてアクセスできるストレージ。

e　ストレージを仮想化して割り当てておき、実データの増加に応じて物理的なストレージを増設する管理技術。

[解答群]

ア　a：RAID０　b：RAID１　c：NAS　d：SAN
　　e：シンプロビジョニング

イ　a：RAID０　b：RAID１　c：SAN　d：NAS
　　e：シンプロビジョニング

ウ　a：RAID０　b：RAID５　c：SAN　d：DAS
　　e：シックプロビジョニング

エ　a：RAID１　b：RAID０　c：DAS　d：NAS
　　e：シックプロビジョニング

オ　a：RAID１　b：RAID５　c：NAS　d：SAN
　　e：シックプロビジョニング

第11問

IPv４ネットワークにおいては、ネットワークが使用するIPアドレスの範囲を指定するのにサブネットマスクが利用される。

以下のネットワークにおいて、ホストとして使用できるIPアドレスの個数は最大いくつになるか。最も適切なものを下記の解答群から選べ。

ネットワークアドレス　172.16.16.32/27
サブネットマスク　255.255.255.224

なお、これを2進法で表すと次のようになる。
ネットワークアドレス　10101100 00010000 00010000 00100000
サブネットマスク　11111111 11111111 11111111 11100000

[解答群]
ア　14
イ　16
ウ　24
エ　30
オ　32

第12問 ★重要★

LANを構成するために必要な装置に関する以下のa～eの記述とその装置名の組み合わせとして、最も適切なものを下記の解答群から選べ。

a　OSI基本参照モデルの物理層で電気信号を中継する装置。
b　OSI基本参照モデルのデータリンク層の宛先情報を参照してデータフレームを中継する装置。
c　OSI基本参照モデルのネットワーク層のプロトコルに基づいてデータパケットを中継する装置。
d　OSI基本参照モデルのトランスポート層以上で使用されるプロトコルが異なるLAN同士を接続する装置。
e　無線LANを構成する機器の1つで、コンピュータなどの端末からの接続要求を受け付けてネットワークに中継する装置。

[解答群]
ア　a：ブリッジ　b：リピータ　c：ルータ
　　d：ゲートウェイ　e：アクセスポイント

イ	a：リピータ	b：アクセスポイント	c：ゲートウェイ
	d：ルータ	e：ブリッジ	
ウ	a：リピータ	b：ブリッジ	c：ルータ
	d：ゲートウェイ	e：アクセスポイント	
エ	a：リピータ	b：ルータ	c：ゲートウェイ
	d：ブリッジ	e：アクセスポイント	
オ	a：ルータ	b：ブリッジ	c：アクセスポイント
	d：ゲートウェイ	e：リピータ	

第13問　★重要★

ネットワークシステムの性能に関する以下の文章の空欄A～Eに入る用語の組み合わせとして、最も適切なものを下記の解答群から選べ。

単位時間当たりに伝送可能なデータの最大容量を[A]という。[B]などが原因で、単位時間当たりの実際のデータ伝送量である[C]が低下する。伝送の速さは[C]だけでは決まらず、転送要求を出してから実際にデータが送られてくるまでに生じる通信の遅延時間である[D]が影響する。また、パケットロスや[E]は音声や映像の乱れを生じさせる。

[解答群]

ア	A：帯域幅	B：ジッタ	C：ping値
	D：レイテンシ	E：輻輳（ふくそう）	
イ	A：帯域幅	B：輻輳（ふくそう）	C：スループット
	D：ping値	E：ジッタ	
ウ	A：帯域幅	B：輻輳（ふくそう）	C：スループット
	D：レイテンシ	E：ジッタ	
エ	A：トラフィック	B：ジッタ	C：ping値
	D：輻輳（ふくそう）	E：レイテンシ	
オ	A：トラフィック	B：輻輳（ふくそう）	C：スループット
	D：ping値	E：レイテンシ	

第14問

コンピュータで音・画像・動画を利用するには、アナログデータをデジタル化する必要がある。

音をデジタルデータに変換することを考える。PCM（パルス符号変調）方式でアナログ音声データをデジタルデータに変換する。量子化ビット数16ビット、サンプリング周波数44,100Hzでステレオ（2チャンネル）の音の5分間のデータ量は何バイトか。最も適切な計算式を選べ。ただし、データの圧縮は行わないものとする。

ア　$(44{,}100 \times 16 \times 2) \times (5 \times 60) \times 8$
イ　$(44{,}100 \times 16 \times 2) \times (5 \times 60) \div 8$
ウ　$(44{,}100 \times 16 \div 2) \times (5 \times 60) \div 8$
エ　$\{(44{,}100 \div 16) \div 2\} \times (5 \times 60) \times 8$
オ　$\{(44{,}100 \div 16) \div 2\} \times (5 \times 60) \div 8$

第15問

情報化社会の将来像に関する考え方についての記述として、最も適切なものはどれか。

ア　「DX」とは、人件費削減を目的として、企業組織内のビジネスプロセスのデジタル化を進め、人間の仕事をAIやロボットに行わせることを指している。
イ　「Society5.0」とは、サイバー空間（仮想空間）とフィジカル空間（現実空間）を高度に融合させたシステムにより、経済発展と社会的課題の解決を両立させる人間中心の社会を指している。
ウ　「Web3.0」とは、情報の送り手と受け手が固定されて送り手から受け手への一方的な流れであった状態が、送り手と受け手が流動化して誰でもWebを通じて情報を受発信できるようになった状態を指している。
エ　「インダストリー4.0」とは、ドイツ政府が提唱した構想であり、AIを活用して人間の頭脳をロボットの頭脳に代替させることを指している。
オ　「第三の波」とは、農業革命（第一の波）、産業革命（第二の波）に続いて、第三の波としてシンギュラリティが訪れるとする考え方を指している。

第16問　★ 重要 ★

OLAPは、ビジネスインテリジェンス（BI）に用いられる主要な技術の１つである。OLAPに関する記述として、最も適切なものはどれか。

ア　HOLAPとは、Hadoopと呼ばれる分散処理技術を用いたものをいう。
イ　MOLAPとは、多次元データを格納するのにリレーショナルデータベースを用いたものをいう。
ウ　ROLAPとは、多数のトランザクションをリアルタイムに実行するものをいう。
エ　ダイシングとは、多次元データの分析軸を入れ替えて、データの切り口を変えることをいう。
オ　ドリルスルーとは、データ集計レベルを変更して異なる階層の集計値を参照することをいう。

第17問　★ 重要 ★

システム開発に利用されるモデリング手法には、DFD、ER図、UMLなどがある。それぞれの手法に関する記述として、最も適切な組み合わせを下記の解答群から選べ。

a　DFDは、データの流れに着目して対象業務のデータの流れと処理の関係を記述する。
b　ER図は、システムの状態とその遷移を記述する。
c　UMLにおけるアクティビティ図は、システムが提供する機能を記述する。
d　UMLにおけるシーケンス図は、オブジェクト間の相互作用を時系列に記述する。
e　UMLにおけるユースケース図は、業務や処理の実行順序を記述する。

[解答群]
ア　aとc
イ　aとd
ウ　bとd
エ　bとe
オ　dとe

第18問

あるソフトウェア開発において、エラー埋め込み法を用いてソフトウェアのエラー数を推定することにした。検査対象プログラムに、意図的に100件のエラーを埋め込み、そのことを知らない検査担当者に検査させたところ、50件のエラーを発見することができた。そのうち40件は、意図的に埋め込んだエラーであった。

埋め込みエラーを除く検査開始前の潜在エラーの件数として、最も適切なものはどれか。

ア 10
イ 15
ウ 20
エ 25
オ 30

第19問

ITサービスマネジメントにおいて、サービス内容およびサービス目標値に関して、サービス提供者は組織内外の関係者とさまざまな合意書や契約書を取り交わす。

それらの文書に関する以下の①～③の記述とその用語の組み合わせとして、最も適切なものを下記の解答群から選べ。

① サービス提供者が組織外部の供給者と取り交わす文書
② サービス提供者が組織内部の供給者と取り交わす文書
③ サービス提供者が顧客と取り交わす文書

[解答群]
ア ①：NDA ②：SLA ③：OLA
イ ①：OLA ②：NDA ③：UC
ウ ①：OLA ②：UC ③：SLA
エ ①：SLA ②：UC ③：OLA
オ ①：UC ②：OLA ③：SLA

第20問 ★重要★

プロジェクト管理では、コストやスケジュールを適切に管理するためにさまざまな指標や手法が用いられる。それらに関する記述として、最も適切なものはどれか。

ア　CPI（コスト効率指数）とは、実コストが計画コストより多いか少ないかを見る指標で、PV（出来高計画値）をAC（コスト実績値）で除して算出する。
イ　EV（出来高実績値）とは、ある時点までに実際にかかったコストの累積値のことである。
ウ　SPI（スケジュール効率指数）とは、スケジュールの進捗具合を示す指標で、EV（出来高実績値）をPV（出来高計画値）で除して算出する。
エ　クラッシングとは、順次行う予定のアクティビティを並行して実行することによって作業期間を短縮することである。
オ　ファストトラッキングとは、クリティカルパス上のアクティビティに資源を投入して作業期間を短縮することである。

第21問　★ 重要 ★

テレワークで利用するモバイル端末に対して、安全かつ効率的な管理が求められている。この管理に関する記述として、最も適切なものはどれか。

ア　BYOD（Bring Your Own Device）は、組織の公式的な許可を得ずに組織が所有するモバイル端末を社員が私的に利用することである。
イ　COPE（Corporate Owned, Personally Enabled）は、モバイル端末利用ポリシーに従って社員が所有するモバイル端末を業務で利用することである。
ウ　MCM（Mobile Content Management）は、社員が利用するモバイル端末内の業務データを管理するシステムや技術である。
エ　MFA（Multi-Factor Authentication）は、社員が所有する複数のモバイル端末によって認証を行うシステムや技術である。
オ　SSO（Single Sign-On）は、社員が利用するモバイル端末には最低限の機能しか持たせず、サーバ側でアプリケーションやファイルなどの資源を管理するシステムや技術である。

第22問　★ 重要 ★

ネットワークのセキュリティを確保することは重要である。ネットワークセキュリティに関する以下のａ～ｅの記述とその用語の組み合わせとして、最も適切なものを下記の解答群から選べ。

a　ネットワークへの不正侵入を監視し、不正侵入を検知した場合に管理者に通知するシステム。

b　ネットワークへの不正侵入を監視し、不正侵入を検知した場合にその通信を遮断するシステム。

c　SQLインジェクションなどのWebアプリケーションへの攻撃を検知し、防御するシステム。

d　インターネット上に公開されたサーバへの不正アクセスを防ぐため、外部ネットワークと内部ネットワークの中間に設けられたネットワーク上のセグメント。

e　機器やソフトウェアの動作状況のログを一元的に管理し、セキュリティ上の脅威となる事象をいち早く検知して分析できるようにするシステム。

[解答群]

ア	a：IDS	b：IPS	c：DMZ	d：SIEM	e：WAF
イ	a：IDS	b：IPS	c：WAF	d：DMZ	e：SIEM
ウ	a：IPS	b：IDS	c：WAF	d：DMZ	e：SIEM
エ	a：IPS	b：WAF	c：SIEM	d：DMZ	e：IDS
オ	a：SIEM	b：IDS	c：WAF	d：SIEM	e：DMZ

第23問

JIS Q 27000:2019（情報セキュリティマネジメントシステム－用語）におけるリスクに関する以下の記述の空欄A～Eに入る用語の組み合わせとして、最も適切なものを下記の解答群から選べ。

・リスク［ A ］とは、結果とその起こりやすさの組み合わせとして表現されるリスクの大きさのことである。

・リスク［ B ］とは、リスクの特質を理解し、リスクレベルを決定するプロセスのことである。

・リスク［ C ］とは、リスクの重大性を評価するための目安とする条件のことである。

・リスク［ D ］とは、リスクの大きさが受容可能かを決定するために、リスク分析の結果をリスク基準と比較するプロセスのことである。

・リスク［ E ］とは、リスクを発見、認識および記述するプロセスのことである。

［解答群］

ア	A：基準	B：特定	C：レベル	D：評価	E：分析
イ	A：基準	B：分析	C：レベル	D：特定	E：評価
ウ	A：レベル	B：特定	C：基準	D：評価	E：分析
エ	A：レベル	B：分析	C：基準	D：特定	E：評価
オ	A：レベル	B：分析	C：基準	D：評価	E：特定

第24問

機械学習において、陽性（Positive）と陰性（Negative）のどちらかに分類する二値分類タスクに対する性能評価を行う際に、次のような混同行列と呼ばれる分割表が用いられる。

		予測	
		陽性	陰性
実際	陽性	TP（真陽性の件数）	FN（偽陰性の件数）
	陰性	FP（偽陽性の件数）	TN（真陰性の件数）

二値分類タスクに対する評価は、上記のTP、FP、FN、TNから計算される評価指標を用いて行われる。評価指標に関する以下の①～③の記述とその計算式の組み合わせとして、最も適切なものを下記の解答群から選べ。

① 正解率とは、全体の件数のうち、陽性と陰性を正しく予測した割合のことである。
② 適合率とは、陽性と予測した件数のうち、実際も陽性である割合のことである。
③ 再現率とは、実際に陽性である件数のうち、陽性と予測した割合のことである。

［解答群］

ア ①：$\frac{FP+FN}{TP+FP+FN+TN}$ ②：$\frac{TP}{TP+FP}$ ③：$\frac{FP}{TP+FN}$

イ ①：$\frac{TP+TN}{TP+FP+FN+TN}$ ②：$\frac{TP}{TP+FN}$ ③：$\frac{TP}{TP+FP}$

ウ ①：$\frac{TP+TN}{TP+FP+FN+TN}$ ②：$\frac{TP}{TP+FP}$ ③：$\frac{TP}{TP+FN}$

エ ①：$\frac{TP+TN}{TP+FP+FN+TN}$ ②：$\frac{TP}{TP+TN}$ ③：$\frac{FP}{TP+FN}$

オ ①：$\frac{TP+TN}{TP+FP+FN+TN}$ ②：$\frac{TP}{TP+TN}$ ③：$\frac{TP}{TP+FN}$

第25問

インターネット上での情報流通の特徴に関する以下の文章の空欄A～Dに入る用語の組み合わせとして、最も適切なものを下記の解答群から選べ。

人間は集団になると、個人でいるときよりも極端な方向に走りやすくなるという心理的傾向は［A］と呼ばれている。キャス・サンスティーンは、インターネットでも［A］を引き起こしやすくなる［B］という現象が見られると指摘した。こうした人間の心理的傾向とネットメディアの特性の相互作用による現象に、次のようなものが挙げられる。

1つは、SNSなどを利用する際、人間は自分と似た興味や関心を持つユーザをフォローする傾向があるので、自分と似た意見が返ってくる［C］と呼ばれる現象である。もう1つは、アルゴリズムが利用者の検索履歴などを学習することで利用者にとって好ましい情報が表示されるようになり、その結果、利用者が見たい情報しか見えなくなるという［D］と呼ばれる現象である。これら2つの現象は、インターネット上で偽情報が顕在化する背景の1つであると考えられている。

[解答群]

ア A：集団極性化 B：サイバーカスケード
　C：エコーチェンバー D：フィルターバブル

イ A：集団極性化 B：サイバーカスケード
　C：バックファイア効果 D：エゴサーチ

ウ A：ハロー効果 B：サイバーカスケード
　C：バックファイア効果 D：エゴサーチ

エ A：ハロー効果 B：ナッジ
　C：エコーチェンバー D：フィルターバブル

オ	A：ハロー効果	B：ナッジ
	C：バックファイア効果	D：フィルターバブル

令和 5 年度
解答・解説

問題	解答	配点	正答率※
第1問	エ	4	C
第2問	イ	4	C
第3問	エ	4	B
第4問	オ	4	D
第5問	イ	4	C
第6問	イ	4	C
第7問	オ	4	D
第8問	ア	4	C
第9問	ア	4	C
第10問	イ	4	B
第11問	エ	4	E
第12問	ウ	4	B
第13問	ウ	4	C
第14問	イ	4	C
第15問	イ	4	C
第16問	エ	4	B
第17問	イ	4	B
第18問	エ	4	C
第19問	オ	4	E
第20問	ウ	4	B
第21問	ウ	4	B
第22問	イ	4	B
第23問	オ	4	B
第24問	ウ	4	A
第25問	ア	4	A

※TACデータリサーチによる正答率
正答率の高かったものから順に、A～Eの５段階で表示。
A：正答率80%以上　B：正答率60%以上80%未満　C：正答率40%以上60%未満
D：正答率20%以上40%未満　E：正答率20%未満

解答・配点は一般社団法人日本中小企業診断士協会連合会の発表に基づくものです。

令和5年度 解説

第1問

フラッシュメモリに関する問題である。フラッシュメモリの種類とNAND型とNOR型の特徴が問われており、対応はやや難しい。

a ×：フラッシュメモリは、**不揮発性**のメモリである。フラッシュメモリは、EEPROMの一種であり紫外線ではなく、**電気的**にデータを消去する。

図表　半導体メモリの分類

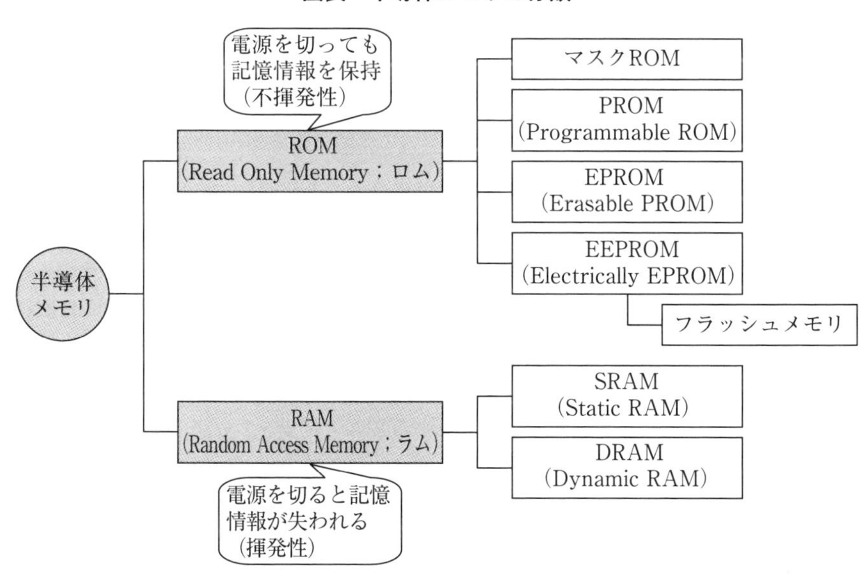

b ○：正しい。フラッシュメモリは、不揮発性である。不揮発性メモリとは、電源を切っても記憶情報を保持するメモリである。

c ×：フラッシュメモリにはNOR型とNAND型がある。NAND型は、集積度を上げられるので、フラッシュメモリとしては大容量化が容易であるが、NOR型と比べると、読み出し速度はNAND型の方が**遅い**。

図表　フラッシュメモリの種類と比較

	NOR型 フラッシュメモリ	NAND型 フラッシュメモリ
揮発性／不揮発性	不揮発性	不揮発性
読み出し速度	速い	遅い
書き込み速度	遅い	速い
主な用途	BIOS	SSD、USBメモリ

d　○：正しい。NAND型はNOR型と比べると書き込み速度は速い。

e　×：USBメモリやSSDなどの外部記憶装置に用いられるのは、**NAND型**である。NOR型は、集積度が低く容量が少ないため、メモリを書き換える機会が少ない（またはない）ファームウェアやBIOSなどに使われている。

よって、**b**と**d**の組み合わせが正しく、**エ**が正解である。

第2問

正規表現に関する問題である。正規表現でできることが問われており、対応はやや難しい。

正規表現は、正規表現のパターンに一致する文字列を検索、置換する場合などに使用される。正規表現による具体的な文字列の検索や置換する記述方法は使用するプログラム言語に依存する。

ア　○：正しい。正規表現を使用して電子メールから@より前の部分を取得することができる。具体的な置き換え方法は使用するプログラミング言語に依存する。

【参考】　正規表現の記述例

顧客名簿の電子メールアドレスから@より前の部分（ユーザ名）を取得するための正規表現のパターン。

イ　×：正規表現は、**テキストパターンに一致する文字列を検索する場合に使われるため、数値の大小比較やランキングなどの計算処理を行う用途には適さない**。データベースのSQLやプログラミング言語などの機能を使用するのが適切である。

ウ　○：正しい。正規表現を利用して文章中の文字列を別の文字列に置き換えることができる。具体的な置き換え方法は使用するプログラミング言語に依存する。

【参考】 正規表現の記述例

文章中の「METI」を「経済産業省」に置き換えるための正規表現パターン。

```regex
s/METI/経済産業省/g
```

エ　○：正しい。「3/31/2023」という形式の日付は、特定のパターン（つまり、1～2桁の数字、スラッシュ、1～2桁の数字、スラッシュ、4桁の数字）に従うため、このパターンを正規表現で表現することができる。具体的な置き換え方法は使用するプログラミング言語に依存する。

【参考】 正規表現の記述例

報告書の「3/31/2023」の形式で記述されている日付を「2023-3-31」の形式に変換するための正規表現のパターン。

```regex
/(\d{1,2})\/(\d{1,2})\/(\d{4})/
```

オ　○：正しい。通常、クレジットカード番号は4つのグループに分かれて表示され、それぞれのグループが4桁の数字で構成されており、クレジットカード番号の最初の12桁を伏字にして、最後の4桁を表示することが一般的である。具体的な置き換え方法は使用するプログラミング言語に依存する。

【参考】 正規表現の記述例

クレジットカード番号の最後の4桁を除いて、最初の12桁を「*」で伏字にするための正規表現のパターン。

```regex
/(\d{12})(\d{4})/
```

よって、**イ**が正解である。

第3問

深層学習に関する問題である。ニューラルネットワークの構造や代表的な関数が問われている。知らない用語があるものの文脈から消去法で正答の選択肢が選べるため、確実に得点したい。

ニューラルネットワークの構造は次のとおりである。

- ●入力層：ニューラルネットワークの初めの層で、外部からのデータを受け取る層である。
- ●隠れ層（中間層）：入力層と出力層の間に位置する層である。
- ●出力層：ニューラルネットワークの最後の層で、最終的な予測や分類の結果を出力する層である。
- ●ニューロン（ノード）：ニューラルネットワークの基本的な処理単位である。
- ●重み：ニューロン間の関係の強さを示す。

図表　ニューラルネットワークの構造

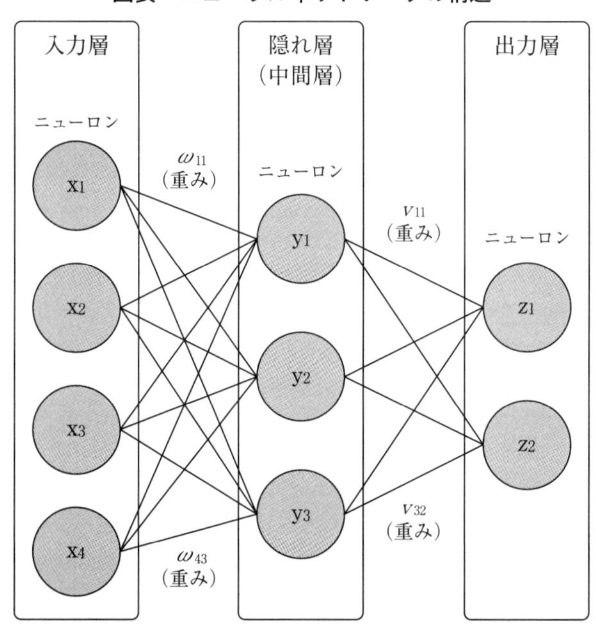

	用　語	内　容
A	隠れ層	入力層と出力層の間に位置する層である。隠れ層の複数のニューロンは、入力からの情報を処理し、その結果を出力層に伝える役割をもつ。隠れ層は1つ以上存在することが多い。
B	ニューロン	ニューラルネットワークの基本的な処理単位である。複数の入力を受け取り、これらを組み合わせて出力を生成する。この結合の強さを表すのが「重み」である。

C	活性化関数	入力値の何らかの合計値からニューロンの出力を調整・決定する関数である。非線形な関数をもつことで、複雑なネットワークにも対応できる。
D	シグモイド関数	活性化関数のひとつで、0から1の値をとる。特に二値分類問題によく使われる関数である。

よって、**エ**が正解である。

正解以外の用語については以下のとおりである。

用　語	内　容
畳み込み層	主に画像データの特徴を抽出するために用いられる畳み込みニューラルネットワーク（CNN：Convolutional Neural Network）の核心的な部分である。
シナプス	ニューロンとニューロンを結ぶ線のことである。
誤差関数	機械学習や深層学習のモデルにおいて、測定データとモデル関数の誤差による関数である。誤差関数の値を最小化するようにモデルのパラメータ（重み）を調整する。
ハッシュ関数	平文から固定長の疑似乱数（ハッシュ値、メッセージダイジェスト）を生成する演算手法である。

第4問

半構造化データに関する問題である。半構造化データの定義が問題文中に示されているものの、データ形式の詳細な知識が問われており、対応はやや難しい。

半構造化データは、非構造化データ（例：画像や動画など）と完全に構造化されたデータ（例：リレーショナルデータベースのテーブル）の中間に位置するデータ形式を指す。半構造化データは、柔軟なデータモデルをもっており、キー・バリューペア、タグ、階層などの構造的要素を持つことが一般的である。

a　×：音・画像・動画データは、**非構造化データ**の例である。非構造化データとは、特定の形式やスキーマに従っていないデータのことである。

b　×：リレーショナルデータベースの表は、**構造化データ**の例である。構造化データは、事前に定められた構造（行と列など）に整形されたデータのことである。

c　○：正しい。半構造化データである。JSON（JavaScript Object Notation）形式のデータは、キー・バリューペアや配列を使用してデータを構造化する。JavaScriptでのオブジェクトの表現方法に基づいており、Web APIや非同期通信のデータ交換形式としてよく用いられる。

図表　JSON形式の社員情報のデータサンプル

```
{
 "employees" : [
  {
   "name" : "田中 太郎" ,
   "age" : 28,
   "email" : "tanaka@example.com" ,
   "skills" : [ "Java" , "Python" , "SQL" ]
  },
  {
   "name" : "佐藤 花子" ,
   "age" : 24,
   "email" : "sato@example.com" ,
   "skills" : [ "HTML" , "CSS" , "JavaScript" ]
  }
 ],
 "company" : {
  "name" : "テック株式会社" ,
  "location" : "東京都"
 }
}
```

d　〇：正しい。半構造化データである。XML（eXtensible Markup Language）形式のデータは、ユーザが独自のタグを使って文書の属性情報や論理構造を定義できるメタ言語（言語を記述するための言語という意味）である。

図表　XML形式の社員情報のデータサンプル

```
<employees>
  <employee>
    <name> 田中 太郎 </name>
    <age>28</age>
    <email>tanaka@example.com</email>
    <skills>
      <skill>Java</skill>
      <skill>Python</skill>
      <skill>SQL</skill>
    </skills>
  </employee>
  <employee>
    <name> 佐藤 花子 </name>
    <age>24</age>
    <email>sato@example.com</email>
    <skills>
      <skill>HTML</skill>
      <skill>CSS</skill>
      <skill> JavaScript</skill>
    </skills>
  </employee>
</employees>
```

e　○：正しい。半構造化データである。YAML（YAML Ain't Markup Language）は、データ構造や設定ファイルを記述するためのデータ形式のひとつである。

図表　YAML形式の社員情報のデータサンプル

```
employees:
  - id: 001
    name: "田中 太郎"
    position: "エンジニア"
    skills:
      - "Python"
      - "JavaScript"
      - "Docker"
  - id: 002
    name: "佐藤 花子"
    position: "デザイナー"
    skills:
      - "Illustrator"
      - "Photoshop"
  - id: 003
    name: "鈴木 一郎"
    position: "プロジェクトマネージャ"
    skills:
      - "Scrum"
      - "Agile"
```

よって、**c**と**d**と**e**の組み合わせが正しく、**オ**が正解である。

第5問

DBMSに関する問題である。データベース管理システムに関連する細かい内容が問われており、対応はやや難しい。

ア　×：本肢は、**コネクションプール（コネクションプーリング）**の内容である。インデックス法は、データベースのテーブル内のデータに対して高速な検索を可能にするためのデータ構造である。書籍の索引や辞書の目次に似ており、特定の値を迅速に検索するための参照ポイントとして機能する。

イ　○：正しい。データベースに保存される一連のSQL文や処理手順をひとつのプログラムにまとめたものである。複数のSQL文を一度に実行することができるため、ネットワークトラフィックの削減や処理時間の短縮が期待できる。

ウ　×：本肢は、**カーソル（Cursor）**の内容である。トリガ（Trigger）は、特定のテーブルに関連づけられ、定義されたイベント（例：レコードの挿入、更新、削除）が発生したときに自動的に実行される機能のことである。データベースに対する操作を自動化することができる。

エ　×：本肢は、**ストリーム処理**の内容である。レプリケーション（Replication）は、データベースのデータを複数の場所に複製する処理のことである。データの可用性が向上し、負荷分散やデータの冗長性を確保するために用いられる。

オ　×：本肢は、外部キー制約における**カスケード更新**の内容である。ロールフォワードは、データベースの復帰手法のひとつで、バックアップ後の特定の時点からのトランザクションにおけるログファイルの更新後情報を用いて、障害発生前までに完了したトランザクションの内容を反映する復元操作のことである。

よって、**イ**が正解である。

第6問

ネットワークの負荷分散に関する問題である。システムの負荷分散技術について細かい内容が問われており、対応はやや難しい。

ア　×：DNSラウンドロビン方式は、**ロードバランサがDNSの機能をもつことを意味しない**。DNSラウンドロビン方式は、ひとつのドメイン名に対して複数のIPアドレスをDNSに登録し、DNSに問い合わせがあるたびに、登録されているIPアドレスを順番にクライアントに返す仕組みである。この方式を用いることで、簡易的にトラフィックの負荷を分散できる。

イ　○：正しい。DSRは、大量のデータを返す必要があるアプリケーション（ビデオストリーミングや大規模なファイル転送）などに適した仕組みである。DSRの特徴は、クライアントからのリクエストはロードバランサを通じてサーバに送られるのに対して、レスポンスは直接クライアントに送り返される点にある。このため、大量のデータ転送が生じる場面でも、ロードバランサのネットワーク帯域が消費されることなく、高速なレスポンスが可能である。

ウ　×：本肢は、**重み付きロードバランシング（Weighted round-robin load balancing）**の内容である。ロードバランサにおけるアダプティブ方式は、サーバの現在の負荷など実際の使用状況に基づいて、動的にリクエストを振り分ける方式である。

エ　×：本肢は、**最小接続数（Least connections）方式**の内容である。最速応答時間方式は、応答時間が最も短いサーバにリクエストを振り分ける方式である。

オ　×：マルチホーミング（Multi-homing）は、組織が複数のインターネットサービスプロバイダ（ISP）と契約（接続）することで、ひとつのISPが障害を起こした場合でも、他のISPを通じてインターネットへの接続を維持する手法である。マルチホーミングは、通信の冗長性や信頼性を向上させるためのものであり、**ロードバランサとは異なる用途で使用される**。**ロードバランサを併用すること**で、複数のISPにトラフィックを分散することができる。

よって、**イ**が正解である。

第7問

ファイル形式に関する問題である。静止画、動画像、音声データのファイル形式、圧縮方式、静止画ファイルの色数などの詳細が問われており、対応はやや難しい。

ア　×：本肢は、**WMV（Windows Media Video）**の内容である。AVI（Audio Video Interleave）は、マイクロソフト社が開発したWindows標準の動画ファイル形式である。**ストリーミング再生には対応していない**。また、AVIファイル形式自体に、動画データの再生や複製、変更を制限する機能は**含まれていない**。

イ　×：JPEGは、**非可逆圧縮方式**で圧縮される画像データのファイル形式である。

ウ　×：GIFとPNGは**可逆圧縮方式**で圧縮される画像データのファイル形式である。GIFは、**最大256色**に対応しており、**フルカラー（1,670万色、24ビット）には対応していない**。

エ　×：MP３は、**非可逆圧縮方式**で圧縮される音声データのファイル形式である。

オ　○：正しい。MP４は、非可逆圧縮方式で圧縮される動画や音声、テキスト、静止画などのマルチメディアコンテンツを格納できるファイル形式である。また、デジタル著作権管理（DRM：Digital Rights Management）をサポートしており、著作権が保護されたコンテンツの配布や視聴（閲覧期間の設定やデータの複製や変更の制限など）が可能である。

よって、**オ**が正解である。

第8問

正規化に関する問題である。非正規形～第３正規形までの要件が問われており、確実に得点したい。

非正規形、第１正規形、第２正規形、第３正規形の要件は以下の通りである。

用　語	内　　容
非正規形	商品コードや商品名などに、1行における1項目に複数の値を含む繰り返し項目が存在する表である。リレーショナルデータベースでは、非正規形の表を登録することができないため、正規化を進める必要がある。
第1正規形	非正規形の表に現れる繰り返し項目を分離した状態の表である。第1正規形のデータは、1行における1項目に1つの値が入るようになる。
第2正規形	主キーの一部だけで一意に決まる項目を別表に分離した状態（部分関数従属がない状態）の表である。
第3正規形	主キー以外の項目によって一意に決まる項目を別表に分離した状態（推移的関数従属が存在しない状態）の表である。

第1正規化は、表中に現れる繰り返し項目を分離して独立した行にすることである。繰り返し項目とは、1行における1項目に複数の値を含んでいる状態を指す。与えられた受注管理表は繰り返し項目が分離されているため、**第1正規形を満たしている**。

第2正規化は、主キーの一部だけから特定できる項目を別の表にすることである。第2正規化を行う場合には、主キーを特定することが必要となる。主キーを特定するには、表で管理される情報に「ID」「コード」「番号」などを付加した項目名を探すとよい。与えられた受注管理表は受注情報を管理するものであり、「受注番号」という項目が含まれている。「受注番号」の具体的な値を見ると、各行で重複があるため、「受注番号」と他の項目を併せた複合キーが主キーになることがわかる。

続いて「受注番号」以外で「ID」「コード」「番号」などが含まれる項目について、「受注番号」が同一の行において値が異なるものを探してみる。すると、「受注番号」と「商品コード」を併せると受注管理表の1行を特定できることがわかる。なお、問題文で枝番は1回の受注で商品コード別に連番が発行される番号であると記載があることから、本問の受注管理表には、「受注番号」が同じで「商品コード」も同じ行はないが、「枝番」も主キー（複合キー）になることを意図していると読み取れる。つまり、主キーは「受注番号」「商品コード」「枝番」の複合キーとなる。第2正規化は、主キーが複合キーの場合に、主キーの一部だけで一意に決まる項目を別表に分離することであるため、**第2正規形を満たしていないことがわかる**。

よって、**ア**が正解である。

【参考】
「受注番号」「商品コード」「枝番」の複合キーで第３正規化まで行った表は、次の３つとなる。実線のついた項目は主キー、破線のついた項目は外部キーとなる。

受注管理明細表

受注番号	枝番	商品コード	販売数量
10001	1	P101	1
10001	2	P201	2
10001	3	P301	5
10002	1	P201	1
10002	2	P401	3

受注表

受注番号	受注日	得意先コード
10001	2023-04-01	9876
10002	2023-04-02	5555

商品表

商品コード	単価
P101	30,000
P201	15,000
P301	10,000
P401	20,000

第９問

SQLに関する問題である。併売分析を行うために必要なSQL文の指定や同一表を再定義し、別表にして比較するためのSQL文が問われており、対応はやや難しい。

SQL文の基本的な構成は以下のとおりである。

■SELECT句（SELECT 列名） FROM句（FROM テーブル名）
条件句（WHERE/GROUP BY/ORDER BYなど）

SQL文におけるasは、「列名」や「テーブル名」に別名を付与する際に使用される。本問は、取引記録から併売分析を行うために取引記録を２つの同一のテーブルに再定義する必要がある。FROM句で、「FROM 取引記録 as A, 取引記録 as B」と記述することで、次のように取引記録をAテーブルとBテーブルという２つの同一テーブルに再定義している。

A テーブル

管理番号	取引 ID	商品 ID	数量
1	T001	P002	1
2	T001	P010	1
3	T002	P002	3
4	T002	P007	2
5	T003	P005	1
6	T003	P010	1
7	T003	P007	2
⋮	⋮	⋮	⋮

B テーブル

管理番号	取引 ID	商品 ID	数量
1	T001	P002	1
2	T001	P010	1
3	T002	P002	3
4	T002	P007	2
5	T003	P005	1
6	T003	P010	1
7	T003	P007	2
⋮	⋮	⋮	⋮

SELECT句は、抽出する列名を指定する。本問のSELECT句は、「A.商品ID as 商品1, B.商品ID as 商品2, COUNT（*）as 件数」と指定することで、Aテーブルの「商品 ID」の列名を「商品1」という列名に変更し、Bテーブルの「商品ID」の列名を「商品2」という列名に変更している。また、「COUNT（*）as 件数」は、商品の組み合わせとそれらが同じ取引で何回購入されたのかを「件数」という列名で出力するために指定している。

WHERE句は、行に対する検索条件を指定する。本問は、併売分析（同じ取引で購入された商品の組み合わせ分析）を行うためにAテーブルとBテーブルで同じ取引で購入された商品を探す必要がある。AテーブルとBテーブルで同じ取引で購入された商品を探すために、WHERE句の①は**「A.取引ID = B.取引ID」**の条件を指定する必要がある。また、問題で与えられている下の集計結果から、同じ商品の組み合わせを繰り返さないようにしていることがわかる。そこで、WHERE句で論理演算子のANDを用いて、②は**「A.商品ID < B.商品ID」**を指定することで、「商品ID」がP003とP004の組み合わせと、「商品ID」がP004とP003の組み合わせが別々に数えられることを避けられる。

【参考】

下の集計結果から「商品1」と「商品2」の列を見ると、「商品1」より「商品2」の値の方が常に大きいため、②で「A. 商品 ID > B. 商品 ID」や「A. 商品 ID < > B. 商品 ID」と指定することは不適切であることがわかる。

解答・解説 5年度

集計結果

商品1	商品2	件数
P003	P004	10
P004	P010	9
P001	P008	7
P004	P007	7
P001	P010	6
P002	P004	6
P005	P008	6
⋮	⋮	⋮

GROUP BY句は、指定された列が同じ値の行は同一のグループとして扱われる。本問では、「A.商品ID, B.商品ID」と指定することで、上のAテーブルで商品IDが同じ行は同一のグループとして扱われる。同様にBテーブルについても商品IDが同じ行は同一のグループとして扱われる。

ORDER BY句は、表の任意の列を降順または昇順に整列することができる。ASC（Ascending）は昇順、DESC（Descending）は降順を表し、省略した場合にはASCが指定されたものとみなされる。本問のORDER BY句では、同じ取引で購入された商品の組み合わせ数（件数）を昇順と降順のどちらで出力するかを指定する必要がある。集計結果の「件数」列は、降順であるため**③はDESC**が適切である。最も頻繁に購入される商品の組み合わせが多い順に出力されている。

ア　〇：正しい。上の説明どおり、①、②、③の内容を満たしている。

イ　×：③の「**ASC（昇順）**」が不適切である。集計結果の件数列はDESC（降順）である。

ウ　×：②の「**A.商品ID ＜＞ B.商品ID**」が不適切である。商品IDがP003とP004の組み合わせと、商品IDがP004とP003の組み合わせが別々に数えられてしまう。③の「**ASC（昇順）**」も不適切である。

エ　×：①と②の指定では、**併売分析を行うことができない**。

オ　×：①と②の指定では、**併売分析を行うことができない**。③の「**ASC（昇順）**」も不適切である。

よって、**ア**が正解である。

第10問

ストレージ技術に関する問題である。RAIDの区分、NASとSANとDASの違い、シンプロビジョニングとシックプロビジョニングの違いが問われているが全てわからなくても消去法で対応できるため、確実に得点したい。

図表　RAIDの区分

	高速化	信頼性向上	
	ストライピング	ミラーリング	パリティ
RAID 0	●	−	−
RAID 1	−	●	−
RAID 5	●	−	●（複数ディスクに1カ所のパリティ）
RAID 6	●	−	●（複数ディスクに2カ所のパリティ）

図表　DAS

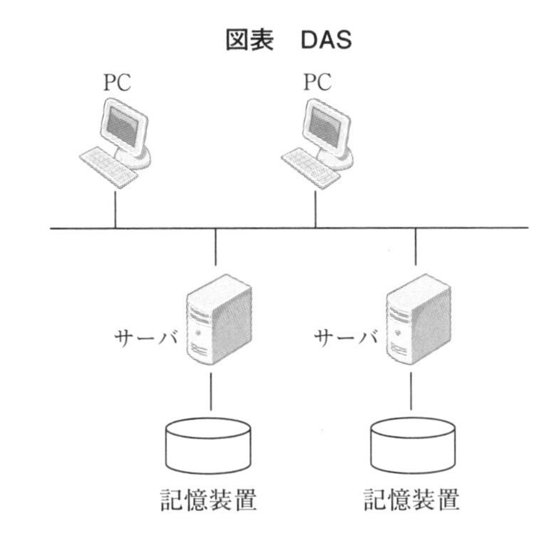

図表　NAS

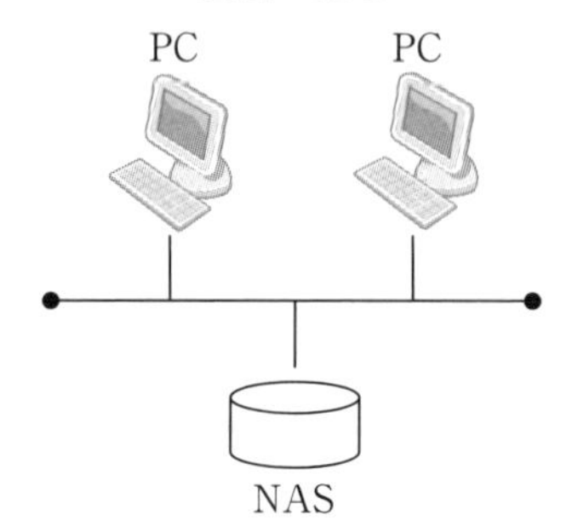

(ハードディスク／ネットワークインターフェイス／OS などを一体化)

図表　SAN

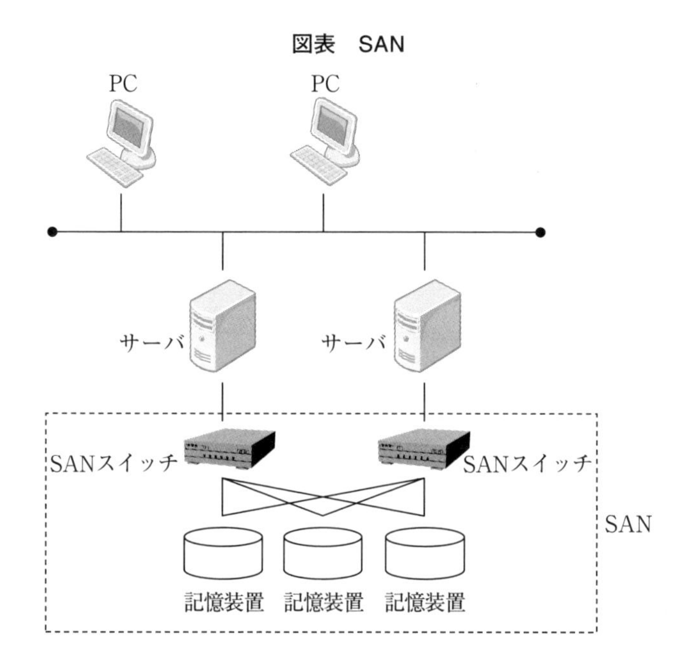

用　語		内　容
a	RAID 0	データを複数台のストレージに分散して書き込むストライピングに対応した技術である。複数台のストレージに同時に読み書きすることが可能なため、アクセス性能が向上し、読み書きの高速化が図られる。
b	RAID 1	ストレージを2重化することで、ストレージの障害に備えるミラーリングに対応した技術である。
c	SAN	Storage Area Network の略称である。記憶装置専用のネットワークを構築し、複数のコンピュータと複数の記憶装置（ストレージ）とを高速に接続する集約方式である。
d	NAS	Network Attached Storage の略称である。ネットワークに直接接続して使用するファイルサーバ専用機である。
e	シンプロビジョニング	Thin provisioning が英語表記である。ストレージを仮想化して割り当てる際に、最低限の容量のみ確保し、仮想環境でデータの使用量に応じて自動で拡張する技術である。

よって、**イ**が正解である。

正解以外の用語については以下のとおりである。

用　語	内　容
RAID 5	データの読み書きの高速化技術であるストライピングと信頼性向上の技術であるパリティを組み合わせて使用するストレージ技術である。
DAS	Direct Attached Storage の略称である。ネットワークを経由せずサーバに直接接続されるストレージである。
シックプロビジョニング	Thick provisioning が英語表記である。ストレージを仮想化して割り当てる際に、必要なストレージ容量を前もって物理的な記憶領域に実際に確保する方式である。

第11問

IPアドレス（IPv４）に関する問題である。サブネットマスクの数値からホストとして使用できるアドレス空間が問われており、対応は難しい。

ネットワークアドレスの「/27」の表記は、ネットワークアドレス部のビット数を表す。IPv４は、32ビットのアドレス体系であるから、ホストアドレス部は、32ビットから27ビットを引いた５ビットであることがわかる。５ビットは、2^5であるから、ホストアドレス部のアドレス空間は32個であるが、ネットワークアドレス（５ビットがすべてゼロ）とブロードキャストアドレス（５ビットがすべて１）はホストでは使用しないことが慣例であるため、実際にホストとして使用できるIPアドレスの個数は32－2＝30個である。

よって、**エ**が正解である。

【参考】

ネットワークアドレスは、特定のサブネット（ひとつのネットワークを２つ以上のネットワークに分割すること）を識別するためのものであり、個々のホスト（コンピュータなど）を指すものではない。したがって、ネットワークアドレスをホストとして使用すると、サブネット全体を指してしまうため、コンピュータ通信の際に混乱や問題が生じる可能性があるためホストでは使用しないことが慣例である。

また、ブロードキャストアドレスは、サブネット内のすべてのホストにデータを送信するための特別なアドレスである。ホストとしてブロードキャストアドレスを使用すると、そのアドレス宛てに送信されたデータが、サブネット内のすべてのホストに配信されてしまう可能性がある。これにより、ネットワークの混乱やパフォーマンスの低下を招く可能性がありホストでは使用しないことが慣例である。

ネットワークアドレス：172.16.16.32 とブロードキャストアドレス：172.16.16.63 を除く、172.16.16.33 ～ 172.16.16.62 までの 30 個がホストとして使用できる IP アドレスである。

第12問

LANの接続機器に関する問題である。頻出論点であるLANの接続機器の用途とOSI基本参照モデルの対応関係が問われており、確実に得点したい。

図表　OSI基本参照モデルとLAN間接続機器

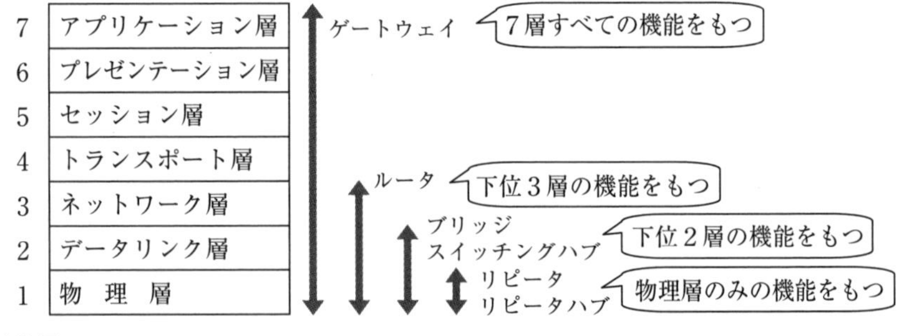

用　語		内　容
a	リピータ	LANの伝送路の長さを伸ばすための機器である。接続ポートを2つ保有する機器をリピータ、ハブ形式である機器をリピータハブとよぶ。ケーブル上の電気信号を再生し中継することによって、LANのケーブルを延長する。OSI基本参照モデルの物理層に該当する機器である。
b	ブリッジ	LAN内の端末を接続する機器である。接続ポートを2つ保有する機器をブリッジ、ハブ形式である機器をスイッチングハブとよぶ。OSI基本参照モデルのデータリンク層に該当する機器である。
c	ルータ	LANとLANやLANとインターネットなど、異なるネットワークを接続するための機器である。OSI基本参照モデルのネットワーク層に該当する機器である。
d	ゲートウェイ	OSI基本参照モデルの7階層すべての機能をもつが、主にトランスポート層以上で使用されるプロトコルが異なるネットワーク同士を接続するための機器である。
e	アクセスポイント	無線LAN（Wi-Fi）の環境を構築するための機器であり、有線ネットワークと無線ネットワークを相互変換する役割をもつ。

よって、**ウ**が正解である。

第13問

ネットワークシステムの性能に関する問題である。ネットワークシステムの性能を評価するための指標や関連用語が問われており、対応はやや難しい。

用　語		内　容
A	帯域幅	データ通信において、単位時間あたりに転送できるデータの最大容量を指す。一般的には、1秒あたりのビット数（bps：bits per second）として表される。
B	輻輳（ふくそう）	ネットワークにアクセスが集中することを輻輳とよぶ。輻輳が発生すると、パケットの遅延、パケットロス、通信速度の低下などの問題が発生する。
C	スループット	コンピュータシステムによって単位時間あたりに処理できる処理件数やデータ転送速度、通信速度を示すのに使用される。たとえば、通信速度の場合は、1秒あたりのビット数（bps）で示される。
D	レイテンシ	ネットワークやシステムにおける通信の遅延時間を指す。レイテンシは通常、ミリ秒（ms）単位で表す。
E	ジッタ	データ通信においてパケット伝送の遅延時間に生じる乱れや揺らぎ（不規則性）を指す。ジッタが発生すると、ノイズや音とび、音質・画質の劣化などの原因になる。

よって、**ウ**が正解である。

正解以外の用語については以下のとおりである。

用　語	内　　容
トラフィック	ネットワーク上での実際のデータの移動や通信の量を指す。帯域幅は、ネットワークの最大容量を表し、トラフィックは実際のデータの流れる量を表す。コンピュータネットワーク、ウェブサイト、アプリケーション、サーバなど、さまざまな環境や文脈でトラフィックの概念が使用されている。
ping 値	インターネットの応答速度を示す値で、特定のコマンドラインツールである「ping」を使用して測定されるレイテンシの特定の値である。ping 値は「ms（ミリ秒）」で表示され、その値が小さいほど応答速度が速いことを意味する。

第14問

音声データ量の計算に関する問題である。アナログ音声データをPCM形式のデジタル音声データに変換した場合のデータ量の計算が問われており、対応はやや難しい。

PCM方式における音声データのデータ量を求める計算式は次のとおりである。なお、コンピュータの世界では、1バイト（Byte）＝ 8ビット（bit）と定義されているため、量子化ビット数をバイト数に変換する。また、5分間のデータ量は、秒に変換することに注意する。

データ量(単位：バイト)＝サンプリング周波数(Hz)×量子化ビット数(単位：ビット)×チャンネル数×時間(単位：秒)÷8(ビット数をバイト数に変換)

●サンプリング周波数＝44,100Hz

●量子化ビット数＝16ビット

●チャンネル数＝2（ステレオ）

●時間＝5分＝5×60秒

これらの値を公式に代入すると計算式は、

データ量＝(44,100×16×2)×(5×60)÷8＝423,360,000÷8＝52,920,000バイトとなる。

よって、**イ**が正解である。

第15問

ITトレンド用語に関する問題である。「DX」、「Society5.0」、「Web3.0」、「インダストリー4.0」、「第三の波」の概要が問われており、対応はやや難しい。

ア ×：経済産業省が2018年に発行した「DX推進ガイドライン」によると、DX（デジタルトランスフォーメーション）は、「企業がビジネス環境の激しい変化に対応し、データとデジタル技術を活用して、顧客や社会のニーズを基に、製品やサービス、ビジネスモデルを変革するとともに、業務そのものや、組織、プロセス、企業文化・風土を変革し、競争上の優位性を確立すること。」と定義されている。本肢の「人件費削減を目的として」という部分が、DXの一部の側面のみを捉えており、全体像を表現していない。

イ ○：正しい。Society 5.0は、サイバー空間（仮想空間）とフィジカル空間（現実空間）を高度 に融合させたシステムにより実現される。

図表　Society5.0で実現する社会

ウ ×：本肢は、Web2.0 の内容である。経済産業省が令和４年５月に公開した「経済秩序の激動期における経済産業政策の方向性」に記載されているWeb1.0からWeb3.0の内容を紹介する。

【Web 1.0】：インターネット導入初期の段階。従前の手紙や電話といった手段に加えて電子メールがコミュニケーション手段に追加。ただし、一方通行のコミュニケーション。

【Web 2.0】：SNSが生み出され、双方向のコミュニケーションが可能に。他方で巨大なプラットフォーマに個人データが集中する仕組み。

【Web 3.0】：ブロックチェーンによる相互認証、データの唯一性・真正性、改ざんに対する堅牢性に支えられて、個人がデータを所有・管理し、中央集権不在で個人同士が自由につながり交流・取引する世界。

図表　Web社会を３つの段階に分けて捉える考え方

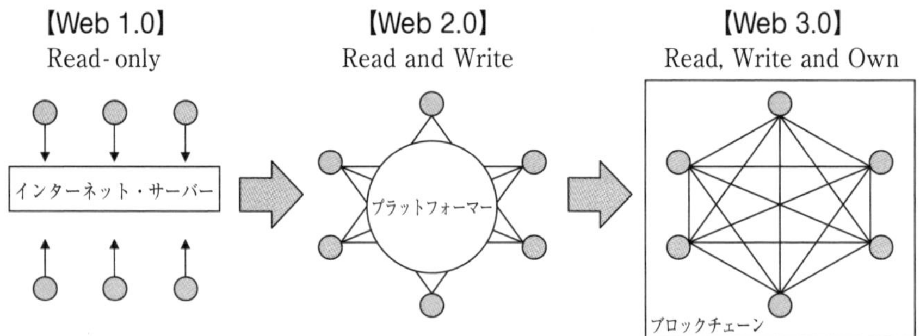

出所：令和４年５月発行経済産業省「経済秩序の激動期における経済産業政策の方向性」

エ　×：本肢の**「AIを活用して人間の頭脳をロボットの頭脳に代替させる」という部分は、インダストリー4.0の目的や意図に合致していない。**インダストリー4.0は、ドイツ政府が提唱した概念であり、製造業におけるデジタル化と自動化を推進している。また、経済産業省が発行した「平成30年版情報通信白書」によると、インダストリー4.0は、「人間、機械、その他の企業資源が互いに通信することで、各製品がいつ製造されたか、そしてどこに納品されるべきかといった情報を共有し、製造プロセスをより円滑なものにすること、さらに既存のバリューチェーンの変革や新たなビジネスモデルの構築をもたらすことを目的としている」と定義されている。

オ　×：アルビン・トフラーが提唱した「第三の波」は、**情報革命、ポスト工業社会の形成という概念**であり、シンギュラリティという人工知能が人間の知能を超越するという**未来の一点を指した概念ではない。**

よって、**イ**が正解である。

第16問

OLAPに関する問題である。OLAP分析を行うための実装方法と操作方法について問われているが、正答の選択肢は本試験（令和元年度第16問）で問われたことがあるため、確実に得点したい。

OLAP（Online Analytical Processing）は、蓄積されたデータの分析をスライシング、ダイシング、ドリルダウンなどのインタラクティブな操作によって多次元分析を行い、意思決定に利用できるように素早くレスポンスを返す手法および分析ツールである。OLAPには3つ（ROLAP：Relational OLAP、MOLAP：Multidimensional OLAP、HOLAP：Hybrid OLAP）の実装方法があり、その特徴は次のとおりである。

図表　OLAPの実装方法と特徴

項目	ROLAP	HOLAP	MOLAP
データストレージ	リレーショナルデータベース	リレーショナルデータベースと多次元データベースの両方	多次元データベース
レスポンス	遅い	中程度	速い
最新情報の参照（リアルタイム性）	優れている	中程度	劣る

図表　OLAPの多次元分析のイメージ

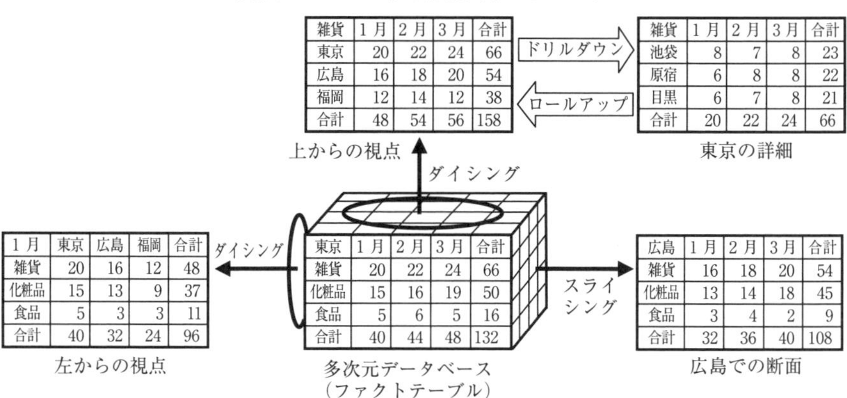

ア　×：HOLAPは、OLAPの実装方法のひとつで、リレーショナルデータベース（RDBMS）と多次元データベースの両方を使用する。MOLAPとROLAPの特徴を組み合わせた方式である。リレーショナルデータベースは詳細データの格納に使用され、多次元データベースにはリレーショナルデータベースに格納されたデータから求めた集計値を格納する。一方、Hadoopは、大量のデータを複数のコンピュータ上で処理するためのオープンソースのミドルウェアである。**HOLAPとHadoop**

は異なる領域の技術である。

イ　×：MOLAPは、多次元データを格納するのに**多次元データベース**を用いる。多次元データベースはデータをキューブ形式で保存し、多次元のクエリ処理を高速化する構造をもつ。

ウ　×：ROLAPは、リレーショナルデータベースを使用してオンライン分析処理（OLAP）を行う方式である。本肢の「多数のトランザクションをリアルタイムに実行するもの」という表現は、**ROLAP固有の特性ではなく、OLAP全体の特性である。**

エ　○：正しい。ファクトテーブルについて、縦軸と横軸を自由に指定することで、サイコロを転がすように、視点を切り替える操作である。

オ　×：データ集計レベルを変更して異なる階層の集計値を参照することは、**「ドリルダウン」や「ドリルアップ」とよばれる操作である。**ドリルダウンは、参照するデータを深掘する操作を意味し、ドリルアップは反対に集約化したデータを見る操作を意味する。OLAPにおけるドリルスルーという操作は、集計データから関連付けられた別のレポート（詳細ページなど）へのリンクやナビゲーションを指す。ユーザがある特定の集計値に興味を持ち、その値がどのように計算されたのか、どの詳細データから構成されているのかを見たいと思ったときに、その詳細データへ直接リンク（アクセス）できる機能である。ドリルダウンとドリルスルーの大きな違いは、ドリルダウンはグラフ内での深掘りであるが、ドリルスルーはページ間を移動し深掘りできる点である。

図表　ドリルスルーのイメージ

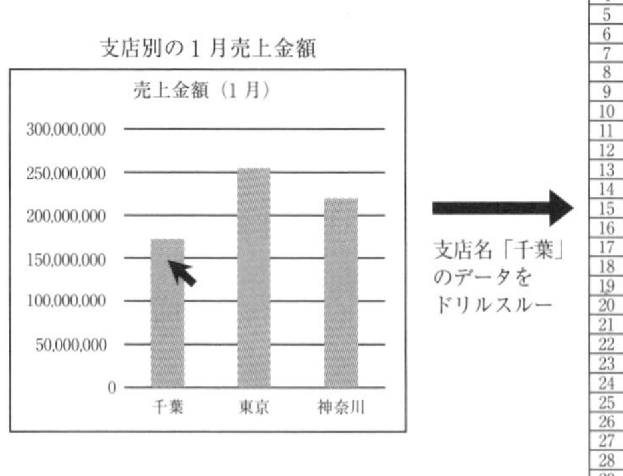

	A	B	C	D	E	F
1	管理番号	エリア	所属	担当者名	業種	1月売上金額（円）
2	1	千葉	販売A課	T.N.	ドラッグストア	1,689,621
3	2	千葉	販売A課	T.N.	ミニスーパ	204,516
4	3	千葉	販売A課	T.N.	ミニスーパ	37,260
5	4	千葉	販売A課	T.N.	スーパ	2,621,256
6	5	千葉	販売A課	T.N.	レストラン	529,894
7	6	千葉	販売A課	T.N.	スーパ	193,561
8	7	千葉	販売A課	T.N.	スーパ	1,208,170
9	8	千葉	販売A課	T.N.	コンビニ	687,898
10	9	千葉	販売A課	T.N.	ドラッグストア	1,292,415
11	10	千葉	販売A課	T.N.	ミニスーパ	517,770
12	11	千葉	販売A課	T.N.	食料品店	1,030,818
13	12	千葉	販売A課	T.N.	食料品店	870,192
14	13	千葉	販売A課	T.N.	百貨店	368,600
15	14	千葉	販売A課	T.N.	食料品店	611,583
16	15	千葉	販売A課	T.N.	スーパ	625,837
17	16	千葉	販売A課	T.N.	スーパ	621,136
18	17	千葉	販売A課	T.N.	食料品店	805,671
19	18	千葉	販売A課	T.N.	食料品店	3,170,901
20	19	千葉	販売A課	S.U.	コンビニ	228,802
21	20	千葉	販売A課	S.U.	スーパ	2,362,517
22	21	千葉	販売A課	S.U.	スーパ	318,311
23	22	千葉	販売A課	S.U.	スーパ	3,851,925
24	23	千葉	販売A課	S.U.	レストラン	319,881
25	24	千葉	販売A課	S.U.	コンビニ	1,247,505
26	25	千葉	販売A課	S.U.	ミニスーパ	920,363
27	26	千葉	販売A課	S.U.	スーパ	807,190
28	27	千葉	販売A課	S.U.	スーパ	3,131,782
29	28	千葉	販売A課	S.U.	スーパ	532,750
30	29	千葉	販売A課	S.U.	スーパ	381,925

支店名「千葉」の明細データが表示される

よって、**エ**が正解である。

第17問

モデリング技法に関する問題である。頻出論点であるDFD、E-R図、UMLなどの代表的なモデリング技法について問われており、確実に得点したい。

a　○：正しい。DFDは、システムのもつ機能（処理）とデータの流れを示す図式化技法である。DFDを用いることにより、データの流れを視覚的に把握することができる。

図表　DFDの例

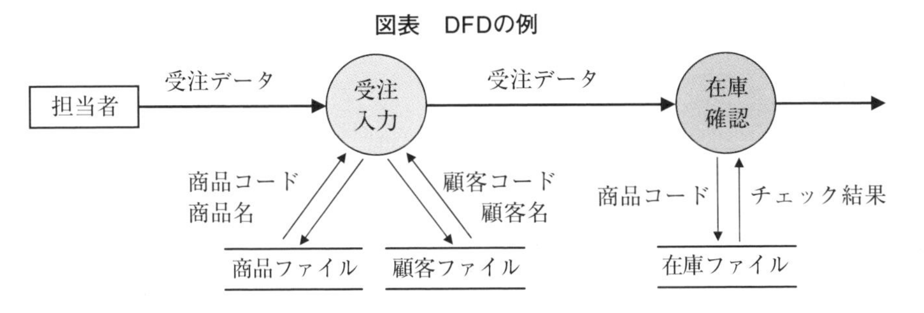

各記号の意味

記　号	名　称	意　味
□	データの発生源（源泉） データの行き先（吸収）	データの発生源、受取先
○	データの処理(プロセス)	データの加工や変換を表す
→	データフロー	データの流れを表す
＝	データストア	ファイル（データの保管）やデータベース（データの蓄積）を表す

b　×：本肢は、**状態遷移図**の内容である。状態遷移図は、発生した事象に応じてシステムの状態がどのように遷移するのかを表現する図式化技法である。状態を表す円と状態の遷移を表す矢印で構成され、外部設計工程における画面設計や内部設計工程におけるプログラム設計の際などに用いられる。E-R図は、システム化対象となるデータをエンティティ（実体）とリレーションシップ（関連）に分けて表現する図式化技法である。

図表　状態遷移図の例

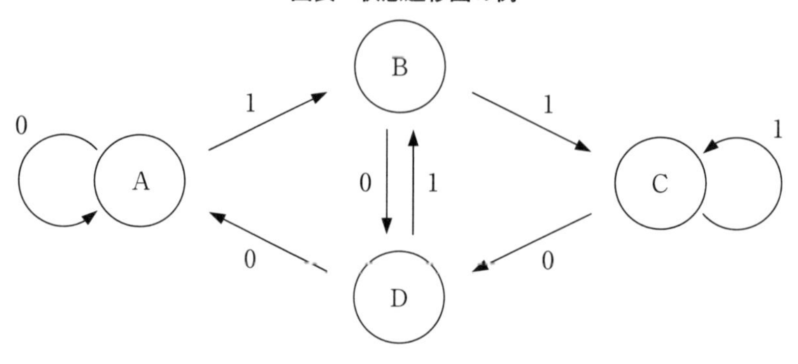

図表　E-R図の例

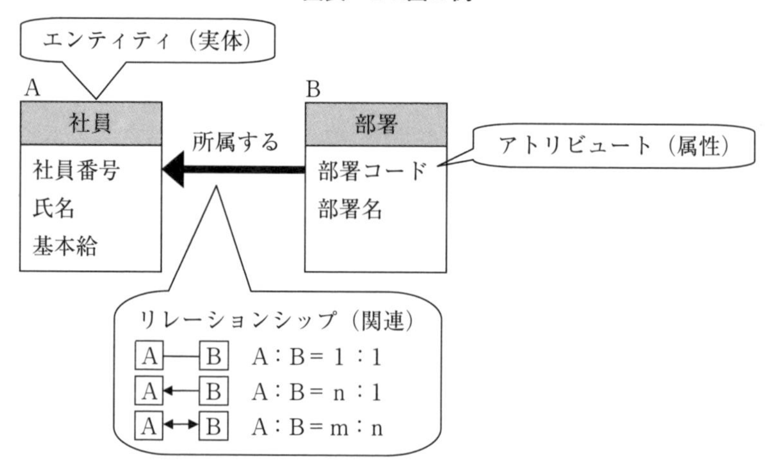

c　✕：本肢は、**ユースケース図**の内容である。ユースケース図は、対象となるシステムとその利用者とのやり取りを表現するダイアグラムである。システムの機能を意味するユースケース、システムの外部に存在してユースケースを起動しシステムから情報を受け取るアクター、システム内部 とシステム外部の境界を示すシステム境界などから構成される。アクティビティ図は、「オブジェクトがどのような処理をするか」といった活動の流れや業務の手順を表現するダイアグラムである。いわばUMLのフローチャートであり、エンドユーザにも理解しやすいという特長がある。

図表　ユースケース図の例

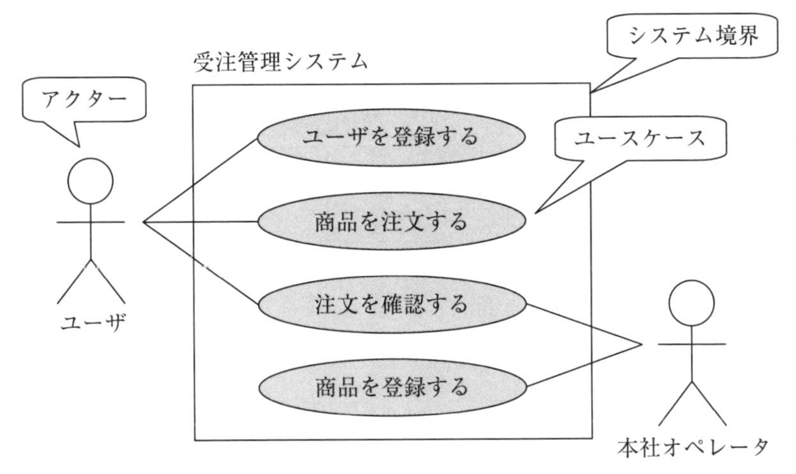

図表　アクティビティ図の例

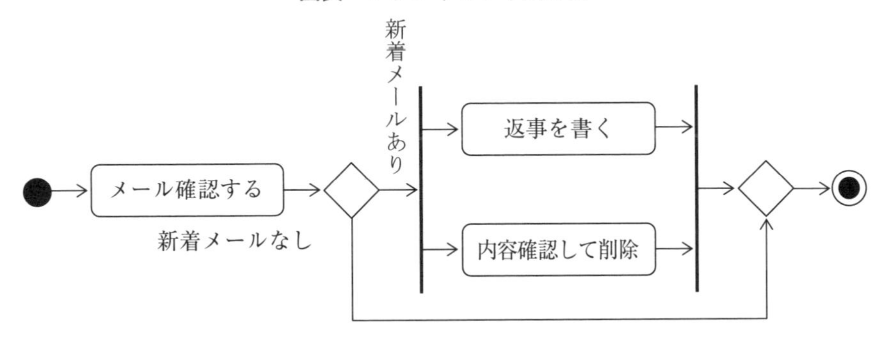

d　○：正しい。シーケンス図は、オブジェクト間のメッセージの流れを時系列に表現するダイアグラムである。サービスを要求するオブジェクトからサービスを提供するオブジェクトに向けて矢線 を引くことにより、メッセージを時系列に記述できる。

図表　シーケンス図の例

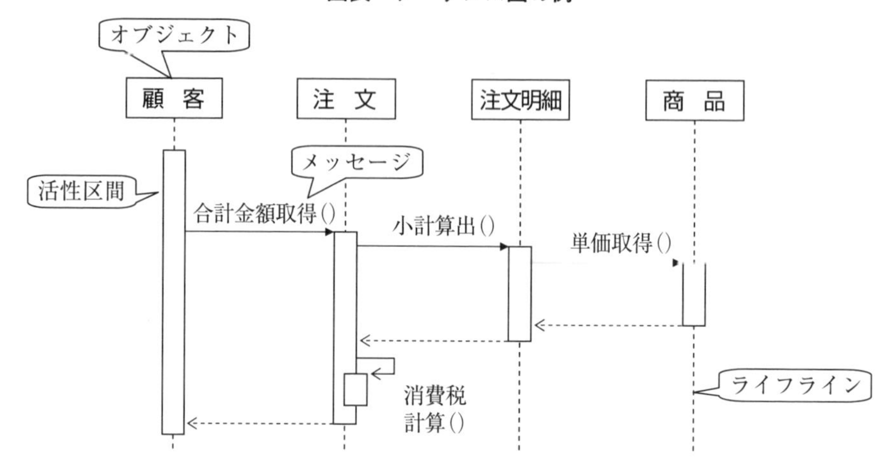

e　×：本肢は、**アクティビティ図**の内容である。アクティビティ図とユースケース図の説明は、選択肢cの解説を参照。

よって、**a**と**d**の組み合わせが正しく、**イ**が正解である。

第18問

エラー埋め込み法（バグ埋め込み法）に関する問題である。エラー埋め込み法による潜在エラー数の計算が問われており、対応はやや難しい。

エラー埋め込み法を用いた潜在エラー数の推定は、次の手順で求める。

1．意図的にエラーを埋め込む。
2．そのことを知らない検査担当者に検査させる。
3．検査担当者が発見したエラーのうち、意図的に埋め込んだエラーが何件発見されたかを確認する。
4．意図的に埋め込んだエラーが全て発見される確率を計算し、その確率を用いて検査開始前の潜在エラー数を推定する。

問題文で与えられた次の数値を用いて計算する。

●意図的に埋め込んだエラーの件数：100件
●検査担当者が発見したエラーの件数：50件
●意図的に埋め込まれたエラーのうち発見された件数：40件

検査担当者がエラーを発見する確率は、

$$発見確率 = \frac{意図的に埋め込んだエラーのうち発見された件数}{意図的に埋め込まれたエラーの総数} = \frac{40}{100} = 0.4$$

この発見確率を用いて、検査開始前の潜在エラーを推定すると、

潜在エラーの件数

$$= \frac{(検査担当者が発見したエラーの件数) - (意図的に埋め込んだエラーのうち発見された件数)}{発見確率}$$

$$= \frac{50 - 40}{0.4} = 25$$

よって、**エ**が正解である。

第19問

ITサービスマネジメントに関する問題である。ITサービスマネジメントにおいて取り交わされる合意書や契約書の種類が問われており、対応は難しい。

ITサービスマネジメントで取り交わされる、SLA（Service Level Agreement）、OLA（Operational Level Agreement）、UC（Underpinning Contract）の契約の当事者は次のとおりである。

図表　SLA・OLA・UCの契約の当事者

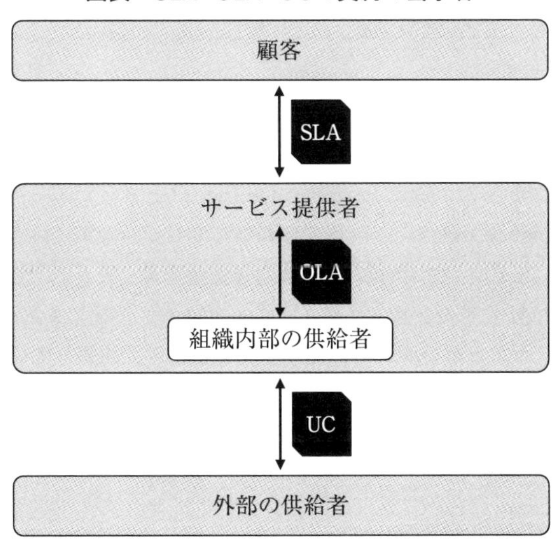

用　語		内　容
①	UC	Underpinning Contract（基盤契約）の略称である。サービス提供者と外部の供給者との間で結ばれる契約で、サービスの品質とパフォーマンスを保証するために必要なサポートなどが含まれる。
②	OLA	Operational Level Agreement（運用レベル契約）の略称である。サービス提供者の組織内グループ間での契約で、サービスの品質と効率をサポートするために設定される。特定のサービスを提供するために各部門がどのように連携するかを定義し、内部の調整と効率的なサービス提供を促進する。
③	SLA	Service Level Agreement（サービスレベル契約）の略称である。サービス提供者と顧客間でサービス内容およびサービス目標値について結ばれる合意書である。サービスの品質(可用性、信頼性、性能など）を明確にし、これらの指標が合意された範囲内であることを保証する。

よって、**オ**が正解である。

正解以外の用語については以下のとおりである。

用　語	内　容
NDA	Non-Disclosure Agreement（秘密保持契約）の略称である。特定のプロジェクトや商談において、ある当事者から別の当事者へ機密情報を開示する際に使用される契約である。この契約によって、受信者は開示された情報を第三者に漏らさない、特定の目的外で使用しないなど、一定の条件下で情報を取り扱うことを契約する。

第20問

EVMSに関する問題である。プロジェクト管理手法のひとつであるEVMSで用いられるコスト効率指標（CPI：Cost Performance Index）とスケジュール効率指標（SPI：Schedule Performance Index）の計算式が問われており、確実に得点したい。

ア　×：CPIは、**ある時点での作業の成果物を金銭換算したEV（出来高実績値）**とある時点までに投入した実際のAC（コスト実績値）の比率である。CPIにより、現時点におけるコストが計画に対して予定内であるか、超過しているかを評価することができる。CPIは以下の計算式によって求められる。

$$CPI = \frac{EV}{AC}$$

CPIの意味は次のようになる。
- ・CPI ＞ 1 ：現時点で、計画を下回るコストで進捗している
- ・CPI ＝ 1 ：現時点で、計画どおりのコストで進捗している
- ・CPI ＜ 1 ：現時点で、計画を超過したコストで進捗している

イ ×：本肢は、**AC（コスト実績値）**の内容である。EV（Earned Value：出来高実績値）は、報告時点での作業の成果物を金銭換算した金額である。

ウ ○：正しい。SPIは、EVとある時点でのプロジェクト当初の見積りであるPV（Planned Value：出来高計画値）の比率である。SPIにより、現時点における進捗が計画に対して前倒しであるか、遅延しているかを評価することができる。SPIは以下の計算式によって求めることができる。

$$SPI = \frac{EV}{PV}$$

SPIの意味は次のようになる。
- ・SPI ＞ 1 ：現時点で、計画より前倒しで進捗している
- ・SPI ＝ 1 ：現時点で、計画どおりに進捗している
- ・SPI ＜ 1 ：現時点で、計画より遅延して進捗している

エ ×：本肢は、**ファストトラッキング（Fast Tracking）**の内容である。クラッシング（Crashing）は、プロジェクト管理において、プロジェクトのスケジュールを短縮するための手法である。たとえば、プロジェクトの重要なフェーズ（クリティカルパスなど）が遅れている場合、追加の人員を割り当てたり、追加の時間を投入したりしてそのフェーズを早めることである。

オ ×：本肢は、**クラッシング**の内容である。ファストトラッキングは、プロジェクト管理において、プロジェクトのスケジュールを短縮するための手法である。たとえば、設計と開発のフェーズがあるプロジェクトでは、通常は設計が完了してから開発に移る必要があるが、ファストトラッキングでは、設計の一部が完了した時点で開発を始めることで、プロジェクトの作業期間を短縮することである。

よって、**ウ**が正解である。

第21問

モバイル端末の管理手法に関する問題である。端末管理における、セキュリティ対策や効率的管理手法についての用語が問われており、確実に得点したい。

ア ×：BYODは、企業などにおいて**従業員が私物の情報端末などを利用して業務を行うこと**である。BYODは、**組織の公式的な許可を得ている**ことが前提である。私用のスマートフォンから企業内のシステムにアクセスし、必要な情報を閲覧することなどがあげられる。

イ ×：本肢は、**BYOD**の内容である。COPEは、企業が業務用に用意した端末（パソコン、スマートフォン、タブレットなど）を従業員が個人的に使用することを許可することである。BYODと対極の概念である。

ウ ○：正しい。モバイル端末でのコンテンツの管理、配信、セキュリティを提供する技術である。企業が社員に対してモバイル端末で業務を行わせる場合、データの整合性やセキュリティが重要な問題となる。MCMは、これらの課題を解決するための技術である。

エ ×：MFA（二要素認証）は、認証の三要素である「知識要素」「所有要素」「生体要素」の中から、異なる2つの要素を組み合わせて行う認証である。本肢の「社員が所有する複数のモバイル端末によって認証を行う」という部分は、MFAの「所有要素」に当てはまる場合があるが、**MFAの異なる2つの要素を組み合わせるという内容とは異なる**ため説明として不適切である。

図表　認証のための3つの要素

知識	所有	生体
●パスワード、暗証番号 ●合言葉 など	●スマホ、タブレット ●鍵、印鑑 ●身分証明書、社員証、IC カード など	●指紋、静脈 ●虹彩、顔 など

オ ×：本肢は、**DaaS（Desktop as a Service）**に関連する内容である。SSO（シ

ングルサインオン）は、ユーザの利便性を図るため、ユーザが一度認証されれば、利用する権限をもつサーバやアプリケーションでの認証が不要となる仕組みである。ネットワーク端末の起動に1回、サーバへの接続に1回などと、何度もユーザID･パスワードを入力しなければならない手間を省略し、最初の1回の認証だけですべてのユーザ認証を自動的に受けられるように処理するものである。

よって、**ウ**が正解である。

第22問

ネットワークのセキュリティ対策に関する問題である。ネットワークのセキュリティ対策に関する頻出論点が問われており、確実に得点したい。

	用　　語	内　　　　容
a	IDS	Intrusion Detection Systemの略称である。不正アクセスを監視する侵入検知システムである。不正アクセスに関するデータベース（シグネチャデータベースという）をもち、事前に設定した不正アクセス検出ルールに基づく事象を検知する。
b	IPS	Intrusion Prevention Systemの略称である。侵入防止システムを指す。ネットワークセグメントを流れるデータやサーバへのアクセスをモニタリングおよびログを記録し、侵入攻撃を検知した場合にはそのアクセスをブロックする仕組みをもつ。侵入攻撃を検知した後、システム管理者に通知するだけのIDS（侵入検知システム）と異なり、その対策を自動化している点が特徴である。
c	WAF	Web Application Firewallの略称である。Webアプリケーションに対するさまざまな攻撃から保護するための特殊なファイアウォールである。WAFは、HTTPやHTTPSトラフィックを監視し、不正なリクエストや不正な応答を識別するルールに基づいて動作する。不正なトラフィックを検出すると、そのリクエストをブロックしたり、アラートを発動させたりする。
d	DMZ	インターネットなどの信頼性の低い外部ネットワークと、社内ネットワークの中間に置かれる区域のことである。社内ネットワークをインターネットに接続する際に、Webサーバやメールサーバなどインターネットに公開しなければならないサーバは、DMZに設置するのが望ましい。
e	SIEM	Security Information and Event Managementの略称である。ファイアウォール、IDS、IPS、プロキシサーバ、データベースなどから生成されるデータやログを一元管理し、相関分析などによってネットワークの監視を強化し、サイバー攻撃やマルウェアの感染などのインシデントを自動的に発見するための仕組みである。

図表　DMZ

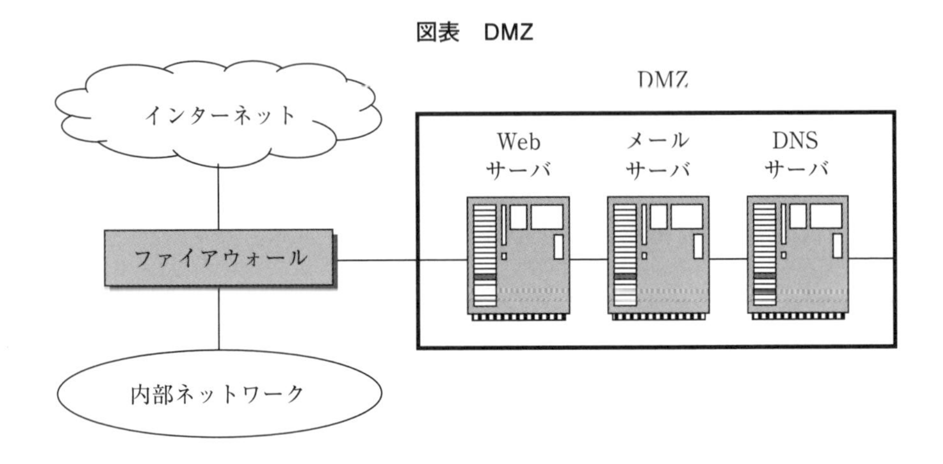

図表　SIEM

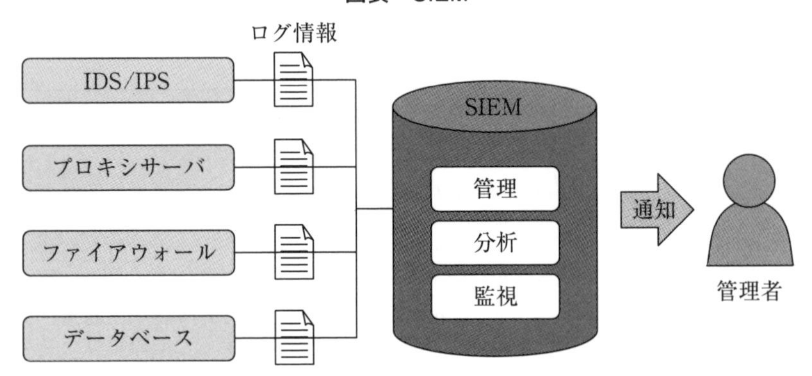

よって、**イ**が正解である。

第23問

リスクの定義に関する問題である。JIS Q 27000：2019（情報セキュリティマネジメントシステム－用語）における「リスクレベル」、「リスク分析」、「リスク基準」、「リスク評価」、「リスク特定」の定義が問われている。選択肢を比較検討すれば消去法で定義を選定できるため、確実に得点したい。

同文書に記載されている各用語の定義と注記を次に記載する。

用　語		内　容
A	レベル	「リスク」とは、目的に対する不確かさの影響である。リスクレベルは、結果とその起こりやすさの組み合わせとして表現されるリスクの大きさのことである。「起こりやすさ」とは、何かが起こる可能性のことである。
B	分析	リスク分析は、リスクの特質を理解し、リスクレベルを決定するプロセスである。（注記１）リスク分析は、リスク評価及びリスク対応に関する意思決定の基礎を提供する。（注記２）リスク分析は、リスクの算定を含む。
C	基準	リスク基準は、リスクの重大性を評価するための目安とする条件のことである。（注記１）リスク基準は、組織の目的、外部状況及び内部状況に基づいたものである。（注記２）リスク基準は、規格、法律、方針及びその他の要求事項から導き出されることがある。
D	評価	リスク評価は、リスク及び／またはその大きさが受容可能かまたは許容可能かを決定するために、リスク分析の結果をリスク基準と比較するプロセスのことである。（注記）リスク評価は、リスク対応に関する意志決定を手助けする。
E	特定	リスク特定は、リスクを発見、認識及び記述するプロセスである。（注記１）リスク特定には、リスク源、事象、それらの原因及び起こり得る結果の特定が含まれる。（注記２）リスク特定には、過去のデータ、理論的分析、情報に基づいた意見、専門家の意見及びステークホルダーのニーズを含むことがある。

よって、**オ**が正解である。

第24問

二値分類問題の評価指標に関する問題である。機械学習を用いて構築した分類モデルの分類精度を評価するための評価指標が問われている。問題文の①から③の条件を正確に読解すれば正答の選択肢が選べるため、確実に得点したい。

データのカテゴリをどの程度当てはめられるかを定量化する指標として、「正解率（accuracy）」「適合率（precision）」「再現率（recall）」などがある。これらは、混同行列（confusion matrix）から計算する。混同行列は、分類問題におけるモデルの性能を評価するための具体的な表形式の表示方法である。特に、二値分類や多クラス分類の結果を視覚的に理解するのに便利である。

混同行列には、以下の主要な要素が含まれる。

●真陽性（TP：True Positive）　：実際に陽性であるものを、モデルが陽性と予測した件数。

●真陰性（TN：True Negative）　：実際に陰性であるものを、モデルが陰性と予測した件数。

●偽陽性（FP：False Positive）　：実際には陰性であるものを、モデルが陽性と誤って予測した件数。

●偽陰性（FN：False Negative）　：実際には陽性であるものを、モデルが陰性と誤って予測した件数。

図表　混同行列

		予測	
		陽性	陰性
実際	陽性	TP（真陽性の件数）	FN（偽陰性の件数）
	陰性	FP（偽陽性の件数）	TN（真陰性の件数）

この混同行列を使用して、次の重要な性能指標を計算する。

①　正解率（全体の件数のうち、陽性と陰性を正しく予測した割合）：$\frac{TP+TN}{TP+FP+FN+TN}$

②　適合率（陽性と予測した件数のうち、実際も陽性である割合）：$\frac{TP}{TP+FP}$

③　再現率（実際に陽性である件数のうち、陽性と予測されたものの割合）：$\frac{TP}{TP+FN}$

よって、**ウ**が正解である。

第25問

インターネット上での情報流通に関する問題である。インターネットにおける人間心理や社会現象に関するITトレンド用語が問われている。IT系のニュース番組やネットニュースで話題にあがる用語が含まれているため、確実に得点したい。

	用　語	内　容
A	集団極性化	人間は集団になると個人でいるときよりも極端な方向に走りやすくなるという心理傾向である。たとえば、ある意見に対して最初から同意している人々が集まり議論すると、その意見に対する共通の立場が強化され、より極端な結論に至ることが一般的である。この現象は、社会的影響の力や個人の意見が正当化される感覚に起因するとされている。集団極性化は、政治的な議論やオンラインのコミュニティなど、多岐にわたる状況で観察されている。
B	サイバーカスケード	同じ考えの人々がインターネット上で結びつき、異なる意見を排除し、閉鎖的で過激なコミュニティをつくる現象を指す。特に、SNSなどのプラットフォーム上で、ひとりのユーザが情報を共有すると、そのフォロワーや友人がさらに共有し、短時間で大量の人々に情報が広まることがある。正確な情報だけでなく、誤情報やデマも同様に拡散するため、時には社会的な混乱を引き起こすことがある。サイバーカスケードの背後には、人々の共感や興味、グループ内での圧力などが影響しているといわれている。この現象は、マーケティングや政治的キャンペーンなど、さまざまな分野で戦略として利用されている。
C	エコーチェンバー	特定の意見や信念を共有する人々が互いに情報を交換し、異なる意見がほとんど存在しない閉じられたコミュニティを指す。この現象は、特にSNSやオンラインフォーラムで顕著で、同じ考えをもつ人々が集まり、自分たちの信念を強化し合う。エコーチェンバーの中では、異なる意見や視点が排除されるため、参加者は自分たちの考えが一般的で正しいと誤認するリスクがある。この結果、対立する意見に対する理解が欠如し、社会的な分断を深化させる原因となることが指摘されている。
D	フィルターバブル	消費者が興味のある情報にだけ接し、それ以上の情報に触れなくなっている状態のことである。フィルターバブルは、カスタマイズされた体験を提供する一方で、社会的な分断や偏見の増加を引き起こす可能性がある。異なる意見に触れる機会が少なくなることで、対話や共感の欠如が生じ、個人の考えが固定化する恐れがあるため、この現象は多くの議論をよび起こしている。

よって、**ア**が正解である。

正解以外の用語については以下のとおりである。

用　語	内　容
ハロー効果	ある特定の特質や能力が優れていると感じると、他の無関係な特質や能力に対しても肯定的な評価をしてしまう心理的な現象である。たとえば、ある人の外見が魅力的であると感じると、その人の知性や性格に対しても肯定的に評価してしまうことがある。
バックファイア効果	人々が自分の信念に反する証拠を提示されたとき、信念を強化してしまう心理的な現象を指す。誤った信念を訂正しようとする試みが、逆にその信念を固執させる効果を生むことがある。この効果は、特に政治的な信念や深く根ざした価値観に関連する問題で顕著に見られる。人々は自分のアイデンティティや所属するグループと一致する情報に対して肯定的で、反対の情報に対しては防御的になる傾向がある。
ナッジ	「nudge」は英語で「軽くひじ先でつつく、背中を押す」ことを意味する。人々の意思決定や行動を微細に誘導する手法で、強制や禁止ではなく、選択肢の提示の仕方などを工夫することで、特定の方向へ誘導することである。たとえば、健康的な食べ物を目立つ場所に配置することで、健康的な食生活を促すなどの利用がある。ナッジ理論は、経済学、心理学、行動科学などが組み合わさっており、人々が理性的ではなく、感情や習慣に基づいて行動することを前提としている。このため、人々の行動を予測し、望ましい方向へと誘導することが可能であるといわれている。
エゴサーチ	自分自身の名前やニックネーム、関連するキーワードなどをインターネット上の検索エンジンで検索する行為を指す。この行為は、自分についての情報がオンライン上でどのように言及されているのか、または自分に関連する情報がどれだけ拡散しているのかを確認する目的で行われることが一般的である。企業やブランドにおいても、自社の商品やサービス、企業名などを検索し、顧客の評判や市場の反応を調べることもエゴサーチに含まれる。このような情報は、マーケティング戦略の策定や製品改善の参考として活用されている。

令和4年度問題

令和 4 年度 問題

第1問 ★重要★

インターネットへの接続やデジタル機器同士のデータ交換の際に用いる無線通信技術にはさまざまな種類があり、それぞれの特徴を理解する必要がある。

無線通信技術に関する記述として、最も適切な組み合わせを下記の解答群から選べ。

a　無線LAN規格IEEE802.11nに対応する機器は、IEEE802.11acに対応する機器と通信が可能である。

b　無線LAN規格IEEE802.11gに対応する機器は、5GHz帯を利用するので電子レンジなどの家電製品から電波干渉を受ける。

c　Bluetoothに対応する機器は、周波数ホッピング機能により電子レンジなどの家電製品からの電波干渉を軽減できる。

d　Bluetoothに対応する機器は、5GHz帯を利用するので電子レンジなどの家電製品から電波干渉を受ける。

e　Bluetoothに対応する機器は、2.4GHz帯と5GHz帯を切り替えて通信を行うことができるので、電子レンジなどの家電製品からの電波干渉を軽減できる。

［解答群］

ア　aとc
イ　aとe
ウ　bとc
エ　bとd
オ　bとe

第2問

ある値（value）を何らかのキー（key）を付けて記憶するデータ構造は、さまざまなプログラミング言語で利用可能である。

Pythonにおいては、辞書（dictionary）と呼ばれるデータ型が組み込まれている。辞書は、「キー: 値」という形のペアの集合であり、

{キー１：値１, キー２：値２,⋯, キーn：値n}

のように、「キー：値」の各ペアをカンマで区切り、{} で囲むことで定義できる。例えば、

mis ={"科目名"："経営情報システム", "試験時間"："60分"}

として辞書misを定義でき、mis["科目名"] でキー "科目名" に対応する値である "経営情報システム" を、また、mis["試験時間"] でキー "試験時間" に対応する値である "60分" を参照することができる。なお、次のように、値には辞書型のデータも指定することができる。

employee＝{"E001"：{"氏名"："中小太郎","部門"："財務部"},
　　　　"E002"：{"氏名"："診断次郎","部門"："総務部"}}

この場合、employee["E001"]["氏名"]で "中小太郎" を参照することができる。

いま、次のようにexamを定義するとき、値の参照に関する記述として、最も不適切なものを下記の解答群から選べ。

```
exam = {
    "A": {"科目名": "科目A", "試験時間": "60分", "配点": "100点"},
    "B": {"科目名": "科目B", "試験時間": "60分", "配点": "100点"},
    "C": {"科目名": "科目C", "試験時間": "90分", "配点": "100点"},
    "D": {"科目名": "科目D", "試験時間": "90分"},
    "E": {"科目名": "科目E", "試験時間": "60分", "配点": "100点"},
    "F": {"科目名": "科目F", "試験時間": "60分", "配点": "100点"},
    "G": {"科目名": "科目G", "試験時間": "90分"}
}
```

[解答群]

ア exam["A"]["試験時間"] の値とexam["B"]["試験時間"] の値は等しい。

イ exam["C"]["配点"] の値は、"100点"である。

ウ exam["D"] に、キー "配点" は存在しない。

エ exam["E"]["試験時間"] の値とexam["G"]["試験時間"] の値は等しい。

オ exam["F"]["科目名"] の値は、"科目F" である。

第3問

プログラミング言語には多くの種類があり、目的に応じて適切な選択を行う必要がある。

プログラミング言語に関する記述として、最も適切なものはどれか。

ア JavaScriptはJavaのサブセットであり、HTMLファイルの中で記述され、動的なWebページを作成するために用いられる。

イ Perlは日本人が開発したオブジェクト指向言語であり、国際規格として承認されている。

ウ PythonはLISPと互換性があり、機械学習などのモジュールが充実している。

エ Rは統計解析向けのプログラミング言語であり、オープンソースとして提供されている。

オ Rubyはビジュアルプログラミング言語であり、ノーコードでアプリケーションソフトウェアを開発することができる。

第4問 ★重要★

データを格納する考え方としてデータレイクが注目されている。データレイクに関する記述として、最も適切なものはどれか。

ア 組織内で運用される複数のリレーショナルデータベースからデータを集めて格納する。

イ 組織内の構造化されたデータや、IoT機器やSNSなどからの構造化されていないデータをそのままの形式で格納する。

ウ データウェアハウスから特定の用途に必要なデータを抽出し、キー・バリュー型の形式で格納する。

エ データ利用や分析に適したスキーマをあらかじめ定義して、その形式にしたがってデータを格納する。

オ　テキスト形式のデータと画像・音声・動画などのバイナリ形式のデータをそれぞれ加工し、構造化したうえで格納する。

第5問　★重要★

「アルバイト担当者」表から電話番号が「03-3」から始まる担当者を探すためにSQL文を用いる。以下のSQL文の空欄に指定する文字列として、最も適切なものを下記の解答群から選べ。なお、電話番号は「アルバイト担当者」表の「電話番号」列に格納されているものとする。

SELECT ＊ FROM アルバイト担当者 WHERE [　　　　];

［解答群］

ア　LIKE 電話番号 '＝ 03-3％'

イ　LIKE 電話番号 ＝ '03-3％'

ウ　電話番号 ＝ 'LIKE 03-3％'

エ　電話番号 'LIKE 03-3％'

オ　電話番号 LIKE '03-3％'

第6問　参考問題

コンピュータ内で特定のファイルの所在を表す際に相対パスが用いられる。相対パスに関する記述として、最も適切なものはどれか。

ア　親ディレクトリから対象ファイルに至るパスである。

イ　仮想ディレクトリから対象ファイルに至るパスである。

ウ　カレントディレクトから対象ファイルに至るパスである。

エ　ホームディレクトリから対象ファイルに至るパスである。

オ　ルートディレクトリから対象ファイルに至るパスである。

第7問　★重要★

ネットワーク上では多様な通信プロトコルが用いられている。通信プロトコルに関する記述とその用語の組み合わせとして、最も適切なものを下記の解答群から選べ。

① Webブラウザとwebサーバ間でデータを送受信する際に用いられる。
② 電子メールクライアントソフトが、メールサーバに保存されている電子メールを取得する際に用いられる。
③ 電子メールの送受信において、テキストとともに画像・音声・動画などのデータを扱う際に用いられる。
④ クライアントとサーバ間で送受信されるデータを暗号化する際に用いられる。

[解答群]

ア	①：HTTP	②：POP３	③：MIME	④：SSL/TLS
イ	①：HTTP	②：SMTP	③：IMAP	④：UDP
ウ	①：NTP	②：POP３	③：IMAP	④：UDP
エ	①：NTP	②：POP３	③：MIME	④：UDP
オ	①：NTP	②：SMTP	③：IMAP	④：SSL/TLS

第8問

IPアドレスやドメインに関する記述として、最も適切なものはどれか。

ア DHCPは、ネットワークに接続するノードへのIPアドレスの割り当てを自動的に行うプロトコルであり、サブネットマスクやデフォルトゲートウェイのアドレスは自動設定できない。
イ IPv４とIPv６の間には互換性があるので、IPv４アドレスを割り当てられた機器とIPv６アドレスを割り当てられた機器は直接通信できる。
ウ NATは、ドメイン名とIPアドレスを動的に対応づけるシステムである。
エ トップレベルドメインは、分野別トップレベルドメイン（gTLD）と国別トップレベルドメイン（ccTLD）に大別される。
オ ルータの持つDNS機能によって、LAN内の機器に割り当てられたプライベートIPアドレスをグローバルIPアドレスに変換し、インターネットへのアクセスが可能になる。

第9問

経済産業省が2021年８月に公表した「DXレポート2.1」（DXレポート２追補版）では、デジタル変革後の新たな産業の姿やその中での企業の姿が提示されている。デジタル社会の実現に必要となる機能を社会にもたらすのがデジタル産業であるとしている。

「DXレポート2.1」におけるデジタル産業を構成する企業の類型として、最も不適切なものはどれか。

ア　DXに必要な技術を提供するパートナー

イ　企業の変革を共に推進するパートナー

ウ　共通プラットフォームの提供主体

エ　新ビジネス・サービスの提供主体

オ　デジタル化を外部委託してコスト削減を図る企業群

第10問　★ 重要 ★

中小企業においても、オープンデータの活用は競争力向上の重要な要因となり得る。オープンデータに関する記述として、最も適切なものはどれか。

ア　売上データや人流データなどに匿名加工を施したうえで第三者に販売されるデータ。

イ　行政の透明化を図るために、条例に基づいて住民からの公開請求の手続きにより住民に公開されるデータ。

ウ　公開の有無にかかわらず、OpenDocumentフォーマットで保管されるデータ。

エ　政府や企業が公式に発表する統計データや決算データではなく、インターネットのログやSNSの投稿などから得られるデータ。

オ　二次利用が可能な利用ルールが適用され、機械判読に適し、無償で利用できる形で公開されるデータ。

第11問　★ 重要 ★

製品修理を専門に行う中小企業がある。下図は、この企業の修理業務の一部をUMLのクラス図として描いたものである。この図の解釈として、最も適切なものを下記の解答群から選べ。

[解答群]
ア　いずれの従業員も、少なくとも1つ以上の修理を担当する。
イ　いずれの従業員も、複数の修理を担当することは許されない。
ウ　各修理に対して、担当する従業員は1人以上である。
エ　各修理に対して、担当する従業員は必ず1人である。
オ　担当する従業員が存在しない修理もあり得る。

第12問　★重要★

企業は環境変化に対応するために、コンピュータシステムの処理能力を弾力的に増減させたり、より処理能力の高いシステムに移行させたりする必要がある。

以下の記述のうち、最も適切な組み合わせを下記の解答群から選べ。

a　システムを構成するサーバの台数を増やすことでシステム全体の処理能力を高めることを、スケールアウトという。

b　システムを構成するサーバを高性能なものに取り替えることでシステム全体の処理能力を高めることを、スケールアップという。

c　既存のハードウェアやソフトウェアを同等のシステム基盤へと移すことを、リファクタリングという。

d　パッケージソフトウェアを新しいバージョンに移行する時などに行われ、データやファイルを別の形式に変換することを、リフト&シフトという。

e　情報システムをクラウドに移行する手法の1つで、既存のシステムをそのままクラウドに移し、漸進的にクラウド環境に最適化していく方法を、コンバージョンという。

[解答群]
ア　aとb
イ　aとe
ウ　bとc
エ　cとd
オ　dとe

第13問　★重要★

システム開発の方法論は多様である。システム開発に関する記述として、最も適切なものはどれか。

ア　DevOpsは、開発側と運用側とが密接に連携して、システムの導入や更新を柔軟かつ迅速に行う開発の方法論である。

イ　XPは、開発の基幹手法としてペアプログラミングを用いる方法論であり、ウォーターフォール型開発を改善したものである。

ウ　ウォーターフォール型開発は、全体的なモデルを作成した上で、ユーザにとって価値ある機能のまとまりを単位として、計画、設計、構築を繰り返す方法論である。

エ　スクラムは、動いているシステムを壊さずに、ソフトウェアを高速に、着実に、自動的に機能を増幅させ、本番環境にリリース可能な状態にする方法論である。

オ　フィーチャ駆動開発は、開発工程を上流工程から下流工程へと順次移行し、後戻りはシステムの完成後にのみ許される方法論である。

第14問

情報システムにおいてデータベースは要となるものである。データベースに関する記述として、最も適切な組み合わせを下記の解答群から選べ。

a　リポジトリとは、データベース全体の構造や仕様を定義したものであり、外部・概念・内部の三層構造で捉える。

b　NoSQLとは、DBMSが管理するデータ・利用者・プログラムに関する情報やこれらの間の関係を保存したデータベースである。

c　ロールフォワードとは、データベースシステムなどに障害が発生した時に、更新前のトランザクションログを使ってトランザクション実行前の状態に復元する処理である。

d　カラムナー（列指向）データベースは、列方向のデータの高速な取得に向けて最適化されているので、大量の行に対する少数の列方向の集計を効率化できる。

e　インメモリデータベースは、データを全てメインメモリ上に格納する方式で構築されたデータベースであり、ディスクにアクセスする必要がないので、応答時間を最小限にすることが可能になる。

[解答群]
ア　aとb
イ　aとe
ウ　bとc
エ　cとd
オ　dとe

第15問

機械学習の手法に関する記述として、最も適切な組み合わせを下記の解答群から選べ。

a　クラスタリングはカテゴリ型変数を予測する手法であり、教師あり学習に含まれる。
b　クラスタリングはデータをグループに分ける手法であり、教師なし学習に含まれる。
c　分類はカテゴリ型変数を予測する手法であり、教師あり学習に含まれる。
d　分類はデータをグループに分ける手法であり、教師あり学習に含まれる。
e　回帰はデータをグループに分ける手法であり、教師なし学習に含まれる。

[解答群]
ア　aとd
イ　aとe
ウ　bとc
エ　bとd
オ　cとe

第16問

パスワードを適切に設定して管理することは、ネットワーク社会でセキュリティを守るための基本である。

総務省は、「IDとパスワードの設定と管理のあり方（国民のための情報セキュリティサイト）」でパスワードの設定と管理についての留意点をあげている。パスワードの漏洩（ろうえい）リスクを低減するための個人や組織の対策として、最も不適切なものはどれか。

ア　アカウントの乗っ取りやパスワード流出の事実がなくとも、管理者がユーザにパスワードの定期的変更を要求すること。
イ　パスワードのメモをディスプレイなど他人の目に触れる場所に貼ったりしないこと。
ウ　パスワードを電子メールでやりとりしないこと。
エ　パスワードを複数のサービスで使い回さないこと。
オ　やむを得ずパスワードをメモなどに記載した場合は、鍵のかかる机や金庫など安全な方法で保管すること。

第17問　★重要★

情報セキュリティマネジメントにおいては、情報セキュリティリスクアセスメントの結果に基づいて、リスク対応のプロセスを決定する必要がある。

リスク対応に関する記述とその用語の組み合わせとして、最も適切なものを下記の解答群から選べ。

a　リスクを伴う活動の停止やリスク要因の根本的排除により、当該リスクが発生しない状態にする。
b　リスク要因の予防や被害拡大防止措置を講じることにより、当該リスクの発生確率や損失を減じる。
c　リスクが受容可能な場合や対策費用が損害額を上回るような場合には、あえて何も対策を講じない。
d　保険に加入したり、業務をアウトソーシングするなどして、他者との間でリスクを分散する。

[解答群]

ア	a：リスク移転	b：リスク低減	c：リスク回避	d：リスク保有
イ	a：リスク移転	b：リスク保有	c：リスク回避	d：リスク低減
ウ	a：リスク回避	b：リスク移転	c：リスク保有	d：リスク低減
エ	a：リスク回避	b：リスク低減	c：リスク保有	d：リスク移転
オ	a：リスク低減	b：リスク回避	c：リスク移転	d：リスク保有

第18問　★重要★

ITサービスマネジメントとは、ITサービス提供者が、提供するITサービスを効率的かつ効果的に運営管理するための枠組みである。

ITサービスマネジメントに関する記述として、最も適切なものはどれか。

ア　COSOは、ITサービスマネジメントのベストプラクティス集である。

イ　ITサービスマネジメントシステムの構築に経営者が深く関与することは、避けた方が良い。

ウ　ITサービスマネジメントシステムの認証を受けるとPマークを取得できる。

エ　ITサービスマネジメントにおけるインシデントとは、顧客情報の流出によってセキュリティ上の脅威となる事象のことをいう。

オ　SLAは、サービス内容およびサービス目標値に関するサービス提供者と顧客間の合意である。

第19問　★重要★

中小企業A社では、基幹業務系システムの刷新プロジェクトを進めている。先月のプロジェクト会議で、PV（出来高計画値）が1,200万円、AC（コスト実績値）が800万円、EV（出来高実績値）が600万円であることが報告された。

このとき、コスト効率指数（CPI）とスケジュール効率指数（SPI）に関する記述として、最も適切なものはどれか。

ア　CPIは0.50であり、SPIは0.67である。

イ　CPIは0.50であり、SPIは0.75である。

ウ　CPIは0.67であり、SPIは0.50である。

エ　CPIは0.67であり、SPIは0.75である。

オ　CPIは0.75であり、SPIは0.50である。

第20問　★重要★

デジタル署名に関する記述として、最も適切な組み合わせを下記の解答群から選べ。

a　送信者のなりすましを防ぎ、本人が送信したメッセージであることを証明できる。

b　送信されたメッセージが改変（改ざん）されていないことを検知できる。

c　送信されたメッセージが傍受（盗聴）されていないことを証明できる。

d　送信者はメッセージのダイジェストを公開鍵で暗号化し、受信者は秘密鍵で復号する。

e　電子証明書は、秘密鍵の所有者を証明するものである。

[解答群]
ア　aとb
イ　aとe
ウ　bとc
エ　cとd
オ　dとe

第21問　★ 重要 ★

情報システムの信頼性や性能を正しく評価することは重要である。情報システムの評価に関する記述として、最も適切な組み合わせを下記の解答群から選べ。

a　可用性とは、高い稼働率を維持できることを意味し、ターンアラウンドタイムで測定する。

b　完全性とは、データが矛盾を起こさずに一貫性を保っていることを意味する。

c　スループットとは、単位時間当たりに処理できる処理件数を意味する。

d　レスポンスタイムとは、システムに処理要求を送ってから結果の出力が終了するまでの時間を意味する。

e　RASISとは、可用性・完全性・機密性の３つを指している。

[解答群]
ア　aとd
イ　aとe
ウ　bとc
エ　bとd
オ　cとe

第22問

情報システムを利用するには、ハードウェアやソフトウェアを何らかの形で準備する必要がある。

コンピュータ資源の利用の仕方に関する記述として、最も適切な組み合わせを下記の解答群から選べ。

a　クラウドコンピューティングとは、データやアプリケーションなどのコンピュータ資源をネットワーク経由で利用する仕組みのことである。

b　CaaS（Cloud as a Service）とは、クラウドサービスの類型の1つで、クラウド上で他のクラウドサービスを提供するハイブリッド型を指す。

c　ホスティングとは、データセンターが提供するサービスの1つで、ユーザはサーバなどの必要な機器を用意して設置し、遠隔から利用する。

d　ハウジングとは、データセンターが提供するサービスの1つで、事業者が提供するサーバを借りて遠隔から利用する。

e　コロケーションとは、サーバを意識せずにシステムを構築・運用するという考え方に基づいており、システムの実行時間に応じて課金される。

[解答群]

ア　aとb

イ　aとe

ウ　bとc

エ　cとd

オ　dとe

第23問

統計的仮説検定に関する記述として、最も適切な組み合わせを下記の解答群から選べ。

a　第1種の過誤とは、帰無仮説が真であるにもかかわらず帰無仮説を棄却してしまう誤りをいう。

b　第1種の過誤とは、帰無仮説が偽であるにもかかわらず帰無仮説を採択してしまう誤りをいう。

c　第2種の過誤とは、帰無仮説が偽であるにもかかわらず帰無仮説を採択してしまう誤りをいう。

d　第２種の過誤とは、帰無仮説が真であるにもかかわらず帰無仮説を棄却してしまう誤りをいう。

e　有意水準（危険率）とは、第１種の過誤を犯す確率のことである。

f　有意水準（危険率）とは、第２種の過誤を犯す確率のことである。

g　検定力（検出力）とは、第１種の過誤を犯す確率のことである。

[解答群]

ア　aとcとe

イ　aとcとf

ウ　aとfとg

エ　bとdとe

オ　bとdとg

第24問

200人が受験した試験結果から10人の得点を無作為に抽出して並べ替えたところ、以下のとおりであった。

2　2　4　5　5　7　8　8　9　10

点推定による母平均と母分散の推定値に関する記述として、最も適切なものはどれか。なお、母分散の推定には不偏分散を用いることとする。

ア　母平均の推定値は6.0であり、母分散の推定値は6.5である。

イ　母平均の推定値は6.0であり、母分散の推定値は7.2である。

ウ　母平均の推定値は6.0であり、母分散の推定値は8.0である。

エ　母平均の推定値は6.7であり、母分散の推定値は7.2である。

オ　母平均の推定値は6.7であり、母分散の推定値は8.5である。

第25問

ブロックチェーン技術に関する記述として、最も適切なものはどれか。

ア　NFT（Non-Fungible Token）は、ブロックチェーン技術を基に作られた一意で代替不可能なトークンであり、デジタルコンテンツに対応したNFTを発行することにより唯一性・真正性を証明できる。

イ PoW（Proof of Work）とは、ブロックチェーン上に新たなトランザクションを追加するための合意形成メカニズムの１つで、承認権限を持つ人のコンセンサスで決める。

ウ スマートコントラクトは、ブロックチェーン上に保存されたプログラムコードのことであり、暗号資産の取引に限定して利用される。

エ ブロックチェーンネットワークでは、パブリック型、コンソーシアム型、プライベート型のいずれにおいても中央管理者を置くことはない。

オ ブロックチェーンはブロック間のデータの連続性を保証する技術の１つであり、追加されたブロックが前のブロックのナンス値を保持することによって連続性が確保されている。

問題
4年度

令和 4 年度

解答・解説

令和4年度 解答

問題	解答	配点	正答率※
第1問	ア	4	C
第2問	エ	4	A
第3問	エ	4	D
第4問	イ	4	B
第5問	オ	4	C
第6問	ー	4	A
第7問	ア	4	A
第8問	エ	4	D
第9問	オ	4	A
第10問	オ	4	A
第11問	エ	4	B
第12問	ア	4	B
第13問	ア	4	A
第14問	オ	4	C
第15問	ウ	4	D
第16問	ア	4	E
第17問	エ	4	A
第18問	オ	4	A
第19問	オ	4	C
第20問	ア	4	B
第21問	ウ	4	C
第22問	ア	4	C
第23問	ア	4	D
第24問	ウ	4	D
第25問	ア	4	B

※TACデータリサーチによる正答率
正答率の高かったものから順に、A～Eの５段階で表示。
A：正答率80％以上　B：正答率60％以上80％未満　C：正答率40％以上60％未満
D：正答率20％以上40％未満　E：正答率20％未満

解答・配点は一般社団法人日本中小企業診断士協会連合会の発表に基づくものです。
※令和４年８月30日に同協会より、第６問は、すべての受験者の解答を正解として取り扱う旨が発表されました。

令和4年度 解説

第1問

無線通信技術に関する問題である。IEEE802.11シリーズとBluetoothで用いられる無線周波数が問われており、確実に得点したい。

IEEE802.11シリーズの伝送速度と無線周波数は次のとおりである。図表は左から右へ順番に、IEEE802.11シリーズの古い規格から新しい規格を記載している。

図表　IEEE802.11シリーズ

	IEEE802.11b	IEEE802.11g	IEEE802.11n	IEEE802.11ac	IEEE802.11ax
伝送速度	最大 11Mbps	最大 54Mbps	最大 600Mbps	最大 6.9Gbps	最大 9.6Gbps
無線周波数	2.4GHz 帯		2.4/ 5 GHz 帯	5 GHz 帯	2.4/ 5 GHz 帯

a　○：正しい。同じ周波数を利用する無線LAN規格同士は互換性があり、通信が可能である。上の図表のとおり、IEEE802.11nは2.4GHz帯と5GHz帯の2つがあり、IEEE802.11nの5GHz帯はIEEE802.11ac（5GHz帯）と互換性があり、通信が可能である。

b　×：IEEE802.11gは、上の図表のとおり**2.4GHz**帯の無線周波数を利用する。また、電子レンジなどの家電製品は、5GHz帯ではなく**2.4GHz**帯を利用することが多い。5GHz帯は、Wi-Fi専用の電波である。そのため、ほかの家電が出す電波と干渉せず、2.4GHz帯と比べ安定的に通信ができる。

c　○：正しい。周波数ホッピング機能は、ある範囲の周波数帯域の中から、通信に使用する帯域を極めて短い時間ごとに高速で切り替えることで、通信の秘匿性と耐雑音性を高める機能である。Bluetoothは、電子レンジなどの家電製品も使用する2.4GHz帯域の電波を用いた無線通信規格であるため、周波数ホッピング機能を用いることで電子レンジなどの家電製品からの電波干渉が軽減できる。

d　×：Bluetoothは、**2.4GHz**帯域の電波を用いた無線通信規格である。

e　×：Bluetoothは、**5GHz**帯域の電波を用いた無線通信規格ではないので、**2.4GHz帯と5GHz帯を切り替えて通信を行うことはできない。**

よって、**a**と**c**の組み合わせが正しく、**ア**が正解である。

第2問

プログラミング言語に関する問題である。問題リード文にPythonのデータ構造の記述例が示されているため、確実に得点したい。本問におけるexamの定義は次のとおりである。

図表　examの定義

```
exam={
    "A":{"科目名":"科目A","試験時間":"60分","配点":"100点"},
    "B":{"科目名":"科目B","試験時間":"60分","配点":"100点"},
    "C":{"科目名":"科目C","試験時間":"90分","配点":"100点"},
    "D":{"科目名":"科目D","試験時間":"90分"},
    "E":{"科目名":"科目E","試験時間":"60分","配点":"100点"},
    "F":{"科目名":"科目F","試験時間":"60分","配点":"100点"},
    "G":{"科目名":"科目G","試験時間":"90分"}
    }
```

ア　○：正しい。上のexamの定義より、exam["A"]["試験時間"]は、"60分"を参照する。exam["B"]["試験時間"]は、"60分"を参照する。

イ　○：正しい。上のexamの定義より、exam["C"]["配点"]は、"100点"を参照する。

ウ　○：正しい。上のexamの定義より、exam["D"]には、"配点"のキーは存在していない。

エ　×：上のexamの定義より、exam["E"]["試験時間"]は、"60分"を参照する。exam["G"]["試験時間"]は、"90分"を参照する。

オ　○：正しい。上のexamの定義より、exam["F"]["科目名"]は、"科目F"を参照する。

よって、**エ**が正解である。

第3問

プログラミング言語に関する問題である。各スクリプト言語の詳細な特徴が問われており、対応はやや難しい。

ア　×：サブセットとは、集合全体を構成する要素の一部分、下位部分などを取り出して構成した小集団のことである。JavaScriptは、Java言語の文法を参考にしているが、**互換性は全くないためサブセットとはいえない**。また、HTMLファイル内にJavaScriptのコードを記述することはできるが、一般的にはHTMLファイルとは別に「.jsファイル」としてJavaScriptで書かれたプログラムを記録する。「.jsファイル」はWebブラウザなどで実行できる。

イ　×：本肢は、Ruby の内容である。Perlは、テキストの検索や抽出、レポート作成に向いた言語である。CGIの開発やUNIX用のテキスト処理などに用いられる。

ウ　×：LISPは、人工知能や機械学習の分野等に用いられるプログラミング言語の１つである。FORTRANに次ぐ世界で２番目に開発された高水準プログラミング言語であり、Pythonと**互換性はない**。

エ　○：正しい。Rは、オープンソースな統計解析向けのプログラミング言語およびその開発実行環境である。

オ　×：Rubyは、**スクリプト言語であり、ビジュアルプログラミング言語ではない**。また、**ノーコードでアプリケーションソフトウェアを開発することもできない**。ビジュアルプログラミング言語とは、プログラムをテキストで記述するのではなく、視覚的なオブジェクトでプログラミングする。グラフィカルプログラミング言語ともいう。ノーコードとは、ソースコードの記述をせずにアプリケーションやWebサービスの開発が可能なサービスのことである。

よって、**エ**が正解である。

第4問

データベースに関する問題である。データレイクに関する基本的な知識が問われており、確実に得点したい。

ア　×：データレイクは、**リレーショナルデータベースに格納される構造化データに加え**、ビッグデータをそのまま（生データのまま）格納できることが特徴である。特に、**音声や動画、SNSのログなどを含むあらゆる形式のデータ（非構造化データ）を、そのままの形式で溜めておける**点が利点の１つである。本肢は、リレーショナルデータベース以外の非構造化データも格納できるという言及がないため選択肢**イ**と比べて、データレイクに関する記述として適切であるとはいえない。

イ　○：正しい。リレーショナルデータベースに格納される構造化データとそれ以外の非構造化データをそのまま格納できるというデータレイクの特徴について言及している。

ウ　×：本肢は、**データマート**に関する内容である。ただし、データマートはキー・バリューの形式で格納することを規定しているものではない。データウェアハウスは、企業のさまざまな活動を介して得られた大量のデータを目的別に整理・統合して蓄積し、意思決定支援などに利用するために、基幹業務用のデータベースとは別に作成するデータベースシステム環境のことである。

エ　×：選択肢**ア**の解説にあるとおり、データレイクは、**スキーマをあらかじめ定義する必要がなく**、データを入れる時に決まった形式に整形する必要がない。生データのままストレージに保存しておいて、使いたい時にデータを参照できることが特徴である。

オ　×：選択肢**エ**の解説に記載したとおり、データレイクに格納するデータは**構造化を必要としない**。

よって、**イ**が正解である。

第5問

SQLに関する問題である。SQL文のWHERE句で用いられるあいまい検索（LIKE）の記述方法が問われており、対応はやや難しい。

WHERE句に指定するあいまい検索の表記は次のとおりである。

■　WHERE 列名 LIKE 'パターン'

WHERE句の後に指定した列の値が、パターンに一致したデータを抽出する。あいまい検索に用いる「%」は、0文字以上の任意の文字列を意味する。

本問では、電話番号が「03-3」から始まるアルバイト担当者を検索したいので、WHERE句の後に列名として「電話番号」を指定する。列名の後は、あいまい検索を実行するための表記である「LIKE」を記述する。本問は、電話番号が「03-3」で始まるアルバイト担当者を検索したいので、'パターン' の部分は '03-3%' が適切である。「03-3」の後に「%」を付けることで、「03-3」の後は0文字以上の任意の文字列があればよく、結果的に03-3で始まるアルバイト担当者の電話番号がすべて検索できる。

よって、**オ**が正解である。

第6問

ファイルの管理方法に関する問題である。フォルダの階層構造における相対パス指定についてやや実務的な内容が問われており、対応はやや難しい。なお、本問は当初**ウ**が正解の選択肢として発表されたが、その後令和4年8月30日に全員正解とすることが中小企業診断協会から発表された。

フォルダ（ディレクトリ）は、下の図表のような階層構造になっている。各フォルダには、ファイルや別のフォルダ（ディレクトリ）を格納することができる。一番上位のフォルダを「ルートフォルダ（ルートディレクトリ）」という。Windowsでは、ディスクドライブがルートフォルダ（ルートディレクトリ）となる。

図表　フォルダの階層構造

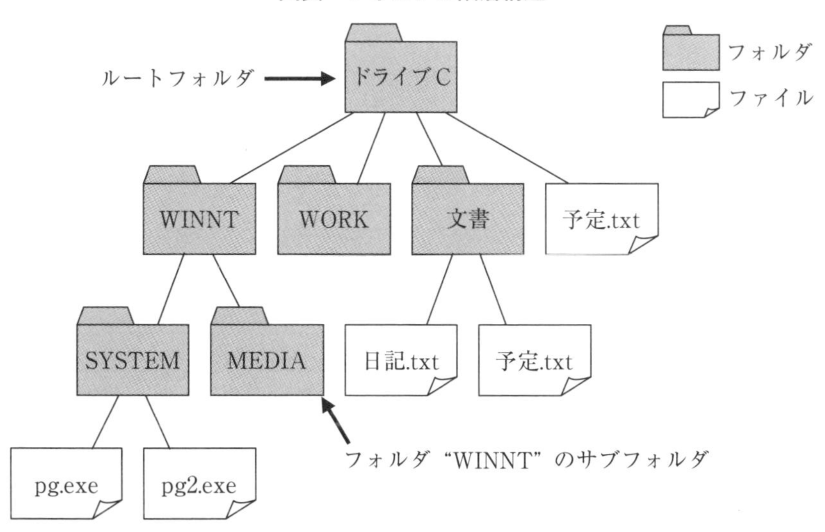

OSやアプリケーションからファイルを指定する場合は、階層構造内の位置を指定する。これをパス指定という。パス指定は、階層構造のルートフォルダからの位置を記す絶対パス指定と、現在使用している「カレントフォルダ（カレントディレクトリ）」からの相対的な変位を記す相対パス指定がある。

ア　×：上の説明のとおり、相対パス指定は、**親ディレクトリから対象ファイルに至るパスではない**。親ディレクトリとは、あるディレクトリに対してよりルートディレクトリに近いディレクトリのことである。

イ　×：上の説明のとおり、相対パス指定は、**仮想ディレクトリから対象ファイルに至るパスではない**。仮想ディレクトリとは、まったく別の場所にある物理ディレクトリをWebサイトのホームディレクトリのサブディレクトリとして割り当て、あたかもそこに存在するように見せることである。

ウ　×：上の説明のとおり、相対パス指定は、カレント**ディレクトリ**から対象ファイルに至るパスである。選択肢**ウ**は「カレント**ディレクト**」と表記されている。その他の選択肢は「**ディレクトリ**」と表記されているため、誤記であると推測する。日本語では、「カレント**ディレクトリ**」と表記することが一般的であり、令和4年8月30日に全員正解とすることが中小企業診断協会から発表された。

エ　×：上の説明のとおり、相対パス指定は、**ホームディレクトリから対象ファイルに至るパスではない**。ホームディレクトリとは、コンピュータの外部記憶装置内に確保された、個々のユーザが自由に使えるディレクトリのことである。

オ ×：本肢は、上の説明のとおり**絶対パス**の内容である。ルートディレクトリとは、一番上位のディレクトリのことである。

第7問

プロトコルに関する問題である。ネットワーク上で用いられる代表的なプロトコルが問われており、確実に得点したい。

用　語		内　容
①	HTTP	Web ブラウザと Web サーバ間で、ハイパーテキストを送受信するために使用されるプロトコルである。
②	POP 3	サーバからメールを受信するためのプロトコルである。
③	MIME	画像や音声、動画など、テキスト以外のデータを電子メールで送信するための通信規格である。
④	SSL/TLS	インターネットを用いた通信において、クライアントとサーバ間で送受信されるデータを暗号化して第三者による通信内容の盗聴を防ぎ、あわせてサーバのなりすましやデータ改ざんも防ぐセキュリティプロトコルである。SSL はバージョンアップを重ねた後、TLS（Transport Layer Security）という名称で RFC（Request For Comments）にその仕様が定められている。SSL と TLS は大枠の仕組みは同じだが、SSL という名称がすでに普及しているため、RFC における最新バージョンは TLS であっても、一般的には「SSL」や「SSL/TLS」と表記することが多い。

よって、**ア**が正解である。

正解以外の用語については以下のとおりである。

用　語	内　容
NTP	ネットワークに接続されている機器の内部時計を協定世界時に同期するために用いられるプロトコルである。
SMTP	サーバ間でメールを転送したり、クライアントがサーバにメールを送信する際に用いるプロトコルである。
IMAP	POP 3 同様、サーバからメールを受信するためのプロトコルである。POP 3 と違って、クライアントへ一律にメール内容を移動させずタイトルや発信者を見て受信するかどうかを決めることができる。モバイル環境で特に便利な方式である。
UDP	トランスポート層におけるコネクションレス型のプロトコルである。コネクションレス型とは、通信相手の状況を確認せずにデータを送信する方式を指す。

第8問

IPアドレスとドメインに関する問題である。トップレベルドメインの分類が問われており、対応はやや難しい。

ア ×：DHCPはサブネットマスクやデフォルトゲートウェイのアドレスを**自動的に配布する（自動設定できる）**。前半部分は、正しい。

イ ×：IPv４とIPv６は相互に互換性がないため、デバイスは**直接通信できない**。詳細は割愛するが、IPv４とIPv６の共存にはいくつかの手法がある。

ウ ×：本肢は、DNSの内容である。NATは、プライベートIPアドレスをグローバルIPアドレスに変換する機能である。NATは、IPアドレスを変換することで１つのグローバルIPアドレスに対して同時に１つのプライベートIPアドレスを割り当てる。

図表　NATのイメージ

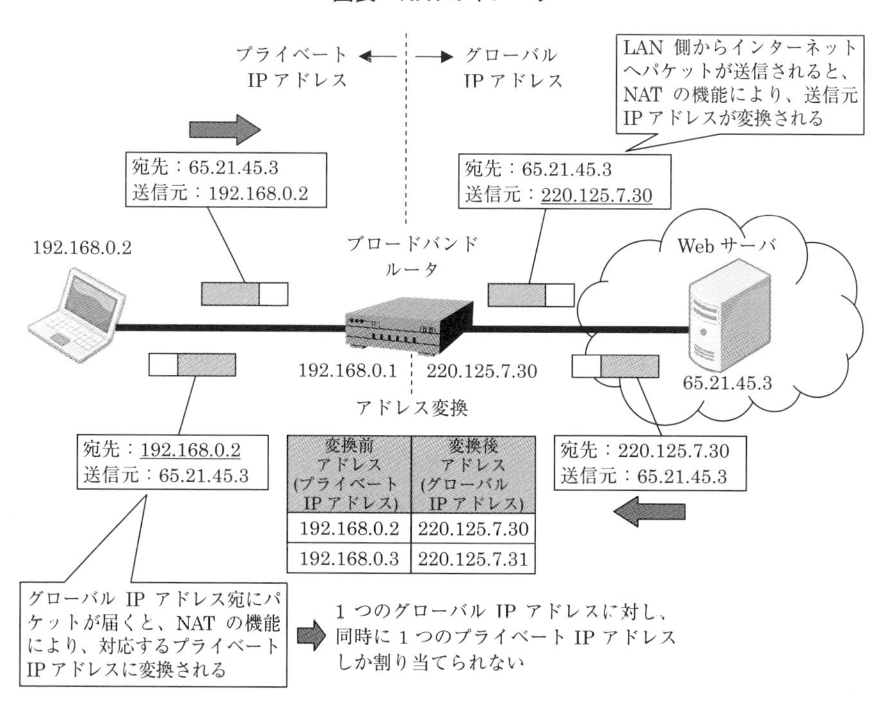

変換前アドレス(プライベートIPアドレス)	変換後アドレス(グローバルIPアドレス)
192.168.0.2	220.125.7.30
192.168.0.3	220.125.7.31

エ ○：正しい。トップレベルドメインは、ドメイン名において、ドットで区切られた文字列の一番右の部分のレベルのことである。トップレベルドメインには、分野別トップレベルドメインと国別トップレベルドメインがある。分野別トップレベル

ドメイン（gTLD：generic Top Level Domain）とは、「.com」や「.org」など、分野別に設定された３文字以上の略号である。アメリカは例外的にカントリーコード「.us」を使わずに「.com」など分野別ドメインを使う場合が多い。国別コードトップレベルドメイン（ccTLD：country code Top Level Domain）とは、カントリーコード、ドメインコードとも呼ばれ、インターネット上で各国を表す略号である。国名ではなく地域名を表す場合もある。たとえば、日本なら「.jp」、イタリアなら「.it」というようにアルファベット２文字で表す。

図表　トップレベルドメインのイメージ

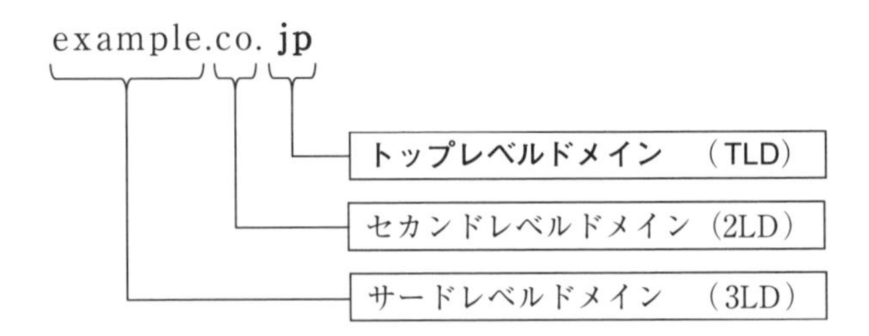

オ　×：本肢は、NATまたはIPマスカレード（NAPT）の内容である。DNSは、インターネット上のドメイン名とIPアドレスを対応させるシステムである。インターネット上の情報資源は文字列であるURLを指定するが、インターネット上では各端末をIPアドレスで識別する。

よって、**エ**が正解である。

第９問

DXレポート2.1に関する問題である。選択肢からデジタル産業を構成しない企業の類型が相対的に推測できるため、確実に得点したい。

経済産業省が2021年８月に公表した「DXレポート2.1」（DXレポート２追補版）では、デジタル産業を構成する企業を４つに類型化している。

図表　デジタル企業類型

① 企業の変革を共に推進するパートナー	・新たなビジネス・モデルを顧客とともに形成 ・DX の実践により得られた企業変革に必要な知見や技術の共有 ・レガシー刷新を含めた DX に向けた変革の支援
② DX に必要な技術を提供するパートナー	・トップノッチ技術者（最先端の IT 技術など、特定ドメインに深い経験・ノウハウ・技術を有する）の供給 ・デジタルの方向性、DX の専門家として、技術や外部リソースの組合せの提案
③ 共通プラットフォームの提供主体	・中小企業を含めた業界ごとの協調領域を担う共通プラットフォームのサービス化 ・高度な IT 技術（システムの構築技術・構築プロセス）や人材を核にしたサービス化・エコシステム形成
④ 新ビジネス・サービスの提供主体	・IT の強みを核としつつ、新ビジネス・サービスの提供を通して社会への新たな価値提供を行う主体

出所：経済産業省「DXレポート2.1」（DXレポート２追補版）

ア　〇：正しい。上の図表の②の内容である。

イ　〇：正しい。上の図表の①の内容である。

ウ　〇：正しい。上の図表の③の内容である。

エ　〇：正しい。上の図表の④の内容である。

オ　×：上の図表（デジタル企業類型）に含まれていない。

よって、**オ**が正解である。

第10問

オープンデータに関する問題である。オープンデータの基本的な定義が問われており、確実に得点したい。

総務省のホームページにおけるオープンデータの定義は次のとおりである。

＜定義＞
国、地方公共団体及び事業者が保有する官民データのうち、国民誰もがインターネット等を通じて容易に利用（加工、編集、再配布等）できるよう、次のいずれの項目にも該当する形で公開されたデータをオープンデータと定義する。

1．営利目的、非営利目的を問わず二次利用可能なルールが適用されたもの
2．機械判読に適したもの
3．無償で利用できるもの

ア ×：本肢は、上の定義にある**無償で利用できる**ものに該当しない。

イ ×：本肢は、**情報公開制度**に関する内容である。

ウ ×：オープンデータは、**特定のフォーマットを指定するものではない**。OpenDocumentフォーマットとは、XMLをベースとしたオフィススイート用のファイルフォーマットである。

エ ×：本肢の政府や企業が公式に発表する統計データや決算データではなく、という箇所が上のオープンデータの定義にある**国、地方公共団体及び事業者が保有する官民データ**という箇所に反する。

オ ○：正しい。総務省が定義するオープンデータの内容である。
よって、**オ**が正解である。

第11問

モデリング技法に関する問題である。UMLのクラス図の多重度の解釈が問われており、確実に得点したい。UMLのクラス図の多重度の解釈は次のとおりである。UMLのクラス図で2つのクラス間のリレーション（関連）を定義する際に、一方のインスタンスにリンクする他方のインスタンスの数を多重度とよぶ。関連を表す線の両方の終端近くには、それぞれの相手に対するクラス間の多重度の範囲を表す。多重度の範囲は、下限をn、上限をmとする場合は「n..m」という形式で表す。たとえば、接続線が必ず1つの場合は「1」、接続線が存在しないかあるいは1つの場合は「0..1」、接続線がゼロ以上の場合は、「0..*」などのように表す。本問の多重度の解釈は次のとおりである。

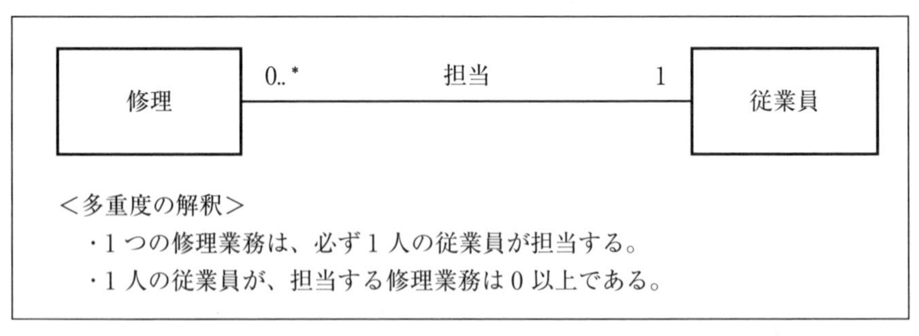

ア ×：上の多重度の解釈から、**修理業務が0である従業員も存在する**。

イ　×：上の多重度の解釈から、**複数の修理を担当する従業員も存在する**。

ウ　×：上の多重度の解釈から、各修理を担当する従業員は**必ず１人**である。

エ　〇：正しい。上の多重度の解釈のとおりである。

オ　×：上の多重度の解釈から、**担当する従業員が存在しない修理はあり得ない**。

よって、**エ**が正解である。

第12問

システム構成技術に関する問題である。システムの性能を高める代表的な技術が問われており、確実に得点したい。

a　〇：正しい。スケールアウトは、サーバの台数を増やすことでシステム全体の性能を向上させることである。各サーバの性能は低くても、それらを束ねることで高性能なサーバと同等の性能を発揮することができる。

b　〇：正しい。スケールアップは、サーバの台数を増やすことなく、CPU・主記憶装置・補助記憶装置を高性能なものにするなど、既存のサーバを機能強化してシステム全体の性能を向上させることである。

c　×：本肢は、**リプレイス**の内容である。リファクタリングは、コンピュータプログラミングにおいて、プログラムの外部から見た動作を変えずにソースコードの内部構造を整理することである。

d　×：本肢は、**コンバージョン**の内容である。リフト＆シフトは、選択肢**e**の内容を参照する。

e　×：本肢は、**リフト＆シフト**の内容である。コンバージョンは、選択肢**d**の内容を参照する。

よって、**a**と**b**の組み合わせが正しく、**ア**が正解である。

第13問

開発モデルに関する問題である。代表的な開発モデルの特徴が問われており、確実に得点したい。

ア　〇：正しい。DevOpsは、アジャイル開発プロセスに通じる概念であり、プログラムの変更とリリース（運用開始）を頻繁に繰り返すアジャイル開発においては、開発担当者と運用担当者の連携を密に行う必要がある。

解答・解説

4年度

図表　DevOps（デブオプス）のイメージ

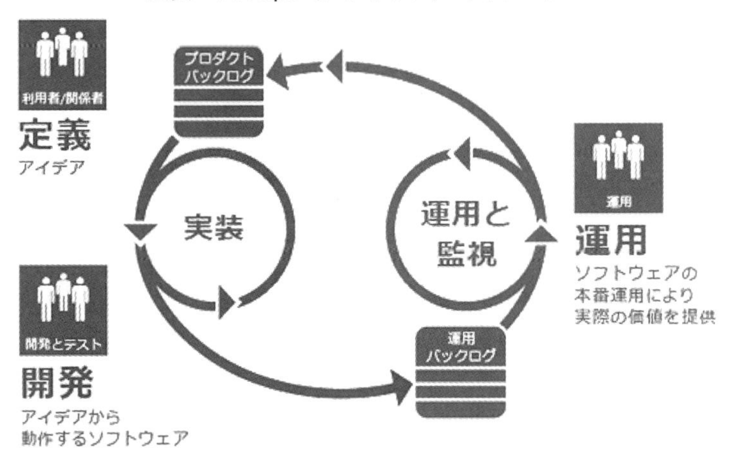

（出典：日本マイクロソフト株式会社「ソフトウェア開発環境の最新動向」）

イ　✕：XPは、アジャイル開発プロセスの先駆けとなった手法であり、Kent Beck氏らによって考案・提唱された。XPでは、開発の初期段階に行われる設計工程よりもコーディングとテストを重視している。ウォーターフォール型開発は、「基本計画（要求分析/要件定義）」「外部設計（概要設計）」「内部設計（詳細設計）」「プログラミング設計」「プログラミング」「テスト」など、作業工程を時系列に分割し、順を追って実施するモデルである。「滝が上から下へ流れ落ちる＝ウォーターフォール」という名前の由来どおり、工程の後戻りをしないことが特徴である。XPとウォーターフォール型開発は思想やプロセスが対照的であり、**ウォーターフォール型開発を改善したものであるという点が不適切**である。システム開発の状況や条件に応じてウォーターフォール型やXPなどの適切な開発モデルを選択することが一般的である。

ウ　✕：本肢は、**スパイラルモデル**の内容である。ウォーターフォール型開発の内容は、選択肢**イ**の解説を参照。

図表　スパイラルモデルのイメージ

	設 計	プログラミング	テスト	評 価
サブシステム①	●	●	●	●
サブシステム②	●	●	●	●
サブシステム③	●	●	●	●
⋮				

エ　×：本肢は、**スクラムの内容（特徴）として適切ではない**。スクラムは、開発チームの密接な連携を前提にする開発手法であり、顧客の要求変化や技術の変化など、予測が難しいプロジェクトの運営に適している。スクラムは、設計工程とプログラミング工程を往復しながらソフトウェア開発を行うラウンドトリップ・エンジニアリングの手法を取り入れている。ラウンドトリップ・エンジニアリングでは、仕様を簡単に動作するコードに変換しながら修正を繰り返していくことで、開発工程全体を短縮することができる。

オ　×：本肢は、**フィーチャ駆動開発の内容（特徴）として適切ではない**。フィーチャ駆動開発はアジャイル開発の１つであるため、**後戻りはシステムの完成後にのみ許される方法論である**、という箇所が特に不適切である。フィーチャ駆動開発は、比較的大規模なプロジェクトにも適用可能な手法であり、開発プロセスが非常にコンパクトで明確に定義されている。ユーザにとっての機能価値（＝フィーチャ）を基本単位として開発を進める点が特徴である。

よって、**ア**が正解である。

第14問

データベースに関する問題である。データベースの種類や障害対応が問われており、対応はやや難しい。

a　×：本肢は、**3層スキーマ**の内容である。リポジトリは、ソースコードやディレクトリ構造のメタデータ（本体であるデータに関する付帯情報が記載されたデータ）を格納するデータベースである。

図表　3層スキーマの定義

名　称	内　容
外部スキーマ	**特定の利用者やアプリケーションソフトウェアで利用する観点から表現されるデータ構造**である。具体的には、システム化対象となるデータ項目の集合体であり、業務で発生するデータを記録する帳票（データの入力画面）や印刷した帳票などで表現される。
概念スキーマ	データベース化したいデータを、DBMSのデータモデルに従って記述したものである。**データを正規化した表の集まり**であり、基本的には論理データモデルそのものである。
内部スキーマ	内部スキーマとは、**データの物理的な格納方式を定義したもの**であり、ファイル名や格納位置、領域サイズなどを指定する。

b　✕：本肢は、**データディクショナリ**に関する内容である。データディクショナリは、情報システムで使うデータの種類、名称、意味、所在、データ型をまとめた辞書である。情報システムのデータベースの整合性や一貫性を保つ役割がある。NoSQLは、大量かつ多様な形式のデータを高速に操作・分析することを可能とする、非リレーショナルな分散データベースシステムである。従来のRDB（リレーショナルデータベース）と異なり、柔軟でスキーマレスなデータモデルであること（表の定義が不要、または柔軟に管理するデータ構造を定義することができる）、データ操作がSQLに限定されないこと（Not only SQL）などの特徴がある。

c　✕：本肢は、**ロールバック**の内容である。ロールフォワードは、ハードウェア障害で用いられ、バックアップファイルでデータベースを前回のバックアップ時点の状態に復旧してから、ログファイルの更新**後**情報を用いて、障害発生前までに完了したトランザクションの内容を反映する。

d　〇：正しい。データベースの列方向の処理に特化しているカラムナーデータベースは、大量のデータの集計処理などが得意である。

図表　カラムナー（列指向）データベースのイメージ

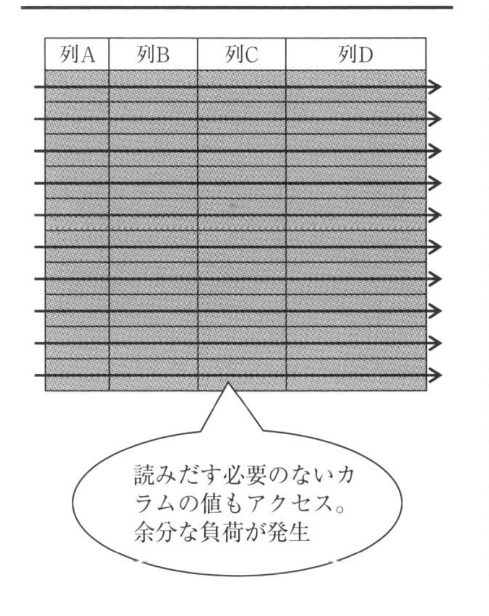

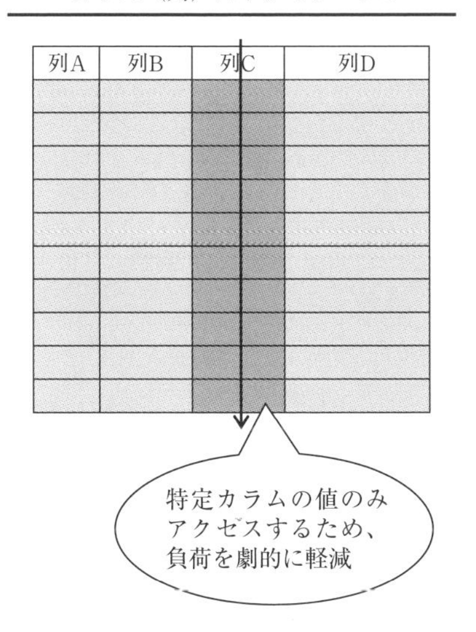

e　○：正しい。インメモリデータベースは、コンピュータのメモリ（主記憶装置）上でデータを管理するデータベースである。HDDやSSDなどの補助記憶装置上にデータを保管する従来のデータベースよりも高速にデータの読み書きができるのが特徴である一方で、現在のコンピュータで主に使われているメモリであるDRAMはコンピュータの電源がオフになると保存されているデータが消失する。そのためインメモリデータベースでは電源が消失した際にデータを復旧する機能を備え、データを永続化する仕組みが必要である。

よって、**d**と**e**の組み合わせが正しく、**オ**が正解である。

第15問

機械学習に関する問題である。機械学習の手法や種類について問われており、対応はやや難しい。

a　×：クラスタリングは、**教師なし学習**に含まれる。教師なし学習は、正解ラベルが付いていないデータに関する学習である。典型的な教師なし学習には、クラスター分析、主成分分析、因子分析などがある。一方、教師あり学習は、データに正解ラベルが付いているものに対して機械学習を行う手法である。たとえば、写真データに「犬」や「猫」などの正解ラベルを含んでいるものである。また、クラスタリングはデータをグループに分ける手法であるため、**予測する手法**であるという箇所も不適切である。さらに、クラスタリングは、**カテゴリ型変数と量的変数（間隔尺度、比例尺度）が混在するデータを分類することも可能である**。カテゴリ型変数とは、限られた数の異なる数値またはカテゴリをもつ変数のことである。たとえば、性別や血液型などである。カテゴリ型変数は、名義尺度（背番号、性別、血液型、社員番号など）または順序尺度（プロ野球の順位、料理の松竹梅、成績の優良可など）のいずれかである。

図表　4つの尺度の「特徴」と「例」

<table>
<tr><th colspan="2">尺　度</th><th>特　徴</th><th>例</th></tr>
<tr><td rowspan="2">質的変数</td><td>名義尺度</td><td>・他と区別するために用いる単なる分類や数字
・大小関係はない</td><td>・背番号
・性別
・血液型
・社員番号</td></tr>
<tr><td>順序尺度</td><td>・順序と順序の比較（大きいか小さいか）に意味がある
・間隔には意味がない</td><td>・プロ野球の順位
・料理の松竹梅
・成績の優良可</td></tr>
<tr><td rowspan="2">量的変数</td><td>間隔尺度</td><td>・値の間隔が等間隔であり、その間隔に意味がある
・大小関係に加え、値の差や和にも意味がある
・0は絶対的な意味をもたず、相対的な意味しかもたない</td><td>・温度
・西暦
・偏差値</td></tr>
<tr><td>比例尺度</td><td>・間隔尺度に0が起点という概念を加えたもの
・大小関係に意味がある
・間隔と比率に意味がある</td><td>・長さ
・重さ
・時間
・値段</td></tr>
</table>

b　○：正しい。クラスタリングは、教師なし学習に含まれる。また、データをグループに分ける手法である。クラスタリングを用いるクラスター分析では、ユーザの性別、年齢、居住地、嗜好、収入などの性質を定量化し、性質の似ているユーザを集めて、集団（クラスター）を作り、ユーザを分類する。クラスター毎にユーザの特性に合わせたダイレクトメールを送信するなどの活用がある。

c　○：正しい。分類は、カテゴリ型変数（名義尺度と順序尺度）を予測する手法である。代表的な機械学習の分類には、故障診断や画像分類などがある。

d　×：選択肢**c**の解説のとおり、分類はカテゴリ型変数を**予測する**手法である。本肢の分ける手法であるという部分が不適切である。

e　×：回帰はデータを**予測する**手法であり、**教師あり学習**に含まれる。

よって、**b**と**c**の組み合わせが正しく、**ウ**が正解である。

第16問

ガイドラインに関する問題である。総務省が公開している「IDとパスワードの設定と管理のあり方（国民のための情報セキュリティサイト）」で述べられているパスワードの設定と管理についての留意点が問われており、対応は難しい。

同ガイドラインでは、安全なパスワードの設定と管理方法として以下を指摘している。

■ 安全なパスワードの設定

安全なパスワードとは、他人に推測されにくく、ツールなどで割り出しにくいものを言います。

(1) 名前などの個人情報からは推測できないこと
(2) 英単語などをそのまま使用していないこと
(3) アルファベットと数字が混在していること
(4) 適切な長さの文字列であること
(5) 類推しやすい並べ方やその安易な組み合わせにしないこと

■ パスワードの保管方法

せっかく安全なパスワードを設定しても、パスワードが他人に漏れてしまえば意味がありません。以下が、パスワードの保管に関して特に留意が必要なものです。

(1) パスワードは、同僚などに教えないで、秘密にすること
(2) パスワードを電子メールでやりとりしないこと
(3) パスワードのメモをディスプレイなど他人の目に触れる場所に貼ったりしないこと
(4) やむを得ずパスワードをメモなどで記載した場合は、鍵のかかる机や金庫など安全な方法で保管すること

■ パスワードを複数のサービスで使い回さない（定期的な変更は不要）

パスワードはできる限り、複数のサービスで使い回さないようにしましょう。あるサービスから流出したアカウント情報を使って、他のサービスへの不正ログインを試す攻撃の手口が知られています。もし重要情報を利用しているサービスで、他のサービスからの使い回しのパスワードを利用していた場合、他のサービスから何らかの原因でパスワードが漏洩してしまえば、第三者に重要情報にアクセスされてしまう可能性があります。

これまでは、パスワードの定期的な変更が推奨されていましたが、2017年に、米国国立標準技術研究所（NIST）からガイドラインとして、サービスを提供する側がパスワードの定期的な変更を要求すべきではない旨が示されたところです。また、日本においても、内閣サイバーセキュリティセンター（NISC）から、パスワードを定期変更する必要はなく、流出時に速やかに変更する旨が示されています。

出所：総務省ホームページ

ア　×：パスワード流出の事実がない場合は、パスワードを**定期変更する必要がない**ことが指摘されている。

イ　○：正しい。上のパスワードの保管方法の⑶の内容である。

ウ　○：正しい。上のパスワードの保管方法の⑵の内容である。

エ　○：正しい。上の同ガイドラインで指摘されている内容である。

オ　○：正しい。上のパスワードの保管方法の⑷の内容である。

よって、**ア**が正解である。

第17問

リスクマネジメントに関する問題である。独立行政法人情報処理推進機構が提唱する情報セキュリティのリスクマネジメントに関するリスク対応の内容と名称の組み合わせが問われた。令和２年度第21問でも同内容が問われたことがあるため、確実に得点したい。

独立行政法人情報処理推進機構によるリスク対応では、リスク評価の作業で明確になったリスクに対して、どのような対処を、いつまでに行うかを明確にする。対処の方法には、大きく分けて「リスク低減」「リスク保有」「リスク回避」「リスク移転」の４つがある。

図表　リスク発生への対応

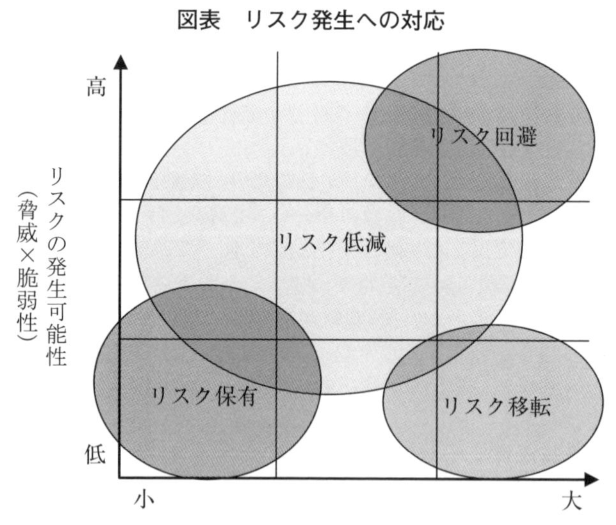

（独立行政法人情報処理推進機構「情報セキュリティマネジメントとPDCAサイクル」をもとに作成）

用　語		内　容
a	リスク回避	脅威発生の要因を停止あるいは全く別の方法に変更することにより、リスクが発生する可能性を取り去ることである。PCの社外への持ち出しを禁止する。ほかにも、「インターネットからの不正侵入」という脅威に対し、外部との接続を断ち、Web上での公開を停止してしまうような場合や、水害などの被害が頻繁にあり、リスクが高いため、そのリスクの低い安全な場所と思われる場所に移転する、などが該当する。リスクを保有することによって得られる利益に対して、保有することによるリスクの方が極端に大きな場合に有効である。
b	リスク低減	脆弱性に対して情報セキュリティ対策を講じることにより、脅威発生の可能性を下げることである。外部のネットワークからの不正な侵入のようなリスクが生じないように、強固なファイアウォールを構築する。ほかにも、ノートパソコンの紛失、盗難、情報漏えいなどに備えて保存する情報を暗号化しておく、サーバ室に不正侵入できないようにバイオメトリック認証技術を利用した入退室管理を行う、従業員に対する情報セキュリティ教育を実施するなどがある。
c	リスク保有	リスクが発生した場合の影響力が小さいため、特にリスクを低減するためのセキュリティ対策を行わず、許容範囲内として受容することである。「許容できるリスクのレベル」を超えるものの、現状において実施すべきセキュリティ対策が見当たらない場合や、コスト（ヒト、モノ、カネ等）に見合ったリスク対応の効果が得られない場合等にも、リスクを受容する。
d	リスク移転	リスクを他社などに移すことである。災害による長時間の停止や情報漏えいに備えて、保険に加入しておく。ほかにも、リスクが顕在化したときに備えリスク保険などで損失を充当したり、社内の情報システムの運用を他社に委託し、契約などにより不正侵入やウイルス感染の被害に対して損害賠償などの形で移転するなどが該当する。しかし、リスクがすべて移転できるとは限らない。多くの場合、金銭的なリスクなど、リスクの一部のみが移転できる。

よって、**エ**が正解である。

第18問

ITサービスマネジメントに関する問題である。ITサービスマネジメントについて基本的な知識が問われており、確実に得点したい。

ア　×：本肢は、ITIL（Information Technology Infrastructure Library）の内容である。ITILは、ITサービスマネジメントにおけるベストプラクティスをまとめた書籍群である。1989年にイギリス政府のCCTAによって公表された。COSOは、内部統制のフレームワークである。COSOは、米国トレッドウェイ委員会組織委員会（Committee of Sponsoring Organizations of the Treadway Commission）の略称である。COSOの発行したレポートで提示された内部統制のフレームワークが有名であるため、この内部統制フレームワークそのものを表す言葉として用いられることもある。COSOの内部統制フレームワークは、各国のさまざまな規制のなかにも組み込まれており、広く受け入れられた枠組みとなっている。

イ ×：情報マネジメントシステム認定センターが公開しているITSMS（ITサービスマネジメントシステム）では、ITSMS構築のポイントを次のように示している。システムの構築に**経営者が深く関与すること**が指摘されている。

■経営者が深く関与する（経営者のコミットメント）
■組織横断的なプロセスアプローチの実現
・プロセス単位に役割と責任を明確にする
・プロセス間の相互関係（入力と出力）を明確にする
■サービスマネジメント目標及び各プロセスの重要業績評価指標（KPI）設定と測定
・測定可能な数値目標を設定、測定し、改善のための「きっかけ」とする
■効果的な運用管理手順の実装
・必要に応じてITIL® 等のベストプラクティスを適用する
・従来のサービス提供方法や管理体制を有効活用する
・社内規定／ルールと実態との乖離を極小化する

ウ ×：Pマークは、**個人情報の第三者認証制度**である。ITサービスマネジメントシステムの認証を受けるとITSMS認証を取得することができる。

エ ×：本肢は、**セキュリティインシデント**の内容である。ITサービスマネジメントにおけるインシデントは、システムの不具合などによりシステムが正常に利用できず、サービスの質や利便性が損なわれる障害を指す。

オ ○：正しい。ITサービスの提供については、ユーザとベンダでお互いが納得のいくサービスの水準を合意する必要がある。この合意に従い、ユーザ企業は適正な対価を支払い、ベンダは不要なサービスを提供することなく、サービスの品質を維持することが可能となる。このように、ユーザ企業とベンダの間で取り決めたサービスレベルに関する合意書をSLA（Service Level Agreement）とよぶ。

よって、**オ**が正解である。

第19問

EVMS（Earned Value Management System）に関する問題である。EVMSで用いられるコスト効率指標（CPI：Cost Performance Index）とスケジュール効率指標（SPI：Schedule Performance Index）の計算が問われており、確実に得点したい。

CPIは、ある時点での作業の成果物を金銭換算したEVとある時点までに投入した実際のコストACの比率である。CPIにより、現時点におけるコストが計画に対して予定内であるか、超過しているかを評価することができる。CPIは以下の計算式によって求められる。

$$CPI = \frac{EV}{AC}$$

CPIの意味は次のようになる。
- CPI＞1：現時点で、計画を下回るコストで進捗している
- CPI＝1：現時点で、計画どおりのコストで進捗している
- CPI＜1：現時点で、計画を超過したコストで進捗している

SPIは、EVとある時点でのプロジェクト当初の見積りであるPV（Planned Value：計画コスト）の比率である。SPIにより、現時点における進捗が計画に対して前倒しであるか、遅延しているかを評価することができる。SPIは以下の計算式によって求められる。

$$SPI = \frac{EV}{PV}$$

SPIの意味は次のようになる。
- SPI＞1：現時点で、計画より前倒しで進捗している
- SPI＝1：現時点で、計画どおりに進捗している
- SPI＜1：現時点で、計画より遅延して進捗している

本問では、PVが1,200万円、ACが800万円、EVが600万円である。これらを上の計算式に代入すると、次のとおりCPIが**0.75**、SPIが**0.5**となる。

$$CPI = \frac{EV}{AC} = \frac{600}{800} = 0.75$$

$$SPI = \frac{EV}{PV} = \frac{600}{1,200} = 0.5$$

よって、**オ**が正解である。

第20問

デジタル署名に関する問題である。デジタル署名の目的と基本的な処理手順について問われており、確実に得点したい。

デジタル署名には、デジタル文書の送信者の正当性の確認と情報改ざんの検知という2つの機能が備わっている。送信者の正当性の確認には公開鍵暗号方式が、情報改ざんの検知にはハッシュ関数がそれぞれ用いられている。

図表　デジタル署名の機能

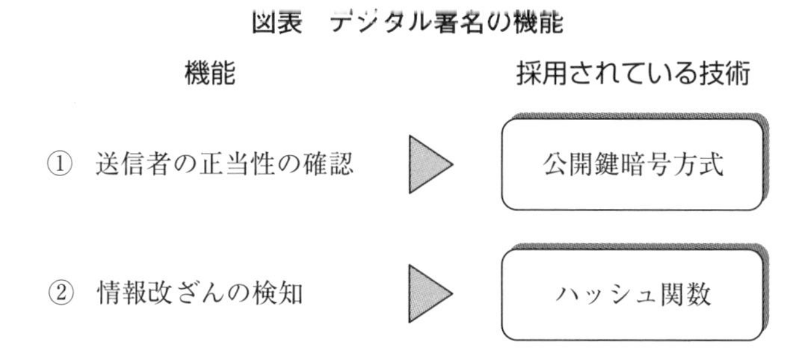

デジタル署名の処理手順は次のとおりである。

図表　デジタル署名の手順

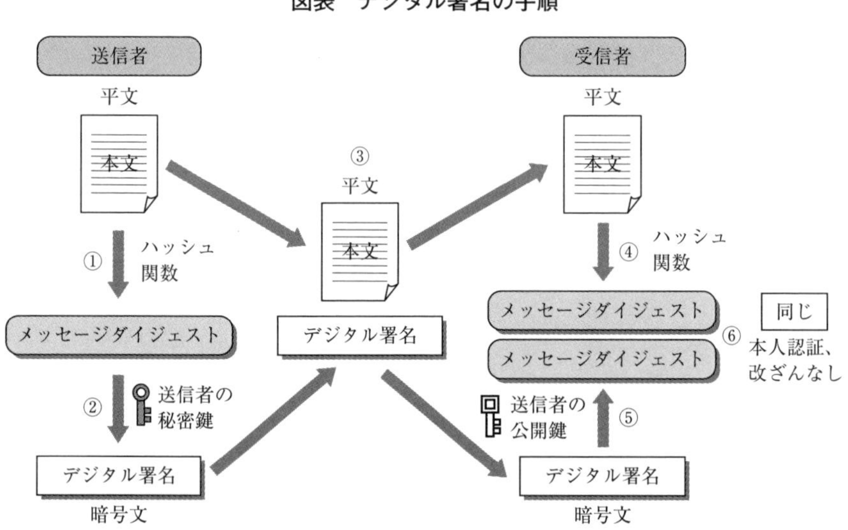

① 送信者のデジタル文書からハッシュ関数によって、メッセージダイジェストを生成する。

② ①のメッセージダイジェストを送信者の秘密鍵で暗号化する。これがデジタル署名である。

③ メッセージ本文に②で暗号化したデジタル署名を添付し、送信する。

④ ③を受信者は受け取り、送信者と同じハッシュ関数を用いて、本文からメッセージダイジェストを生成する。

⑤ デジタル署名を送信者の公開鍵で復号する。正しく復号が行われれば、本人が作成した本文であることを確認できる。

⑥ ④と⑤のメッセージダイジェストが同じであれば、本文が改ざんされていないことを確認できる。

a **○**：正しい。デジタル署名の機能の1つである。

b **○**：正しい。デジタル署名の機能の1つである。

c **×**：デジタル署名では、送信されたメッセージが傍受（盗聴）されていないことを証明**できない**。

d **×**：送信者はメッセージのダイジェストを送信者の**秘密鍵**で暗号化し、受信者は送信者の**公開鍵**で復号する。

e **×**：電子証明書（デジタル証明書）には、**証明書**の所有者を特定する情報と証明書の所有者の公開鍵が含まれている。本肢のように、秘密鍵の所有者を証明するものではなく、電子証明書は、**公開鍵を秘密鍵の所有者のIDにバインドする（結び付ける）**デジタル署名されたデータ構造である。

よって、**a**と**b**の組み合わせが正しく、**ア**が正解である。

第21問

システム評価に関する問題である。情報システムの信頼性や性能を評価するための評価指標が問われており、確実に得点したい。

a **×**：システムの信頼性を評価するRASISは、信頼性を評価する5つの要素の頭文字を取ったものである。可用性はシステムが使用できる割合を意味し、**稼働率**を用いて評価する。ターンアラウンドタイムは、コンピュータシステムに対して、端末からある処理の要求を開始した時点から、その結果の出力が終わるまでの時間のことである。

表　RASISの定義と指標

概念	内容	指標	指標のよしあし
信頼性 （R：Reliability）	システムの故障のしにくさ	平均故障間動作時間（MTBF）	大きいほどよい
可用性 （A：Availability）	システムを使用できる割合	稼働率	大きいほどよい
保守性 （S：Serviceability）	保守の行いやすさ	平均修理時間（MTTR）	小さいほどよい
完全性 （I：Integrity）	情報の正確さや完全性を確保・維持できる度合	–	–
安全性 （S：Security）	災害やセキュリティ攻撃への耐性	–	–

b　○：正しい。完全性（保全性）は、情報の正確さや完全性を確保・維持できる度合いである。

c　○：正しい。コンピュータシステムによって単位時間あたりに処理される仕事の量のことである。たとえば、1時間あたりに処理されるトランザクション数などで示される。

d　×：本肢は、**ターンアラウンドタイム**の内容である。レスポンスタイムは、コンピュータシステムに対して、端末からある処理の要求を出し終えた時点から、その応答が始まるまでの時間のことである。

図表　レスポンスタイムとターンアラウンドタイム

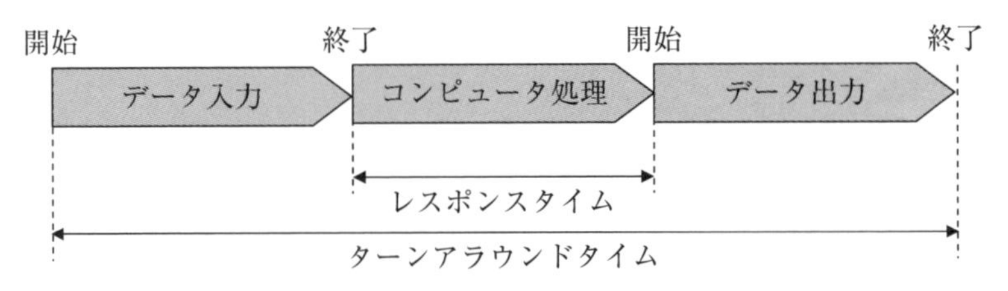

e　×：本肢は、**情報セキュリティの3要素**（可用性・完全性・機密性）である。選択肢**ア**の解説に記載したとおり、システムの信頼性を評価するRASISは、**信頼性（R：Reliability）**、**可用性（A：Availability）**、**保守性（S：Serviceability）**、**完全性（I：Integrity）**、**安全性（S：Security）**の**5つ**を指している。

よって、**b**と**c**の組み合わせが正しく、**ウ**が正解である。

第22問

ITアウトソーシングに関する問題である。クラウドコンピューティングの分類や利用環境による分類についてこれまで問われたことがない知識（CaaS：Cloud as a Service）が問われており、対応はやや難しい。

a　○：正しい。クラウドコンピューティングは、インターネットなどを介してコンピュータの資源をサービスの形で利用者に提供するコンピューティングの形態である。従来は手元のコンピュータの中にあったデータやソフトウェア、ハードウェアの機能をインターネット上のサーバ群に移行し、それらを必要に応じて必要な分だけ利用する。

b　○：正しい。CaaSは、インターネット、VPN、または専用ネットワーク接続を介して各種サービスへのアクセスを提供するクラウドコンピューティングソリューションの1つである。CaaSで提供するサービスには、IaaS、PaaS、およびSaaSなどが含まれる。

c　×：本肢は、**ハウジング**の内容である。ホスティングは、サービス事業者がサーバやネットワーク機器を保有し、その一部を提供する形態である。ユーザは、サービス事業者が提供するサーバやネットワーク機器を間借りする形となる。

d　×：本肢は、**ホスティング**の内容である。ハウジングは、ユーザ保有のサーバをサービス事業者の施設内に設置して保守・運用する形態である。ユーザは、高速回線や耐震設備、電源設備やセキュリティが確保された専用施設を保有せず、サービス事業者の施設を利用することで、IT投資に係る初期費用を圧縮することができる。

e　×：コロケーションは、**ネットワークへの常時接続環境のもとで、サーバや回線接続装置などを共同の場所に設置すること**を指す。

よって、**a**と**b**の組み合わせが正しく、**ア**が正解である。

第23問

統計的仮説検定に関する問題である。仮説検定で用いられる有意水準（危険率）、第1種の過誤、第2種の過誤、検定力（検出力）などの概念を理解していないと正答できないため、対応はやや難しい。

a　○：正しい。第1種の過誤を犯す確率は、「α（アルファ）」として表されることが多く、この値のことを有意水準（危険率）という。

b　×：本肢は、**第2種の過誤**の内容である。第1種の過誤は、選択肢**a**の内容のとおりである。

c　○：正しい。第2種の過誤を犯す確率は、「β（ベータ）」として表されることが多い。

d　×：本肢は、**第1種の過誤**の内容である。第2種の過誤は、選択肢**c**の内容のとおりである。

e　○：正しい。選択肢**a**の解説のとおり、第1種の過誤を犯す確率である有意水準（危険率）は、「α（アルファ）」として表されることが多い。

f　×：有意水準（危険率）は、**第1種の過誤**を犯す確率であり、第2種の過誤を犯す確率ではない。第2種の過誤を犯す確率は、β（ベータ）である。

g　×：本肢は、**有意水準（危険率）**の内容である。検定力（検出力）は、帰無仮説が偽である場合に、帰無仮説を正しく棄却する確率のことである。検定力は、1－β（第2種の過誤を犯す確率）で求められる。

よって、**a**と**c**と**e**の組み合わせが正しく、**ア**が正解である。

第24問

推定に関する問題である。母分散の推定に不偏分散を用いることが求められており、対応は難しい。母平均は、無作為に抽出した10人の得点合計を人数（10人）で割ると求まる。

$$\frac{2+2+4+5+5+7+8+8+9+10}{10}=\frac{60}{10}=6.0$$

次に、母分散の推定には不偏分散を用いることが指定されている。不偏分散は、不偏性があるため母集団の分散を推定するために用いられる。不偏性とは、その推定量が平均的に過大にも過小にも母数を推定しておらず、推定量の期待値が母数に等しいことを意味する。

不偏分散は、無作為に抽出した10人の得点の偏差平方和（各得点の偏差を2乗して足し合わせた値）をn（標本サイズ）－1（マイナス1）した値で割ると求まる。標本サイズ（n）は10人であるから、分母は10－1＝9になる。

$$\frac{(2-6)^2+(2-6)^2+(4-6)^2+(5-6)^2+(5-6)^2+(7-6)^2+(8-6)^2+(8-6)^2+(9-6)^2+(10-6)^2}{9}$$

$$=\frac{(-4)^2+(-4)^2+(-2)^2+(-1)^2+(-1)^2+1^2+2^2+2^2+3^2+4^2}{9}$$

$$=8.0$$

よって、**ウ**が正解である。

第25問

ITトレンド用語に関する問題である。近年、IT系のニュース番組やネットニュースでよく話題にあがるブロックチェーン技術に関連する知識が問われており、確実に得点したい。

ア　〇：正しい。NFTは、Non-Fungible Token：非代替性トークンの略称である。ブロックチェーン（分散型台帳）の仕組みを使って流通するデジタルデータに対して、固有のもの（唯一無二のもの）であることを証明できることが特徴である。ネットワークに繋がった多数のサーバで情報を共有するため、情報の改ざんが難しい。NFTは、アートや音楽、映画などのデジタルコンテンツを中心に近年注目を集めている技術である。

イ　×：本肢の**承認権限を持つ人のコンセンサスで決める**という箇所が不適切である。PoWは、Proof of Work：プルーフ・オブ・ワークの略称である。PoWは、暗号資産（仮想通貨）の取引や送金データを正しくブロックチェーンにつなぐための仕組みである。一般的な金融商品と異なり、暗号資産（仮想通貨）の多くを支えるシステムは中央に管理機関を持っているわけではない。そのため、間違いなく売買や送金を成立させるためには、中央の監視者がいなくても容易に改ざんできないような仕組みが必要である。PoWは、**必要な「計算」を成功させた人が、そのデータを「承認」して正しくブロックチェーンにつなぎこむ役割を担う仕組み**である。PoWでは、中央集権的な承認権限を持つ人が存在するわけではない。

ウ　×：本肢の暗号資産の取引に**限定して**利用されるという箇所が不適切である。スマートコントラクトは、契約の自動化を意味する。スマートコントラクトという考え方は、ブロックチェーン技術特有のものではなく、ブロックチェーン技術が登場するより以前の1990年代に提唱されている。スマートコントラクトが最初に導入された事例の１つとして、自動販売機で、購入者が十分なお金を投入してボタンを押すという条件が満たされることによって、商品の売買契約が自動的に実行されることがよく挙げられる。

図表　スマートコントラクトのイメージ

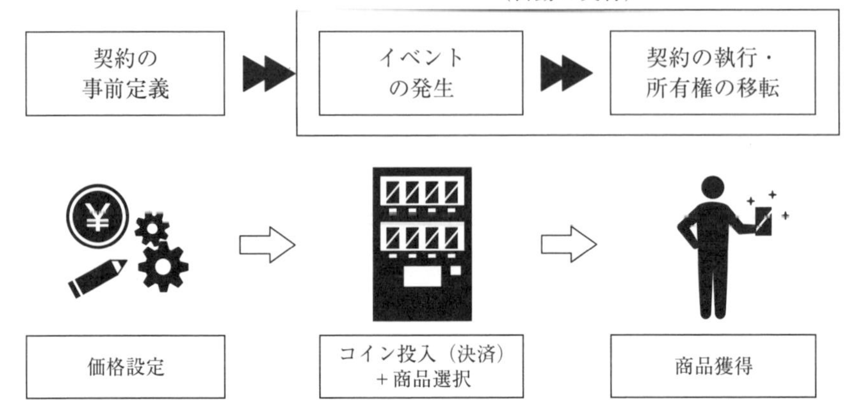

エ　×：ブロックチェーンネットワークにはパブリック型、コンソーシアム型、プライベート型の3つの分類がある。コンソーシアム型とプライベート型は**管理者が存在**するため、本肢は不適切である。パブリック型では参加者が自由にネットワークに参加でき、大規模ネットワークに対応できる合意形成アルゴリズムを用いる。コンソーシアム型とプライベート型はある組織や共同体に属するメンバーのみが参加可能であり、小規模で効率的に動作する合意形成アルゴリズムが用いられる。

図表　ブロックチェーンネットワークの分類

	オープン型 (Permissionless)	許可制 (Permissioned)	
	パブリック型	コンソーシアム型	プライベート型
イメージ	個人向け 一般 金融機関 パートナー	エンター プライズ向け 一般 金融機関 パートナー	金融機関向け 一般 金融機関 パートナー
特徴	■公開されたネットワークで誰でも自由に参加でき、参加者はほぼ無制限に増やすことが可能。 ■悪意を持った参加者を排除するためにコンセンサス手法が重要となる。	■信頼された者同士でネットワークを形成する。より安全な取引が可能。 ■身元不明な参加者はいないためコンセンサスは取りやすい。	■組織等閉じたネットワークで利用する。導入が容易で安全性も高い。 ■組織内に閉じているため合意形成は取りやすい。
管理者有無	なし	あり（複数企業に限定）	あり（1 組織内に限定）
参加者	不特定多数 （悪意のあるユーザを含む可能性がある）	特定多数 （参加者の身元が信頼できる）	特定多数 （参加者の身元が信頼できる）
合意形成	厳格な承認が必要 ● PoW、PoS 等	厳格な承認は任意 ● 特定者間のコンセンサス	厳格な承認は任意 ● 組織内の承認
取引速度	低速	高速	高速
報酬	必須	任意	任意

出所：グローシップ・パートナーズ株式会社「ブロックチェーン活用事例」

オ　✕：追加されたブロックが前のブロックの**ハッシュ値**を保持することによって連続性が確保される。ブロックチェーンとは、取引履歴が記載された複数のブロックをチェーンでつないだものであり、1つのブロックには、主に「取引履歴」と「**前のブロックのハッシュ値**」が記載されている。ナンス（nonce）値とは、「number used once」の略で、「一度だけ使われる数」という意味である。主に暗号通信などで用いられ、使い捨ての32ビットの値のことを指す。ビットコインの新規発行には「マイニング」と呼ばれるコンピュータを使った膨大な量の計算が行われるが、その計算にナンス値が使われている。

よって、**ア**が正解である。

令和3年度問題

令和3年度問題

第1問 ★重要★

パーソナルコンピュータ（PC）の利用においては、多様な種類の周辺機器をPC本体に接続することがある。

USB規格に基づく、PC本体の受け口への差し込みに関する記述として、最も適切な組み合わせを下記の解答群から選べ。

a　全てのUSB 2.0 Standard-Aのコネクタは、PC本体のUSB 2.0 Standard-Aの受け口に上下どちらの向きでも差し込むことができる。

b　全てのUSB 2.0 Standard-Aのコネクタは、PC本体のUSB 3.1 Standard-Aの受け口に上下どちらの向きでも差し込むことができる。

c　全てのUSB 3.1 Standard-Aのコネクタは、PC本体のUSB 2.0 Standard-Aの受け口に差し込むことができる。

d　全てのUSB 3.1 Standard-Aのコネクタは、PC本体のUSB 3.1 Standard-Aの受け口に上下どちらの向きでも差し込むことができる。

e　全てのUSB 3.1 Type-Cのコネクタは、PC本体のUSB 3.1 Type-Cの受け口に上下どちらの向きでも差し込むことができる。

［解答群］

ア　aとb
イ　bとd
ウ　cとd
エ　cとe
オ　dとe

第2問

中小企業でも検品・棚卸等の業務で商品の個体識別にRFIDが用いられるようになってきた。

RFIDに関する記述として、最も適切な組み合わせを下記の解答群から選べ。

a　複数のRFタグ上のデータを一括して読み取ることができる。

b　電波を用いてRFタグ上のデータを読み取ることができる。

c　3個の検出用シンボルにより、RFタグ上のデータを読み取ることができる。

d　赤外線を用いてRFタグ上のデータを読み取ることができる。

e　光学読み取り装置を利用してRFタグ上のデータを読み取ることができる。

[解答群]

ア　aとb

イ　aとe

ウ　bとc

エ　cとd

オ　cとe

第3問

クラウドを支える仮想化技術の1つにコンテナ技術がある。

コンテナ技術に関する記述として、最も適切なものはどれか。

ア　コンテナ技術を使えば、ゲストOSのカーネルを共有してハードウェア資源を節約し、効率的に利用することができる。

イ　コンテナ技術を使えば、ホストOSのカーネルを共有してハードウェア資源を節約し、効率的に利用することができる。

ウ　コンテナ上のアプリケーションを動作させるには、ハイパーバイザが必要となる。

エ　コンテナとは、サーバ上のハードウェア資源をシンクライアント側に移行する単位をいう。

オ　コンテナとは、データとメソッドを1つのオブジェクトとしてまとめて、カプセル化する単位をいう。

第4問　★重要★

中小企業診断士は、アプリケーションソフトウェア（アプリケーション）の動作に必要な他のソフトウェアの役割・機能についても理解しておく必要がある。

ソフトウェアの役割・機能に関する記述として、最も適切なものはどれか。

ア　OSに先立って起動し、ディスプレイやキーボードを利用可能にするソフトウェアをBIOSという。

イ　PCに接続したマウスやプリンタなどの周辺機器をアプリケーションから利用可能にするソフトウェアをパッチという。

ウ　多くのアプリケーションが共通利用する基本処理機能を、標準化されたインタフェースでアプリケーションから利用可能にするソフトウェアをカーネルという。

エ　高級言語で書かれたプログラムをコンピュータが実行可能な機械語に翻訳するソフトウェアをリンカという。

オ　ハードウェアとソフトウェアの中間的な存在としてハードウェアの基本的な制御を行うために機器に組み込まれたソフトウェアをミドルウェアという。

第5問

ソフトウェアには、ソースコードが無償で公開されているものがある。中小企業でも、このようなソフトウェアを用いることが少なくない。

以下の文章の空欄A～Cに入る用語の組み合わせとして、最も適切なものを下記の解答群から選べ。

ソースコードが無償で公開されている［ A ］を用いることでコストの削減が期待できる。このようなソフトウェアの代表的なライセンス条件に、BSD Licenseや［ B ］がある。

MySQLは［ B ］で利用可能なデータベース管理システムの1つである。また、［ A ］である統合開発環境の［ C ］を用いれば、Webアプリケーションを構築することができる。

［解答群］

ア	A：Freeware	B：GNU General Public License	C：Apache
イ	A：Freeware	B：MIT License	C：Apache
ウ	A：OSS	B：GNU General Public License	C：Eclipse
エ	A：OSS	B：MIT License	C：Apache
オ	A：OSS	B：MIT License	C：Eclipse

第6問

データ分析や機械学習を容易に行うことができるプログラミング言語であるPythonの利用が拡大している。

Pythonに関する記述として、最も適切なものはどれか。

ア　Python2.xで動作するプログラムは全て、Python3.xでも動作する。
イ　オブジェクト指向のプログラミング言語であり、関数型プログラミングをサポートしていない。
ウ　クラスや関数、条件文などのコードブロックの範囲はインデントの深さによって指定する。
エ　データの操作や定義を行うための問い合わせ言語である。
オ　論理プログラミング言語であり、プログラムは宣言的に表現される。

第7問

ネットワーク技術の進展により、情報システムは2000年代より、それまでのクライアント・サーバ型の情報処理からクラウドコンピューティングへと進化した。また2010年代半ば以降は、エッジコンピューティングを活用する動きも見られるようになった。

これらの動きに関する記述として、最も適切な組み合わせを下記の解答群から選べ。

a　クラウドコンピューティングは、インターネットなどを介してコンピュータの資源をサービスの形で利用者に提供するコンピューティングの形態である。
b　パブリッククラウドと違いプライベートクラウドの場合には、自社の建物内でサーバや回線などの設備を構築・運用する必要がある。
c　エッジコンピューティングは、デバイスの近くにコンピュータを配置することによって、回線への負荷を低減させ、リアルタイム性を向上させることができる。
d　エッジコンピューティングを導入することによってIaaSの環境を実現できる。
e　クラウドコンピューティングとエッジコンピューティングは、併存させることはできない。

[解答群]
ア　aとc
イ　aとd
ウ　bとd
エ　bとe
オ　cとe

第8問　★重要★

意思決定や計画立案のために、データを収集して加工・分析することがますます重要になってきている。以下の文章の空欄A～Dに入る語句の組み合わせとして、最も適切なものを下記の解答群から選べ。

意思決定や計画立案のために、組織内で運用される情報システムやデータベースなどからデータを集めて格納しておく場所を［ A ］と呼ぶ。この［ A ］から、必要なものだけを利用しやすい形式で格納したデータベースを［ B ］と呼ぶ。

このような構造化されたデータに加えて、IoT機器やSNSなどからの構造化されていないデータを、そのままの形式で格納しておく［ C ］が利用されつつある。膨大なデータを蓄積する必要があるため、比較的安価なパブリッククラウドのオブジェクトストレージに格納される場合が多い。

収集されたデータの品質を高めるためには、データ形式の標準化や［ D ］が重要である。

［解答群］

ア　A：データウェアハウス　B：データマート
　　C：データレイク　D：データクレンジング

イ　A：データウェアハウス　B：データレイク
　　C：データスワンプ　D：データクレンジング

ウ　A：データマート　B：データウェアハウス
　　C：データプール　D：データマイグレーション

エ　A：データマート　B：リレーショナルデータベース
　　C：データレイク　D：データマイグレーション

オ　A：データレイク　B：データマート
　　C：データプール　D：データマイニング

第9問

中小企業診断士は、必要に応じてインターネット上の情報や図書館に所蔵されている資料・データを検索しなければならない。利用する検索システムによって検索式の立て方は異なるとはいえ、目的にかなう資料・データを検索するための基本的な考え方を理解しておく必要がある。

検索システムに関する以下の文章の空欄A～Eに入る用語の組み合わせとし

て、最も適切なものを下記の解答群から選べ。なお、検索語中の「?」は、任意の文字列を表す。

単数形、複数形や語尾変化をもつ文字列をまとめて検索したい場合には、[A]検索を用いる。例えば、[B]の検索語を用いれば、computer、computation、computingなどをまとめて検索できる。また、management、government、paymentなどの文字列をまとめて検索したい場合には、[C]検索を用いる。

文字列informationと文字列systemを同時に含む資料・データを検索したい場合には、[D]検索を用いる。また、文字列information systemを含む資料・データを検索したい場合には、[E]検索を用いる。

[解答群]

ア　A：後方一致　B：comput?　C：前方一致　D：AND
　　E：シソーラス

イ　A：後方一致　B：computer?　C：前方一致　D：AND
　　E：シソーラス

ウ　A：後方一致　B：computer?　C：前方一致　D：OR
　　E：完全一致

エ　A：前方一致　B：comput?　C：後方一致　D：AND
　　E：完全一致

オ　A：前方一致　B：computer?　C：後方一致　D：OR
　　E：シソーラス

第10問

ある中小企業における今週のA部門とB部門の販売実績は、販売実績表A、販売実績表Bのとおりであった。UNION句を用いて2つの表を1つにまとめたい。

そのためのSQL文として、最も適切なものを下記の解答群から選べ。

販売実績表A

取引ID	商品番号	商品名	販売単価	販売数量
A 001	100	バナナ	100	1
A 002	101	リンゴ	120	1
A 003	103	メロン	300	1
A 004	・・・	・・・	・・・	・・・

販売実績表B

取引ID	商品番号	商品名	販売単価	販売数量
B 001	100	バナナ	100	1
B 002	101	リンゴ	130	2
B 003	105	ブドウ	140	2
B 004	・・・	・・・	・・・	・・・

[解答群]

ア SELECT 取引ID , 商品番号 , 商品名 , 販売単価＊販売数量AS売上高
FROM 販売実績表A
UNION
FROM 販売実績表B;

イ SELECT 取引ID , 商品番号 , 商品名 , 販売単価＊販売数量AS売上高
FROM 販売実績表A
UNION
SELECT 取引ID , 商品番号 , 商品名 , 販売単価＊販売数量AS売上高
FROM 販売実績表B;

ウ SELECT 取引ID , 商品番号 , 商品名 , 販売単価＊販売数量AS売上高
FROM 販売実績表A , 販売実績表B
UNION
SELECT 取引ID , 商品番号 , 商品名 , 販売単価＊販売数量AS売上高;

エ SELECT 取引ID , 商品番号 , 商品名 , 販売単価＊販売数量AS売上高
UNION
FROM 販売実績表A , 販売実績表B;

```
オ　SELECT 取引ID , 商品番号 , 商品名 , 販売単価＊販売数量AS売上高
　　UNION
　　SELECT 取引ID , 商品番号 , 商品名 , 販売単価＊販売数量AS売上高
　　FROM 販売実績表A , 販売実績表B;
```

第11問　★重要★

情報システムの利用において、利用者を認証する仕組みの理解は重要である。それらに関する記述として、最も適切なものはどれか。

ア　生体認証では、IDとパスワードに加えてセキュリティトークンによって利用者を認証する。
イ　チャレンジレスポンス認証では、指紋認証、静脈認証、署名の速度や筆圧などによって利用者を認証する。
ウ　二要素認証では、パスワードだけではなく秘密の質問の答えの２つを組み合わせることによって利用者を認証する。
エ　リスクベース認証では、普段と異なる環境からログインする際、通常の認証に加えて合言葉などによって利用者を認証する。
オ　ワンタイムパスワードによる認証では、一度認証されれば、利用する権限を持つ各サーバやアプリケーションでの認証が不要となる。

第12問

情報通信技術には類似した用語が多くある。それらを識別して意味を正しく理解することが肝要である。

以下の記述のうち、最も適切な組み合わせを下記の解答群から選べ。

a　ポッドとは、プログラミングにおいて、変数の型を別の型に変換することである。
b　チャットボットとは、自動的に対話を行うプログラムのことであり、例えば企業においては顧客からの問い合わせに自動応答するために用いられる。
c　タッチパッドとは、平板上のセンサーを指でなぞることでマウスポインタの操作をするポインティングデバイスの１つである。
d　マルチキャストとは、インターネット上で音声や動画のファイルを公開・配信する方法の１つである。
e　ブロードキャストとは、通信ネットワーク上で、特定の複数の相手に同じデータ

を一斉に送信することである。

[解答群]
ア　aとc
イ　bとc
ウ　bとe
エ　cとe
オ　dとe

第13問　★重要★

コンピュータの意思決定や知識処理への利用がますます進みつつある。それらに関する以下のa～dの記述と、その用語の組み合わせとして、最も適切なものを下記の解答群から選べ。

a　知識をルールによって表現し、入力された知識を用いてコンピュータが専門家のように推論するシステム。
b　大量のデータを分析して、これまで知られなかった規則性や傾向など、何らかの知見を得ること。
c　機械学習のうち、多数の層からなるニューラルネットワークを用いるもの。
d　一定の環境の中で試行錯誤を行い、個々の行動に対して得点や報酬を与えることによって、ゴールの達成に向けた行動の仕方を獲得する機械学習の学習法の1つ。

[解答群]
ア　a：エキスパートシステム　b：データマイニング
　　c：深層学習　d：強化学習
イ　a：エキスパートシステム　b：ナレッジマネジメント
　　c：強化学習　d：深層学習
ウ　a：機械学習　b：エキスパートシステム
　　c：深層学習　d：強化学習
エ　a：機械学習　b：データマイニング
　　c：深層学習　d：教師なし学習
オ　a：データマイニング　b：ナレッジマネジメント
　　c：強化学習　d：教師なし学習

第14問　★ 重要 ★

　システム開発に利用されるオブジェクト指向のモデリング技法にUML（Unified Modeling Language）がある。
　UMLのダイアグラムに関する記述として、最も適切なものはどれか。

ア　アクティビティ図は、対象となるシステムとその利用者とのやり取りを表現するダイアグラムである。
イ　オブジェクト図は、対象となるシステムを構成する概念・事物・事象とそれらの間にある関連を表現するダイアグラムである。
ウ　シーケンス図は、オブジェクト間のメッセージの流れを時系列的に表現するダイアグラムである。
エ　ステートマシン図は、活動の流れや業務の手順を表現するダイアグラムである。
オ　ユースケース図は、システム内部の振る舞いを表現するためのもので、ユースケースをまたがったオブジェクトごとの状態遷移を表現するダイアグラムである。

第15問

　Society 5.0は、サイバー空間（仮想空間）とフィジカル空間（現実空間）を高度に融合させたシステムにより、経済発展と社会的課題の解決を両立する、人間中心の社会である。
　この社会の実現に向けて、SoS（System of Systems）という考え方に注目が集まり始めている。
　SoSに関する記述として、最も適切なものはどれか。

ア　SoSでは、異機種間のデータ通信を実現するために、通信サービスを７つの階層に分割し、各層ごとに標準的なプロトコルや通信サービスの仕様を定めている。
イ　SoSは、個々のシステムでは達成できないタスクを実現するために複数のシステムが統合されたシステムである。
ウ　SoSは、中央のサーバで処理単位を分割し、それらを多数のPCやサーバで並列処理するというコンピューティングの形態である。
エ　SoSは、ネットワーク機器から分離されたソフトウェアによって、ネットワーク機器を集中的に制御、管理するアーキテクチャである。
オ　SoSは、プレゼンテーション層、ファンクション層、データベース層の機能的に異なる３つのシステムから構成される。

第16問

経済産業省は、「デジタルトランスフォーメーションを推進するためのガイドライン（DX推進ガイドライン）Ver.1.0」を平成30年12月に発表している。これは、DXの実現やその基盤となるITシステムの構築を行っていく上で経営者が押さえるべき事項を明確にすること、および取締役会や株主がDXの取り組みをチェックする上で活用できるものとすることを目的として作成されたものである。

この中で失敗ケースや先行事例がガイドラインとともに取り上げられているが、これらを踏まえた提言に合致する記述として、最も適切なものはどれか。

ア　DX推進に当たっては、トップダウンではなくボトムアップで行う。

イ　ITシステムのオーナーシップは、情報システム部門やベンダー企業が持つのではなく、事業部門が持つ。

ウ　技術起点でPoC（Proof of Concept）を行ってから経営戦略を立てる。

エ　刷新後のITシステムは、再レガシー化を回避するために、そのITシステムが短期間で構築できたかによって評価する。

オ　組織・人事の仕組みや企業文化・風土に影響を与えないで済むようにDXプロジェクトを進める。

第17問　★ 重要 ★

情報システムを開発する際には、基本的な考え方（アーキテクチャ）に基づいてなされることが多い。このような考え方の１つにSOAがある。

SOAに関する記述として、最も適切なものはどれか。

ア　順次・選択・繰返しの３つの論理構造の組み合わせで、コンポーネントレベルで設計を行うというアーキテクチャである。

イ　生産・販売・物流・会計・人事などの基幹業務を統合し管理することで、全体最適を図るというアーキテクチャである。

ウ　ソフトウェアの機能をサービスという部品とみなして、サービスのモジュールを組み合わせてシステムを構築するというアーキテクチャである。

エ　ビジネスアーキテクチャ、データアーキテクチャ、アプリケーションアーキテクチャ、テクノロジーアーキテクチャの４つの体系で分析して、全体最適の観点からシステム構築を検討するというアーキテクチャである。

オ　利用部門が要求するシステム開発に対して、データの構造や関係に合わせてシステムを開発するというアーキテクチャである。

第18問　★重要★

アジャイル開発の手法の１つにエクストリーム・プログラミング（XP）がある。XPではいくつかのプラクティスが定義されている。

XPのプラクティスに関する記述として、最も適切なものはどれか。

ア　１週間の作業時間は、チームのメンバー全員で相談して自由に決める。

イ　２人のプログラマがペアになって、同じPCを使用して交代しながらプログラミングを行う。

ウ　ソースコードの修正や再利用は、責任を明確にするために、作成者だけが行うようにする。

エ　プログラムを書く前にテストケースを作成しておき、動作を確認した上でプログラムを洗練させていく。

オ　リファクタリングの際には、開発効率を高めるために内部構造には変更を加えず、外部から見た振る舞いを変更する。

第19問

ソフトウェア、システム、サービスに関わる人たちが同じ言葉で話すことができるようにするための共通枠組みとして、「共通フレーム2013」が情報処理推進機構（IPA）によって制定されている。

「共通フレーム2013」に関する記述として、最も適切な組み合わせを下記の解答群から選べ。

a　企画プロセスは、経営・事業の目的・目標を達成するために必要なシステムに関係する要件を明らかにし、システム化の方針を立て、システムを実現するための実施計画を立てるプロセスである。

b　システム化構想の立案プロセスは、システム構築に必要なハードウェアやソフトウェアを記述したシステム方式を作成するプロセスである。

c　監査プロセスは、成果物が利用者の視点から意図された正しいものになっているかを確認するプロセスである。

d　要件定義プロセスのアクティビティには、利害関係者の識別、要件の識別、要件の評価、要件の合意などがある。

e　システム適格性確認テストプロセスは、利用者に提供するという視点でシステムが適用環境に適合し、利用者の用途を満たしているかどうかを運用環境において評価するプロセスである。

［解答群］
ア　aとb
イ　aとd
ウ　bとd
エ　cとd
オ　dとe

第20問　★重要★

近年、情報システムの信頼性確保がますます重要になってきている。情報システムの信頼性確保に関する記述として、最も適切なものはどれか。

ア　サイト・リライアビリティ・エンジニアリング（SRE）とは、Webサイトの信頼性を向上させるようにゼロから見直して設計し直すことである。
イ　フェイルセーフとは、ユーザが誤った操作をしても危険が生じず、システムに異常が起こらないように設計することである。
ウ　フェイルソフトとは、故障や障害が発生したときに、待機系システムに処理を引き継いで、処理を続行するように設計することである。
エ　フォールトトレランスとは、一部の機能に故障や障害が発生しても、システムを正常に稼働し続けるように設計することである。
オ　フォールトマスキングとは、故障や障害が発生したときに、一部の機能を低下させても、残りの部分で稼働し続けるように設計することである。

第21問

業務システムのクラウド化やテレワークの普及によって、企業組織の内部と外部の境界が曖昧となり、ゼロトラストと呼ばれる情報セキュリティの考え方が浸透してきている。

ゼロトラストに関する記述として、最も適切なものはどれか。

ア　組織内において情報セキュリティインシデントを引き起こす可能性のある利用者を早期に特定し教育することで、インシデント発生を未然に防ぐ。

イ　通信データを暗号化して外部の侵入を防ぐVPN機器を撤廃し、認証の強化と認可の動的管理に集中する。

ウ　利用者と機器を信頼せず、認証を強化するとともに組織が管理する機器のみを構成員に利用させる。

エ　利用者も機器もネットワーク環境も信頼せず、情報資産へのアクセス者を厳格に認証し、常に確認する。

オ　利用者を信頼しないという考え方に基づき認証を重視するが、一度許可されたアクセス権は制限しない。

第22問

情報処理推進機構（IPA）は「中小企業の情報セキュリティ対策ガイドライン」を公開している。このガイドライン付録の「情報セキュリティ５か条」に取り組むことを宣言すると、SECURITY ACTIONのロゴマークを自社のサイトなどに掲示することができる。

「情報セキュリティ５か条」に明記されていないものはどれか。

ア　ウィルス対策ソフトを導入しよう！

イ　脅威や攻撃の手口を知ろう！

ウ　共有設定を見直そう！

エ　パスワードを強化しよう！

オ　不審なメールを開かないようにしよう！

第23問

顧客当たり月間の平均利益（A）が10,000円である月額課金サービスにおいて、今月の解約率が５％であったとする。今後この解約率が一定であると仮定すると、既存顧客に対するサービス利用の平均継続期間（B）を求めることができる。

顧客生涯価値＝（A）×（B）とするとき、既存顧客の顧客生涯価値として、最も適切なものはどれか。

ア　50,000円

イ　75,000円

ウ　95,000円

エ　105,000円

オ　200,000円

第24問

統計分析においては、帰無仮説を立てて、その帰無仮説が採択されるか棄却されるかを統計的に検定する。

以下のａ～ｄの記述と、それらにおいて用いる検定方法の組み合わせとして、最も適切なものを下記の解答群から選べ。

ａ　２つの変数の間の相関係数を計算して、計算された相関係数が０（無相関）ではないかどうか、つまり、相関係数が０であるという帰無仮説を棄却できるかどうかを検定したい。

ｂ　クロス集計表において、変数（分類基準）間に関連性があるかどうか、つまり、変数間は独立であるという帰無仮説を棄却できるかどうかを検定したい。

ｃ　重回帰分析において、独立変数が目的変数に対して統計的に有意な影響があるかどうか、つまり、偏回帰係数の値が０であるという帰無仮説を棄却できるかどうかを検定したい。

ｄ　一元配置の分散分析において、群ごとに差が見られるかどうか、つまり、各群の平均が等しいという帰無仮説を棄却できるかどうかを検定したい。

[解答群]

ア	ａ：Ｆ検定	ｂ：ウェルチ検定	ｃ：Ｆ検定	ｄ：ｔ検定
イ	ａ：ｔ検定	ｂ：ウェルチ検定	ｃ：Ｆ検定	ｄ：ｚ検定
ウ	ａ：ｔ検定	ｂ：カイ二乗検定	ｃ：ｔ検定	ｄ：Ｆ検定
エ	ａ：ｔ検定	ｂ：カイ二乗検定	ｃ：ｔ検定	ｄ：ｔ検定
オ	ａ：ｚ検定	ｂ：カイ二乗検定	ｃ：ｔ検定	ｄ：Ｆ検定

第25問

コロナ禍の影響もあり、テレワークが一般化してきた。テレワークを行うには、社内で行っていた作業環境をリモートで実現する必要がある。総務省は「テレワークセキュリティガイドライン第５版」を発表し、その中で、テレワークの方式を分類している。

この分類に関する記述として、最も適切なものはどれか。

ア「VPN」方式とは、テレワーク端末からVDI上のデスクトップ環境に接続を行い、そのデスクトップ環境を遠隔操作して業務を行う方法である。

イ「仮想デスクトップ」方式とは、テレワーク端末からオフィスネットワークに対してVPN接続を行い、そのVPNを介してオフィスのサーバ等に接続し業務を行う方法である。

ウ「セキュアコンテナ」方式とは、テレワーク端末にファイアウォールで保護された仮想的なWeb環境を設け、その環境内でアプリケーションを動かし業務を行う方法である。

エ「セキュアブラウザ」方式とは、テレワーク端末からTorブラウザと呼ばれる特殊なインターネットブラウザを利用し、オフィスのシステム等にアクセスし業務を行う方法である。

オ「リモートデスクトップ」方式とは、テレワーク端末からオフィスに設置された端末（PCなど）のデスクトップ環境に接続し、そのデスクトップ環境を遠隔操作して業務を行う方法である。

令和３年度
解答・解説

問題	解答	配点	正答率※
第１問	エ	4	B
第２問	ア	4	C
第３問	イ	4	C
第４問	ア	4	C
第５問	ウ	4	E
第６問	ウ	4	D
第７問	ア	4	C
第８問	ア	4	A
第９問	エ	4	A
第10問	イ	4	D
第11問	エ	4	D
第12問	イ	4	B
第13問	ア	4	B
第14問	ウ	4	C
第15問	イ	4	B
第16問	イ	4	C
第17問	ウ	4	B
第18問	エ	4	C
第19問	イ	4	C
第20問	エ	4	C
第21問	エ	4	C
第22問	オ	4	E
第23問	オ	4	C
第24問	ウ	4	C
第25問	オ	4	B

※TACデータリサーチによる正答率
正答率の高かったものから順に、A～Eの５段階で表示。
A：正答率80％以上　B：正答率60％以上80％未満　C：正答率40％以上60％未満
D：正答率20％以上40％未満　E：正答率20％未満

解答・配点は一般社団法人日本中小企業診断士協会連合会の発表に基づくものです。

令和3年度 解説

第1問

インタフェースに関する問題である。USBのコネクタの形状と差し込みに関する知識が問われた。USBコネクタは、最も普及しているインタフェースのひとつであり、確実に得点したい。

USB規格に基づくUSB Standard-AとUSB Type-Cのコネクタ形状は次の通りである。

図表　USBコネクタの形状

USB Type-Cは、USB Standard-Aと違い、上下対称の形状で上下反転しても使える構造であり、最新のスマートフォンやMacBook、Surfaceなどに採用されている。

a　×：上の説明にある通り、USB Standard-Aのコネクタは、**上下を反転すると差し込み口に差し込めない**。

b　×：上の説明にある通り、USB Standard-Aのコネクタは、**上下を反転すると差し込み口に差し込めない**。なお、USB2.0とUSB3.1の規格は主に伝送速度が異なり、上下を反転すると差し込み口に差し込めるわけではない。

c　○：正しい。USB3.1とUSB2.0の規格は主に伝送速度が異なり、受け口への差し込みとは関係ない。

d　×：上の説明にある通り、USB Standard-Aのコネクタは、**上下を反転すると差し込み口に差し込めない**。

e　○：正しい。USB Type-Cは、上下対称の形状で上下反転しても使える構造である。なお、USB 3.1であることは、受け口に上下どちらの向きでも差し込めるかには関係ない。

よって、**c**と**e**の組み合わせが正しく、**エ**が正解である。

第2問

RFIDに関する問題である。無線通信技術のひとつであるRFIDのタグの読み取り方法が問われており、対応はやや難しい。

RFIDは、無線周波による非接触型の自動識別技術である。トランスポンダ（タグ）の識別情報を無線周波を介してコンピュータに接続されたリーダーで読み取り、自動的に識別するシステムである。情報の書き換えや追記が自由にでき、商品を積み重ねたままでも情報が読み取れるなどの利点があり、食品、アパレル、家電製品、書籍、宅配荷物その他、幅広い分野で物品の追跡管理（トレーサビリティー）や自動識別、在庫管理、地産証明、偽造防止、万引き防止などに活用されている。JR東日本の「Suica」などもRFIDの技術を利用している。

a **○**：正しい。複数のタグデータを一括して読み取ることが可能なため、梱包された段ボール箱の中の情報も一括して読み取ることができる。

b **○**：正しい。RFIDは、無線周波による自動識別技術である。

c **×**：本肢は、QRコード（2次元シンボル）を読み取る時の特徴である。QRコードは、３個の検出用シンボルで、回転角度と読取り方向を認識する。

d **×**：本肢は、バーコード（1次元シンボル）を読み取る時の特徴である。

e **×**：本肢は、QRコード（2次元シンボル）を読み取る時の特徴である。

よって、**a**と**b**の組み合わせが正しく、**ア**が正解である。

第3問

クラウドコンピューティングに関する問題である。クラウドコンピューティングを支える仮想化技術のひとつであるコンテナ技術の詳細が問われており、対応はやや難しい。

クラウドコンピューティングを支える仮想化技術（サーバの仮想化）には、ホスト型とハイパーバイザー型の２種類がある。

ホスト型では、OS上に仮想化ソフトウェアをインストールし、その上に仮想マシンとよばれる仮想環境を稼働させる。このとき、仮想化ソフトウェアをインストールするOSをホストOSとよび、仮想マシン上のOSをゲストOSとよぶ。ハイパーバイザー型は、物理サーバ（物理マシン）上にハイパーバイザーとよばれる仮想化ソフトウェアを直接インストールする方式である。ホストOSが存在しない点がハイパーバイザー型の特徴である。

図表　ホスト型とハイパーバイザー型のイメージ

ホスト型

アプリ　アプリ　アプリ　アプリ
ゲストOS　ゲストOS
仮想マシン　仮想マシン
仮想化ソフト
ホストOS
ハードウェア（物理マシン）

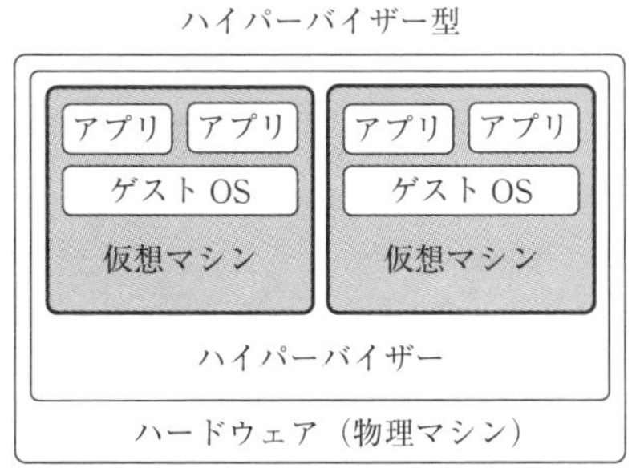

「カゴヤ・ジャパン株式会社ホームページ」をもとに作成

コンテナ技術とは、ホスト型の構成でホストとなるコンピュータのOSに、ユーザ空間（コンテナ）を構築するシステムである。コンテナ技術のメリットは、コンテナエンジンさえあればどこでも起動できるのが最大のメリットである。テスト環境で動作したものをそのまま本番環境に展開することができるため、環境要因によるバグを減らすことができ、開発コストだけでなく運用コストも下げることができる。また、コンテナはカーネルとよばれるOSの中核部分を利用して動作しているため、ゲストOSを持たない。その分ハイパーバイザー型よりオーバーヘッドが少なく、軽く速い処理が行える。

図表　コンテナ技術のイメージ

ア　×：上の図表の説明の通り、コンテナ技術ではホストOSのカーネルを共有してハードウェア資源を節約し、効率的に利用する。

イ　○：正しい。コンテナ技術は全体的な処理速度もハイパーバイザー型と比べ高速である。これは、ハードウェアからのアクセスをホストOSが直接処理しているためで、各ゲストOSからのアクセスを処理しているハイパーバイザー型よりも速く処理ができるからである。

ウ ×：上の図表の説明の通り、コンテナ上のアプリケーションを動作させるには、**コンテナエンジン**が必要となる。

エ ×：コンテナとは、ソフトウェアを標準化したモジュールで構築してポータビリティを高め、どのようなコンピューティング環境にも容易に導入できるようにする技術である。選択肢**エ**に記載されている内容の定義はない。

オ ×：本肢は、**クラス**に関する内容である。オブジェクト指向プログラミングにおけるオブジェクトは、クラスによる情報のカプセル化を行う。

よって、**イ**が正解である。

第4問

ソフトウェアの役割・機能に関する問題である。BIOS、デバイスドライバ、ミドルウェア、コンパイラ、OSなどソフトウェアに関する広範囲な知識が問われており、対応はやや難しい。

ア ○：正しい。BIOSは、コンピュータを起動するためのプログラム群である。CPUと記憶装置間の制御を果たす最も基本的なソフトウェアであり、OSの起動やハードウェアの設定など、コンピュータが正常に起動するために不可欠である。

イ ×：本肢は、**デバイスドライバ**の内容である。パッチは、コンピュータにおいてプログラムの一部を更新してバグ修正や機能更新を行うためのデータである。

ウ ×：本肢は、**ミドルウェア**の内容である。カーネルは、OSの中核的なプログラムであり、ハードウェアやメモリなどコンピュータの資源管理を行う。

図表　カーネルの役割

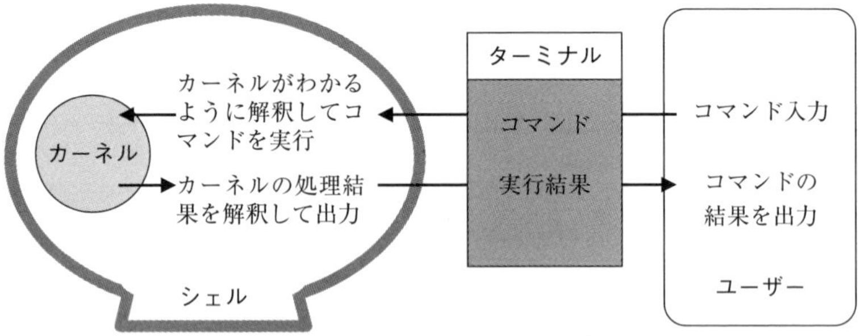

エ ×：本肢は、**コンパイラ**の内容である。リンカは、コンパイルした複数の目的プログラムを結合し、不足する情報をライブラリから取り込んでロードモジュールを作成するソフトウェアである。

図表　プログラムの実行の手順

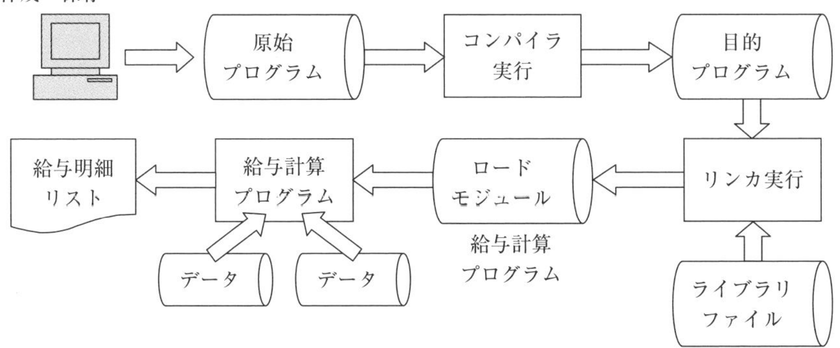

オ　×：本肢は、**ファームウェア**の内容である。ミドルウェアは、OSと応用ソフトウェアの「中間的な」役割をもっているソフトウェアである。応用ソフトウェアに対して、基本ソフトウェアにはない特定の分野で共通に使用する基本処理機能を提供する。DBMSやCASEツールなどが代表的である。

よって、**ア**が正解である。

第5問

オープンソースソフトウェアに関する問題である。オープンソースソフトウェアの代表的なライセンスである空欄Bの**GNU** General Public LicenseとMIT Licenseの違いを知らないと正答できないため、対応は難しい。

用語		内容
A	OSS	Open Source Software（オープンソースソフトウェア）。ソースコード（プログラム）をインターネットなどにより無償で公開し、誰でも改良、再配布が行えるようにする考え方、またはそのプログラム自体を指す。
B	GNU General Public License	グヌージェネラルパブリックライセンス。米国フリーソフトウェア財団がオープンソースのソフトウェアについて定めたライセンスのひとつである。
C	Eclipse	Java だけでなく PHP や Ruby など様々なプログラミング言語によるソフトウェア開発に利用されるオープンソースの統合開発環境のひとつである。

よって、**ウ**が正解である。

正解以外の用語については以下の通りである。

用　語	内　容
Freeware	フリーウェアは、著作者が金銭的な諸権利を放棄したソフトウェアである。ネットワークなどを通じて無料で配布されるが、著作権を放棄するものではない。改変や再配布を禁じているものもあるため、著作者の権利を侵害しないように注意して使用すべきである。
MIT License	米国マサチューセッツ工科大学を起源とする代表的なソフトウェアライセンスである。MITライセンスのもとで配布されているものは、改変、再配布、商用利用、有料販売など、基本的にどんなことにも自由に無料で使用できる。大きな特徴は、MITライセンスを用いて公開されたプログラムを改変したり、自らのプログラムに組み込んだりした派生的な著作物は、ソースコードを公開せずに販売、配布できることである。GNU General Public Licenseなどコピーレフト条項のあるライセンスでは、派生著作物のソースコードを公開しなければならない。空欄Bの前文に、「ソースコードが無償で公開されているオープンソースソフトウェア」という記述があるため、空欄Bの内容としては不適切である。MIT Licenseは、オープンソースソフトウェアのライセンスではない。
Apache	世界的に普及しているオープンソースのWebサーバソフトウェアのひとつである。

第6問

プログラミング言語の特徴に関する問題である。機械学習やサーバサイドのプログラミング言語であるPythonの記述方法と実務的な内容が問われており、対応はやや難しい。

ア　×：Python3.0は、以前のPython 2.xバージョンから大幅なアップグレードがなされた。以前のPythonバージョン用に設計された多くのプログラムは、Python3.0では**正常には実行できない**ことが指摘されている。

イ　×：Pythonはオブジェクト指向言語であり、**関数型プログラミングでもある。**関数型プログラミングとは、解決しようとする問題に対し、その問題の性質を関数の組み合わせで記述するプログラミング言語のことである。関数型プログラミングのメリットは、プログラムが人間にとってわかりやすいという点である。命令型プログラミングで書かれたプログラミング言語（たとえば、Java、JavaScript、Ruby、PHPなど）は、人間に対するわかりやすさよりコンピュータにとってのわかりやすさが優先されている。

ウ　○：正しい。Pythonは、1991年にグイド・ヴァンロッサム氏によって開発された汎用の高水準プログラミング言語である。コードブロックのインデントが構文規則となっていることがソースコード上の特徴である。JavaやJavaScript、Perlなどのプログラミング言語では、次のようにコードブロックを「{」と「}」で囲う。

図表　一般的なプログラミング言語の記述

```
if（条件式）{
  処理 1
  処理 2
} else {
  処理 3
}
```

一方、Pythonではコードブロックをインデントの深さによって示す仕様であるため、「{ }」で囲む必要がない。また、条件式全体を「( )」で囲む必要もないため、見た目がシンプルである。Pythonでは、インデントを使用することが仕様で決まっているため、誰が記述してもある程度整ったソースコードになるため、可読性に優れている。

図表　Pythonの記述

```
if 条件式：
  処理 1
  処理 2
else：
  処理 3
```

エ　×：本肢は、SQLなど**データベースからデータを読み込んだり、更新するために用いられるプログラミング言語**の内容である。問い合わせ言語とは、コンピュータ保存されているデータを問い合わせするためのプログラミング言語である。

オ　×：Pythonは、**論理プログラミング言語ではない**。論理プログラミング言語とは、数理論理学を用いたプログラミング言語のことである。代表的な論理プログラミング言語のひとつにPrologがある。

よって、**ウ**が正解である。

第7問

ネットワーク技術の進展に関する問題である。クラウドコンピューティングは頻出テーマであるが、エッジコンピューティングは初見の受験生も多いと推測するため、対応はやや難しい。

a　○：正しい。クラウドコンピューティングは、仮想化技術を用いてインターネット経由でサービスを柔軟に提供する形態である。従来は手元のコンピュータの中にあったデータやソフトウェア、ハードウェアの機能をインターネット上のサーバ群に移行し、それらを必要に応じて必要な分だけ利用する。

b　×：プライベートクラウドは、**物理的なサーバや回線などが自社の建物内に位置しているとは限らない**ため、誤りである。プライベートクラウドは、社内にクラウド環境を構築する場合もあれば、サービス事業者が提供するサービスを利用する場合もある。

c　○：正しい。エッジコンピューティングは、クラウドコンピューティングに比べ、通信遅延を100分の１程度にすることができ、リアルタイム処理を必要とするM2MやIoT端末への対応において優れている。エッジコンピューティングでは、データをクラウド上のサーバに集約せず、ネットワークの「エッジ（縁）」に分散して保持し、そこで処理して、必要なデータだけをクラウド上に送る。クラウドコンピューティングと比べて、「通信量削減」「セキュリティ」「低遅延」という３つのメリットをもたらす。高速な応答が求められる自動運転などの分野でも不可欠な技術になりつつある。

図表　クラウドコンピューティングとエッジコンピューティングのイメージ

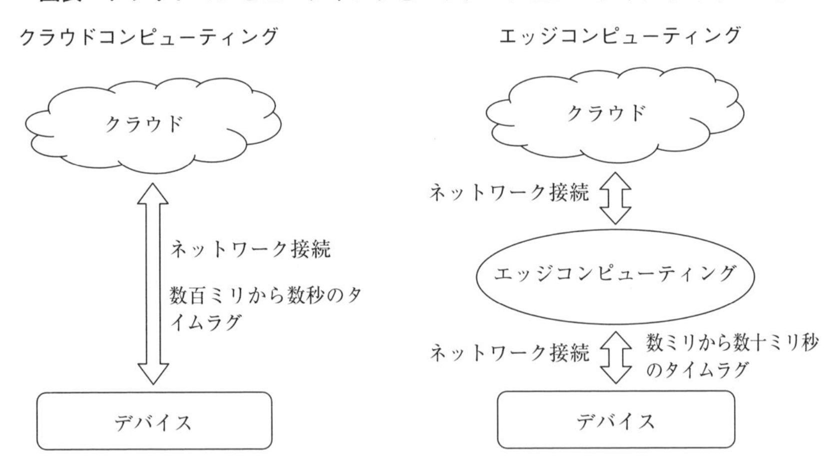

d　×：エッジコンピューティングを導入することによって、**IaaSの環境が実現できるわけではなく、またIaaSの環境を実現するためにエッジコンピューティングを導入するものでもない**。IaaSは、サーバ、CPU、ストレージなどのインフラまでをサービスとして提供する形態である。

e **×**：選択肢**c**の解説の図表の通り、エッジコンピューティングはクラウドコンピューティングと**併存する**ことが一般的である。

よって、**a**と**c**の組み合わせが正しく、**ア**が正解である。

第8問

データ分析に関する問題である。データ分析に用いられる手法と代表的なデータベースの種類が問われており、確実に得点したい。

用語		内容
A	データウェアハウス	データウェアハウスは、企業のさまざまな活動を介して得られた大量のデータを目的別に整理・統合して蓄積し、意思決定支援などに利用するために、基幹業務用のデータベースとは別に作成するデータベースシステム環境のことである。
B	データマート	データマートは利用目的を限定し、利用ユーザを限定した使い方をするもので、データウェアハウスから必要なデータのみ抽出して構築する。
C	データレイク	データレイクは、すべての構造化データと非構造化データを保存できる一元化されたリポジトリ（データやプログラムの情報が納められたデータベース）である。データをそのままの形で保存できるため、データを構造化しておく必要がない。また、データの可視化、ビッグデータ処理、リアルタイム分析、機械学習など、さまざまなタイプの分析を実行し、的確な意思決定に役立てることができる。
D	データクレンジング	多様な形式で蓄積されている生データに対して、データ形式統一、欠損値補完、単位統一などの処理を行い、横断的な解析ができるようにデータを整えることである。具体的には、データの誤り、重複、表記の揺れなどを洗い出し、異質なデータ（外れ値など）を取り除いてデータの品質を高める作業などを指す。

よって、**ア**が正解である。

図表　データウェアハウスのイメージ

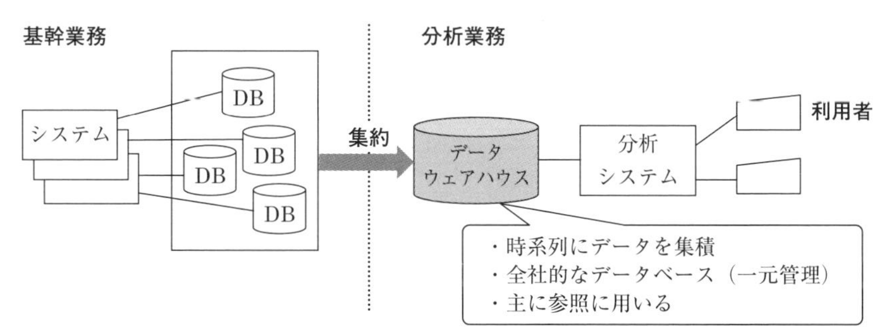

解答・解説
3年度

図表　データマートのイメージ

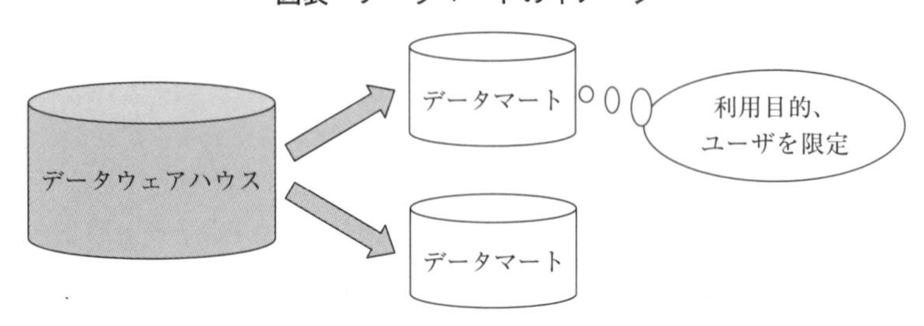

正解以外の用語については以下の通りである。

用　語	内　容
リレーショナルデータベース	行（レコード）と列（フィールド）という2次元の表（テーブル）形式で各データの関係を表現するデータベースを指す。関係データベースともよばれる。
データスワンプ	どこにどのようなデータがあるかわからず、欲しいデータを捉えることができない状態をデータスワンプ（Data Swamp）とよぶ。反対に、データレイク（Data Lake）は、どこにどのようなデータがあるかがはっきりわかり、欲しいデータを捉えることができる状態である。
データプール	業務提携している取引先と製品に関する情報をやり取りする場合に、標準形式で入手したり、保守したり、交換したりする、データの集中型リポジトリ（貯蔵庫・収納庫）のことである。
データマイグレーション	異なる種類のストレージ、フォーマット、コンピュータなどの間でデータを伝送することである。
データマイニング	大容量のデータに隠された因果関係やパターンを探索したりモデル化したりするための手法である。

第9問

データ検索に関する問題である。検索システムで必要なデータを検索するための一般的な検索方法について問われており、確実に得点したい。

	用　語	内　容
A	前方一致	指定した検索キーワードで「始まる」データを探す検索のことである。
B	comput?	問題リード文で「？」は、任意の文字列を表すと指定がある。また、問題本文で、「computer」「computation」「computing」をまとめて検索したことがわかるので、3つの英単語に共通する最初のスペル「comput」までを記載し、その後に任意の文字列を表す「?」を付ければよいことがわかる。
C	後方一致	指定した検索キーワードで「終わる」データを探す検索のことである。

D	AND	文字列「information」と文字列「system」を同時に含む資料・データを検索したい場合は、AND 検索を用いる。AND 検索とは、文字情報を検索するときの条件の指定方法のひとつで、複数の条件をすべて満たすものを検索するときに用いられる。
E	完全一致	入力した検索ワードと完全に一致する語句を探し出す検索方法である。一般的に、検索ワードを入力してインターネットで検索する場合、その検索ワードを含むページ（資料やデータ）が表示される。

よって、**エ**が正解である。

正解以外の用語については以下の通りである。

用　　語	内　　　　容
OR	情報を検索する際の条件の指定方法のひとつで、複数の条件のうち少なくともいずれかひとつを満たすものを検索するときに用いられる。
シソーラス	シソーラス（Thesaurus）とは､同義語関係､類義語関係､単語の上位･下位関係、部分・全体関係、などによって単語を分類し、体系づけた辞書のことを指す。検索して該当文字列が見つからなかったときや、逆に検索された文字列が多すぎたときに、より適当な検索結果を得るためにシソーラス検索が用いられる。

第10問

SQLに関する問題である。複数のSQL文の結果を結合してひとつの結果にしたいときに用いるUNION句の使い方が問われており、難易度は高い。

UNION句は、複数のSELECTの結果を統合して表示するために用いる句である。基本的な記述方法は、２つのSELECT文をつなげるように「UNION句」を書く。ただし､複数のSQL文の結果を結合してひとつの結果に表示するため､「結果の数」や「型」が同じである必要がある。異なるとエラーになる。

UNION句の基本構文を以下に示す。

```
SELECT ＜列名＞ FROM ＜表名１＞
UNION
SELECT ＜列名＞ FROM ＜表名２＞
```

ア　×：複数のSELECT文がUNION句でつなげられていないため不適切である。

イ　○：正しい。２つのSELECT文がUNION句でつなげられている。

ウ　×：２つのFROM句がUNION句でつなげられていないため不適切である。

エ　×：複数のSELECT文がUNION句でつなげられていないため不適切である。

解答・解説　3年度

オ　×：2つのFROM句がUNION句でつなげられていないため不適切である。
よって、**イ**が正解である。

なお、正解の選択肢**イ**のSQL文を実行した出力結果は次の通りである。AS句を用いると「販売単価＊販売数量」の列名を別名（売上高）にできる。

取引ID	商品番号	商品名	売上高
A001	100	バナナ	100
A002	101	リンゴ	120
A003	103	メロン	300
A004	・・・	・・・	・・・
B001	100	バナナ	100
B002	101	リンゴ	260
B003	105	ブドウ	280
B004	・・・	・・・	・・・

第11問

ユーザ認証に関する問題である。一部の選択肢ではユーザ認証について詳細な知識が問われており、対応はやや難しい。

ア　×：生体認証（バイオメトリクス）は、認証にその人特有の身体的特徴を用いるものである。たとえば、指紋とか声紋、人相、さらには署名する際の動作などである。本肢には、**身体的特徴を認証に用いる**という言及がないため不適切である。なお、本肢にある「セキュリティトークン」とは、コンピュータサービスの利用権限のある利用者に、認証の助けとなるよう与えられる物理デバイスのことである。

図表　セキュリティトークンのイメージ

イ　×：本肢は、**生体認証**の内容である。チャレンジレスポンス認証とは、認証サー

バが生成したチャレンジコードをクライアント側で加工してレスポンスコードを生成し、このレスポンスコードを認証サーバに送信して検証する認証方式である。

ウ　×：本肢は、**二段階認証**の内容である。二要素認証とは、認証の三要素（知識要素、所有要素、生体要素）の中から、異なる２つの要素を組み合わせて行う認証である。一方、二段階認証は、２つの段階を経て認証を行う。異なる要素の認証を組み合わせる場合もあるが、同じ要素の認証を２つ用いて二段階で認証する場合もある。

図表　認証のための３つの要素

知識	所有	生体
●パスワード、暗証番号 ●合言葉	●スマホ、タブレット ●鍵、印鑑 ●身分証明書、社員証、ICカード	●指紋、静脈 ●虹彩、顔

エ　○：正しい。リスクベース認証は、ログインを必要とするシステムにおいて、利用者のアクセスログなどから行動パターンや端末のOS、IPアドレス、ブラウザの種類などの情報をもとに追加の質問を行い、確実な本人認証を行う方式である。ネットバンキングやECサイトなどのインターネットサービスの利用時にログイン認証を強化することができる。

オ　×：本肢は、**シングルサインオン**の内容である。ワンタイムパスワードとは、１回限りの使い捨てパスワードを動的に生成し、そのパスワードおよびIDを用いて利用者の正当性を判断する技術である。使い捨てのパスワードは、クライアントおよびサーバ双方にて共通ルールの下に作成される。１回限りのパスワードを利用するため、通信傍受などによりパスワードが漏えいした場合にも次回以降のアクセスは不可能となり、高い機密性が要求されるシステムに広く用いられている。

よって、**エ**が正解である。

第12問

チャットボット・タッチパッドに関する問題である。情報通信分野で用いられる広範囲のIT用語が問われているが、適切な選択肢である**b**と**c**は、日常生活で見聞きするIT用語であるため、確実に得点したい。

a　×：本肢は、**キャスト（型変換）**の内容である。ポッド（Pod）とは、コンテナ型仮想化におけるコンテナの管理単位を表す用語である。

b　○：正しい。チャットボットは、短文をリアルタイムに会話する「チャット」とロボットを意味する「ボット」を組み合わせた用語である。チャット上での利用者からの問いかけに自動で応答するプログラムである。

c　○：正しい。ノートパソコンに搭載されたキーボードより手前の部分にある四角いパネルがタッチパッドである。この部分を指先で触れて操作することで、マウスの代わりとなる装置である。トラックパッドともよばれる。

図表　タッチパッドのイメージ

d　×：本肢は、**ストリーミング**の内容である。マルチキャストとは、コンピュータネットワークにおいて、決められた特定の複数のネットワーク端末に対して、同時にパケットを送信することである。本肢にある、インターネット上で音声や動画のファイルを公開・配信することは、**インターネット上の不特定多数の相手に向けた公開・配信**になるため、マルチキャストの内容としては不適切である。

e　×：本肢は、**マルチキャスト**の内容である。ブロードキャストとは、特定の相手を指定せず、同じネットワークに参加する全ての機器に向けて一斉にデータなどを送信することである。本肢にある、**特定の複数の相手**という内容がブロードキャストの内容としては不適切である。

よって、**b**と**c**の組み合わせが正しく、**イ**が正解である。

第13問

機械学習に関する問題である。機械学習で用いられる分析手法について問われており、対応はやや難しい。

機械学習はデータのタイプや状況によって、「教師あり学習」「教師なし学習」「強化学習」の3つに大きく分類される。

図表　機械学習の分類イメージ

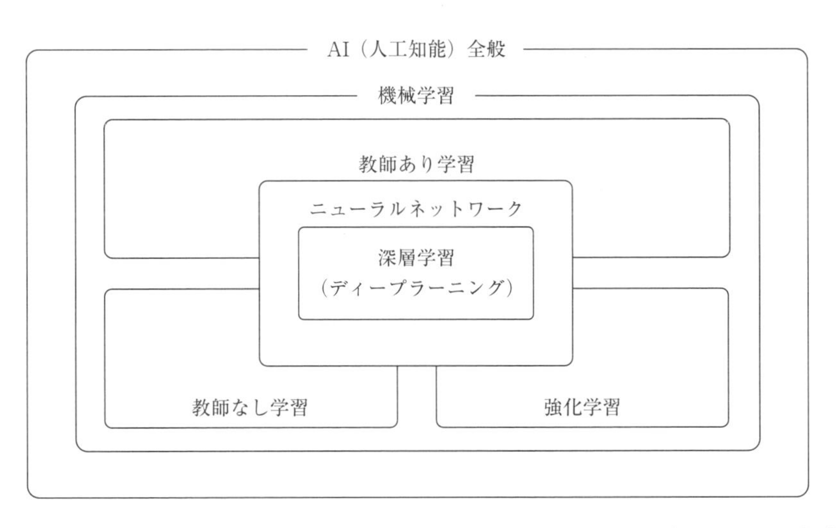

「ディップ株式会社が運営するAINOW編集部の記事」をもとに作成

用　　語		内　　容
a	エキスパートシステム	人工知能研究から生まれたコンピュータシステムで、人間の専門家（エキスパート）の意思決定能力を模するものである。専門家のように知識についての推論によって複雑な問題を解くよう設計されており、通常のプログラミングのようにソフトウェア開発者が設定した手続きに従うわけではない。
b	データマイニング	大容量のデータに隠された因果関係やパターンを探索したりモデル化したりするための手法である。データマイニングで利用される具体的な分析手法には、相関分析などがある。
c	深層学習	ニューラルネットワーク（脳機能に見られるいくつかの特性に類似した数理的モデル）を用いた機械学習の手法のひとつである。情報抽出を一層ずつ多階層にわたって行うことで、高い抽象化を実現する。
d	強化学習	機械学習の手法のひとつである。教師あり学習や教師なし学習のような固定的で明確なデータに基づいた学習ではなく、プログラム自体が与えられた環境（＝現在の状態）を観測し、取るべき行動（戦略）を試行錯誤しながら、行動の結果（価値）が最大化する（＝報酬が最も多く得られる）ように強化（改善）する仕組みである。人が自転車に乗れるまでのプロセスを用いて強化学習の概念を説明する。 ＜例＞自転車に乗れるようになるプロセス ①　乗ってみる ②　倒れる ③　乗り方を変える（強化学習の「戦略」に相当） ④　少し乗れる（強化学習の「報酬」に相当） ⑤　さらに乗り方を変えて少しずつ乗れるようになる ⑥　この試行錯誤を繰り返し最終的に自転車に乗れるようになる

よって、**ア**が正解である。

正解以外の用語については以下の通りである。

用　　語	内　　容
機械学習	コンピュータが数値やテキスト、画像、音声などのさまざまかつ大量のデータからルールや知識を自ら学習する（見つけ出す）技術のことである。たとえば、消費者の一般的な購買データを大量に学習することで、消費者が購入した商品やその消費者の年齢等に適したオススメ商品を提示することが可能になる。
ナレッジマネジメント	企業が保持している情報や知識、個人がもっているノウハウや経験などの知的資産を共有して、創造的な仕事につなげることを目指す経営管理手法である。
教師なし学習	機械学習の手法のひとつである。教師あり学習のように事前に与えられたデータがなく、代わりにデータそのものが持つ構造・特徴を分析し、グループ分けやデータの簡略化などを行う。典型的な教師なし学習には、クラスター分析、主成分分析、因子分析などがある。

第14問

モデリング技法に関する問題である。UMLの代表的なモデリング技法について問われており、確実に得点したい。

ア　×：本肢は、**ユースケース図**の内容である。アクティビティ図は、「オブジェクトがどのような処理をするか」といった活動の流れや業務の手順を表現する図である。いわばUMLのフローチャートであり、エンドユーザにも理解しやすいという特長がある。

図表　アクティビティ図

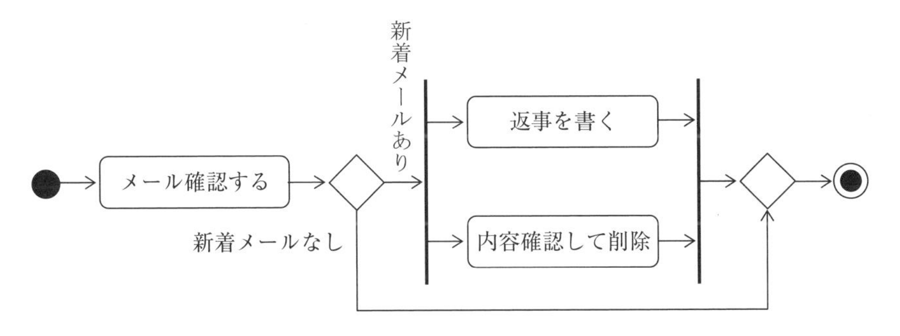

イ　×：本肢は、**クラス図**の内容である。オブジェクト図は、システムのある時点におけるオブジェクト間の関係を記述する。クラス図が抽象的な構造・関係を記述しているのに対し、オブジェクト図では個々のオブジェクト（インスタンス）の関係を表現する。

図表　オブジェクト図

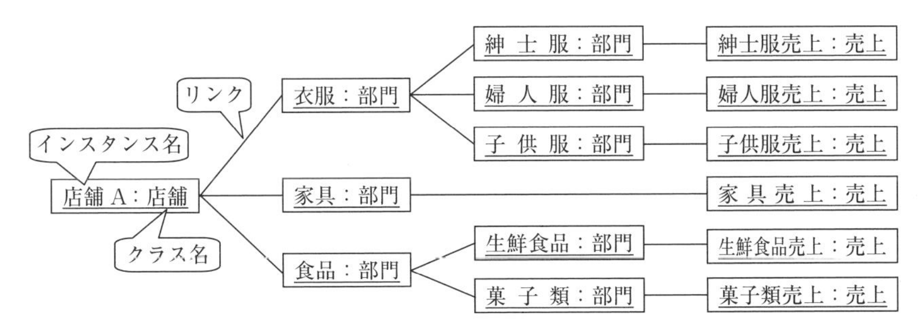

ウ　○：正しい。シーケンス図は、オブジェクト間で発生するメッセージのやりとりを時系列に並べた図である。サービスを要求するオブジェクトからサービスを提供するオブジェクトに向けて矢線を引くことにより、メッセージを時系列に記述できる。

図表　シーケンス図

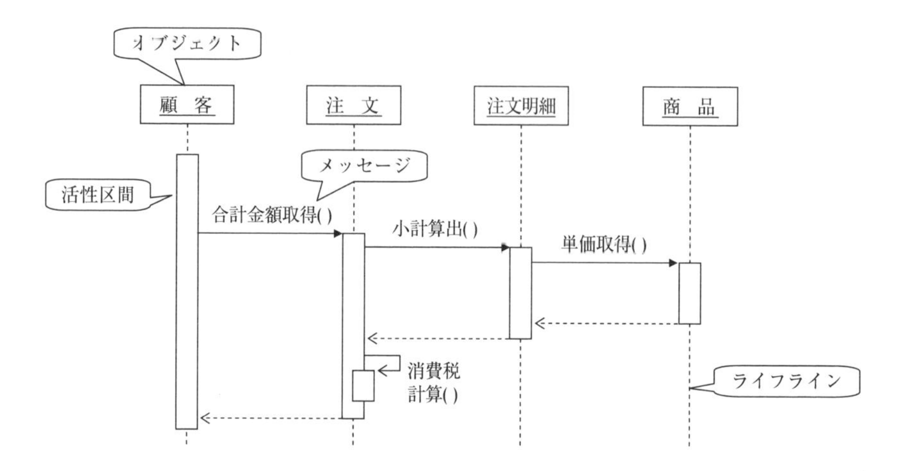

エ　×：本肢は、**アクティビティ図**の内容である。ステートマシン図は、システム内部の振る舞いを表現するためのもので、ユースケースをまたがったオブジェクトごとの状態遷移を表現する図である。オブジェクトの状態は時間の経過とともにさまざまに変化するが、ステートマシン図を用いることにより、これらの様子を視覚的に表現することが可能になる。

図表　ステートマシン図

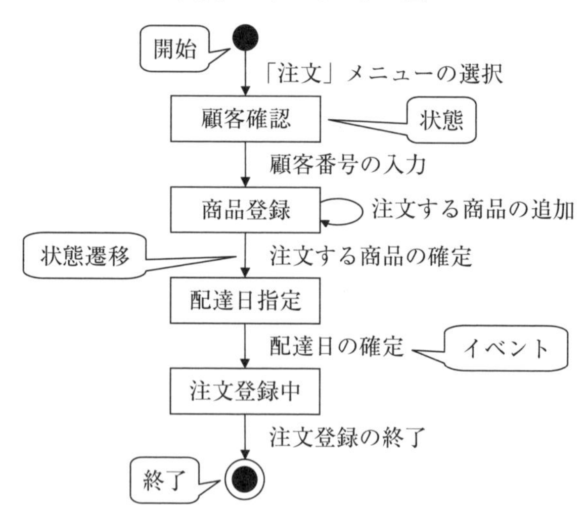

オ　×：本肢は、**ステートマシン図**の内容である。ユースケース図は、システムと利

用者とのやり取りを表現する図である。システムの機能を意味するユースケース、システムの外部に存在してユースケースを起動しシステムから情報を受け取るアクター、システム内部とシステム外部の境界を示すシステム境界などから構成される。システムに対するユーザ要求を明確にすることを目的としている。

図表　ユースケース図

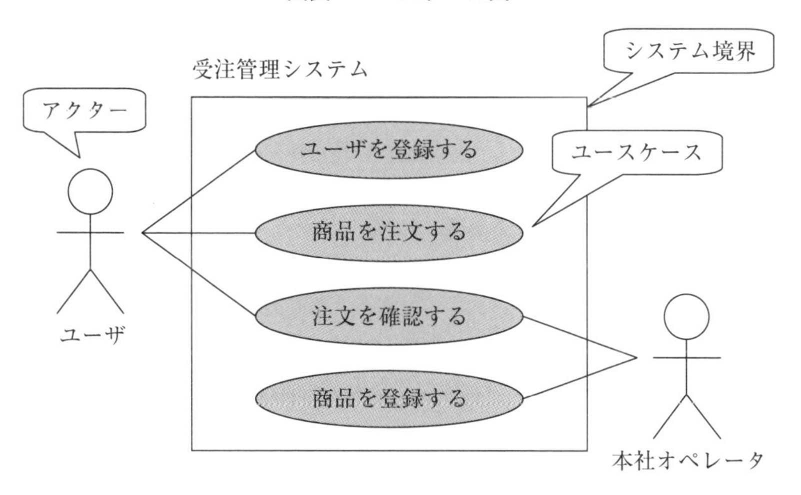

よって、**ウ**が正解である。

第15問

System of Systemsに関する問題である。Society5.0の実現に向けたSystem of Systems（システムオブシステムズ）の考え方が問われており、対応はやや難しい。

ア　×：本肢は、**OSI基本参照モデル**の内容である。OSI基本参照モデルは、ISOによって策定された、コンピュータのもつべき通信機能を階層化したモデルである。OSI基本参照モデルは、7階層から構成されており、各層に標準的な機能を定義している。

イ　○：正しい。System of Systems（システムオブシステムズ）とは、ライフサイクルの異なる複数のシステム群が統合されているシステムである。システムオブシステムズを構成する各システムは、管理方針や操作方法がそれぞれ独立して設計されている。また、これら各システムは、システムオブシステムズの目的達成のためにシステムオブシステムズの構成要素として機能している時でも、そのシステム単体の本来の目的達成のために用意されたリソースを用いて、システム単体の本来の方法で管理される。構成する各システムの管理方針や操作方法がそれぞれ独立して

解答・解説
3年度

設計されていない場合、システムオブシステムズとはみなされない。システムオブシステムズ型のシステムを用いることで、各システム単独では達成できない成果を得ることができる。たとえば、デジタルカメラとパーソナルコンピュータとプリンタを統合したものが、システムオブシステムズの例として挙げられる。これら3つの要素はそれぞれ個別のシステムとして設計されており目的を別にしている。一方、これらを統合しシステムを実現すると新たなサービスを提供することができる。システムを設計する際には、単体のシステムとして構成するのか、システムオブシステムズとして構成するのかは、解決したい問題や課題に適した方を採用する。システムオブシステムズの特徴としては管理や操作が独立していることのほかに、地理的に分布していること、システムを組み合わせたことで構成するシステムにはない振る舞い（創発特性）を示すこと、段階的開発プロセスが採られることがある。（一般社団法人情報処理学会による「System of Systems」の説明を引用）

ウ　×：本肢は、**垂直型分散処理**の内容である。垂直型分散処理は、役割が異なるコンピュータを階層順に配置する形の分散システムである。メインフレームなどの大型コンピュータを中心に、中型、小型の端末が複数ぶら下がるように構成される。中心の大型コンピュータと中型以下の端末は役割が異なり、集中システムに似ているが、サブの端末でも連携して分散処理を行っているため、メインの大型コンピュータの負荷を減らすことができる。System of Systemsの説明は、選択肢**イ**の解説を参照。

エ　×：本肢は、**SDN（Software Defined Networking）**の内容である。SDNは、ソフトウェア制御によって物理的なネットワーク構成にとらわれない動的で柔軟なネットワークを実現する技術全般を意味する。System of Systemsの説明は、選択肢**イ**の解説を参照。

オ　×：本肢は、**3層アーキテクチャ**の内容である。System of Systemsの説明は、選択肢**イ**の解説を参照。

よって、**イ**が正解である。

第16問

DX推進ガイドラインに関する問題である。DXを推進するための思想を理解していれば正答できる可能性はあるものの、DX推進ガイドラインVer.1.0の提言内容が問われており、対応はやや難しい。

ア　×：同ガイドラインに次の内容が記載されており、トップダウンではなく**ボトムアップで行う**という部分が不適切である。

> 《全社的な IT システムの構築のための体制》
>
> 6．DX の実行に際し、各事業部門におけるデータやデジタル技術の戦略的な活用を可能とする基盤と、それらを相互に連携できる全社的な IT システムを構築するための体制（組織や役割分担）が整っているか。
>
> －経営戦略を実現するために必要なデータとその活用、それに適した IT システムの全体設計（アーキテクチャ）を描ける体制・人材を確保できているか（社外との連携を含む）

○先行事例

✓　経営レベル、事業部門、DX推進部門、情報システム部門から成る少人数のチームを組成し、トップダウンで変革に取り組む事例あり（情報システム部門がDX推進部門となっているケースもあり）

イ　○：正しい。同ガイドラインに次の内容が記載されている。

> 《事業部門のオーナーシップと要件定義能力》
>
> 9．各事業部門がオーナーシップを持って DX で実現したい事業企画・業務企画を自ら明確にしているか。さらに、ベンダー企業から自社の DX に適した技術面を含めた提案を集め、そうした提案を自ら取捨選択し、それらを踏まえて各事業部門自らが要件定義を行い、完成責任までを担えているか。
>
> －要件の詳細はベンダー企業と組んで一緒に作っていくとしても、要件はユーザ企業が確定することになっているか（要件定義の丸投げはしない）

●失敗ケース

✓　事業部門がオーナーシップを持たず、情報システム部門任せとなり、開発したITシステムが事業部門の満足できるものとならない

✓　ベンダー企業が情報システム部門としか話ができず、事業部門と話ができない

✓　要件定義を請負契約にした場合、ユーザ企業が自身のITシステムを把握しないまま、結果として、ベンダー企業に丸投げとなってしまう

✓　既存のITシステムの仕様が不明確であるにもかかわらず、現行機能保証という要望を提示する

ウ　×：同ガイドラインに次の内容が記載されており、技術起点で**PoC（Proof of Concept）を行なってから経営戦略を立てる**という部分が不適切である。なお、PoC（概念実証）とは、新しいプロジェクト全体を作り上げる前に実施する戦略仮説・コンセプトの検証工程である。

《経営戦略・ビジョンの提示》
1．想定されるディスラプション（「非連続的（破壊的）イノベーション」）を念頭に、データとデジタル技術の活用によって、どの事業分野でどのような新たな価値（新ビジネス創出、即時性、コスト削減等）を生み出すことを目指すか、そのために、どのようなビジネスモデルを構築すべきかについての経営戦略やビジョンが提示できているか。

●失敗ケース
✓ 戦略なき技術起点のPoCは疲弊と失敗のもと
✓ 経営者が明確なビジョンがないのに、部下に丸投げして考えさせている（「AIを使って何かやれ」）

エ ×：同ガイドラインに次の内容が記載されており、ITシステムが**短期間で構築できたかによって評価**するという部分が不適切である。

《刷新後のITシステム：変化への追従力》
12．刷新後のITシステムには、新たなデジタル技術が導入され、ビジネスモデルの変化に迅速に追従できるようになっているか。また、ITシステムができたかどうかではなく、ビジネスがうまくいったかどうかで評価する仕組みとなっているか。

●失敗ケース
✓ 刷新後のITシステムは継続してスピーディーに機能追加できるようなものにするとの明確な目的設定をせずに、ITシステムの刷新自体が自己目的化すると、DXにつながらないITシステムができ上がってしまう（再レガシー化）

オ ×：同ガイドラインに次の内容が記載されており、**組織・人事の仕組みや企業文化・風土に影響を与えないで済む**ようにDXプロジェクトを進めるという部分が不適切である。

《経営トップのコミットメント》
2．DXを推進するに当たっては、ビジネスや仕事の仕方、組織・人事の仕組み、企業文化・風土そのものの変革が不可欠となる中、経営トップ自らがこれらの変革に強いコミットメントを持って取り組んでいるか。
－仮に、必要な変革に対する社内での抵抗が大きい場合には、トップがリーダーシップを発揮し、意思決定することができているか

出所：「デジタルトランスフォーメーションを推進するためのガイドライン（DX推進ガイドライン）Ver.1.0」

よって、**イ**が正解である。

第17問

SOAに関する問題である。システム構成の考え方のひとつであるSOAの特徴について問われている。SOAの考え方が理解できていれば正解の選択肢が選べるため、確実に得点したい。

ア　×：本肢は、**構造化プログラミング**の内容である。アプリケーションの開発や理解、修正を効率的に行えるよう、プログラムを整理された構造の組み合わせによって構成することである。一般的に順次、選択、繰返しの３つの制御構造によって処理の流れを記述することである。

イ　×：本肢は、**ERP（Enterprise Resource Planning）**の内容である。ERPは、生産や販売、物流、在庫、財務・会計、人事といった基幹業務プロセスの実行を統合業務パッケージを利用して、必要な機能を相互に関係付けながら支援する総合情報システムである。ERPパッケージはそのERPを実現するためのパッケージソフトウェアである。統合型業務パッケージソフトウェアともよばれる。

ウ　〇：正しい。SOAは、アプリケーションあるいはその機能の一部を共通の「サービス」として部品化し、それらサービスを組み合わせることで新たなシステムを構築する設計手法である。ここでの「サービス」とはアプリケーションの処理単位を論理的に記述したものである。

エ　×：本肢は、**エンタープライズアーキテクチャ（Enterprise Architecture）**の内容である。エンタープライズアーキテクチャとは、企業の業務プロセスや情報システムの標準化、組織の最適化を進めることにより、効率的な組織構造を実現するためのフレームワークである。

オ　×：本肢は、**DOA（Data Oriented Approach：データ指向アプローチ）**に関する内容である。DOAは、システム化対象となるデータに着目するアプローチである。業務プロセスと比べ、業務が取り扱う情報（データ）は変更されにくいため、処理手順が定型的な業務および非定型的な業務の双方を分析することができる。

よって、**ウ**が正解である。

第18問

XPのプラクティスに関する問題である。代表的なアジャイル開発のひとつであるXP（エクストリーム・プログラミング）のプラクティスについて問われている。プラクティスの内容を一読したことがあれば、消去法で正答できる。

XPでは、19のプラクティスを定義している。次の通り、対象者の立場ごとに４種類に分類される。

図表　XPの19のプラクティス

	プラクティス	内　　容
A. 共通のプラクティス		
1	反復	開発期間をイテレーションとよばれる１～２週間の短い期間に区切り、イテレーションごとに部分的な設計・実装・テストを行って半完成品システムのリソースを繰り返す。
2	共通の用語 （旧：メタファ）	チーム全員（開発者・管理者・顧客）が使用する用語とその概念を一致させるため、用語集を作成する。
3	オープンな空間 （旧：顧客も一緒）	会話もしやすく、作業に打ち込める雰囲気を作る。顧客も含めて１か所に集まって作業を行う。
4	回顧	現在の状態を明確に把握しつつ、過去のフィードバックを迅速に反映させるよう心がけ、そのための環境や体制を構築しておく。
B. 開発のプラクティス		
5	テスト駆動開発 （旧：まずテスト）	実装を行うより先に、自動化または手順が明確化されたホワイトボックステストを準備する。ホワイトボックステストを先に準備することで、求める機能が明確化され、シンプルな設計が可能になる。
6	ペアプログラミング （旧：いつも２人で）	すべての製品ソフトウェアは、２人のプログラマで作成する。
7	リファクタリング	完成済みのコードも、随時、改善処置を行う。その際、ソフトウェアの機能を変えずに、内部構造をわかりやすいものに変更する。
8	共同所有権 （旧：みんなで所有）	実装コードの所有者は決めない。すべてのコードに対して全員が責任を担い、誰が作ったソースコードであっても、開発チーム全員が断り無く修正を行えるようにする。
9	継続的インテグレーション （旧：常に統合）	あるコードが単体テストをクリアしたら、すぐに結合テストを行い、問題点や改善点を探す。少なくとも１日に１回は、結合テストを行う。
10	YAGNI（You Arent Going to Need It.） （旧：単純さ優先）	先の事を考えて、前払い的に機能を増やし、実装を複雑化させる事は避ける。無駄な機能があれば削除し、今必要な機能を単純に実装する。
C. 管理者のプラクティス		

11	責任の受け入れ	開発者自身に開発を行うことをコミットメントさせる。具体的には、顧客が作成したストーリーをもとに開発者がタスクを分割し、その担当を自らサインアップさせる。
12	援護	開発者を1リソースとしてみるのではなく、同じ人として尊重し、開発者が余計なことに煩わされないように支援する。
13	四半期ごとの見直し	四半期（3か月）単位で作業を計画する。四半期ごとに、チーム・プロジェクトの進捗・大きな目標との調整について考える。
14	ミラー	その都度、チームの状態をチームに知らせておく。
15	最適なペースの仕事 (旧：持続可能なペース)	知的作業には週40時間の労働時間が最適である。そのため、計画的に開発スピードの調整を行う。
D. 顧客のプラクティス		
16	ストーリーの作成 (旧：計画ゲーム)	求める機能のコンセプトを短い文章で記したストーリーカードを作成する。そのカードをもとに、開発者･管理者を含めたチームとのミーティングを行い、詳細を決定する。
17	リリース計画	どのストーリーをどの開発イテレーションの対象とするか、チームミーティングで主体となって提案し、合意のうえで最終的な承認を行う。
18	受け入れテスト	開発イテレーションごとに顧客の立場からテストを行い、ストーリーが実現できているか、望むシステムになっているか確認する。
19	小規模リリース (旧：短いリリース)	動くソフトウェアを、2～3週間から2～3か月というできるだけ短い時間間隔でリリースする。

ア　×：本肢は、19のプラティスの中で「最適なペースの仕事」に最も近い内容である。「1週間の作業時間は、**チームメンバー全員で相談して自由に決める**」ことは言及されていない。

イ　×：本肢は、19のプラクティスの中で「ペアプログラミング」に関する内容である。「**同じPCを使用して交代しながら**プログラミングを行う」ことは言及されていない。

ウ　×：本肢は、19のプラクティスの中で「共同所有権」に最も近い内容である。「**作成者だけが行うようにする**」ということは言及されていない。共同所有権では、誰が作ったソースコードであっても、開発チーム全員が断り無く修正を行えるようにする。

エ　○：正しい。本肢は、19のプラクティスの中で「テスト駆動開発」の内容である。

オ　×：XPのリファクタリングでは、**内部構造をわかりやすいものに変更すること**が言及されている。

よって、**エ**が正解である。

第19問

共通フレーム2013に関する問題である。システムの発注側と受注側の共通の物差しである共通フレーム2013のプロセスの内容が問われており、対応は難しい。

共通フレーム2013は、作業工程、開発モデル、開発技法などに依存しないガイドラインであり、システム開発作業全般にわたって、システム発注側（ユーザ側）と受注側（ベンダ側）に共通の物差しや共通語を提供するものである。

図表　共通フレーム2013のプロセス体系

合意プロセス
取得プロセス
供給プロセス
合意・契約の変更管理プロセス
支援プロセス
文書化プロセス
品質保証プロセス
検証プロセス
妥当性確認プロセス
共同レビュープロセス
監査プロセス
問題解決プロセス
テクニカルプロセス
企画・要件定義の視点
企画プロセス
要件定義プロセス
開発・保守の視点
システム開発プロセス
ソフトウェア実装プロセス
ハードウェア実装プロセス
保守プロセス
運用・サービスプロセス
運用プロセス
廃棄プロセス
マネジメントプロセス
プロジェクトプロセス
プロジェクト計画プロセス
プロジェクトアセスメント及び制御プロセス
意思決定管理プロセス
リスク管理プロセス
構成管理プロセス
ソフトウェア構成管理プロセス
情報管理プロセス
測定プロセス
プロセスビュー
ユーザビリティプロセス
組織のイネーブリングプロセス
ライフサイクルモデル管理プロセス
インフラストラクチャ管理プロセス
プロジェクトポートフォリオ管理プロセス
人的資源管理プロセス
品質管理プロセス
知識管理プロセス
ソフトウェア再利用プロセス
「システム監査」プロセス
共通フレームの修正
修正プロセス
：規格部分
：共通フレームで拡張した部分

出所：共通フレーム2013

a　○：正しい。企画プロセスの目的は、経営・事業の目的、目標を達成するために必要なシステムに関係する要件の集合とシステム化の方針、及び、システムを実現するための実施計画を得ることである。システム化構想の立案とシステム化計画の立案プロセスが含まれる。

b　×：システム化構想の立案プロセスの目的は、経営上のニーズ、課題を実現および解決するために置かれた経営環境を踏まえて、新たな業務の全体像とそれを実現するためのシステム化構想及び推進体制を立案することである。

c　×：監査プロセスは、選ばれた成果物及びプロセスが該当する要件、計画及び合意に対して、適合しているかどうかを独立に決定することを目的とする。

d　○：正しい。要件定義プロセスのアクティビティの内容は次の通りである。

- 利害関係者の識別：要件定義者は、システムのライフサイクルの全期間を通して、システムに正当な利害関係をもつ個々の利害関係者又は利害関係者の種類を識別する。
- 要件の識別：要件定義者は、利害関係者の要件を引き出す。
- 要件の評価：要件定義者は、導出された要件の全集合を分析する。
- 要件の合意：要件定義者は、要件に関する問題を解決する。

e　×：システム適格性確認テストプロセスの目的は、各システム要件について、実装の適合性がテストされ、システムの納入準備ができていることを確実にすることを目的とする。

よって、**a**と**d**の組み合わせが正しく、**イ**が正解である。

第20問

障害対策の手法に関する問題である。システム障害に対する代表的な考え方が問われており、確実に得点したい。

ア　×：サイト・リライアビリティ・エンジニアリング（Site Reliability Engineering：SRE）は、米国Google社が提唱する、Webサイトやサービスの信頼性向上に向けた取り組みを行い、価値の向上を進める考え方および方法論である。**ゼロから見直して設計し直す**という考え方はない。

イ　×：本肢は、**フールプルーフ**の内容である。フェイルセーフは、障害が発生した場合、障害による被害が拡大しない方向に制御すること、またはその設計概念である。列車の運行システムなど、一部の障害であっても致命的な影響を与え得るシステム（安全性が重視されるシステム）に適用される。

ウ　×：本肢は、**フェイルオーバ**の内容である。フェイルソフトは、障害が発生した場合、システムの全面停止を避け、機能を低下させても運転を継続させること、またはその設計概念である。

エ　○：正しい。フォールトトレランスは、障害が発生した場合に、運転を継続できるシステムを設計しようとする設計概念を指す。障害を避けることができないものととらえ、障害の発生を前提に耐え得る仕組みをあらかじめ備えておこうとする考え方である。

オ ×：本肢は、**フェイルソフト**の内容である。フォールトマスキングは、システムのある部分に障害が発生した際、補正などを行って外部からは障害がわからないように隠ぺいしながら（稼働を継続しながら）、同時に自律的な障害修復も行うことである。

よって、**エ**が正解である。

第21問

ゼロトラストに関する問題である。ゼロトラストについて詳細を問う選択肢があり、対応はやや難しい。

ゼロトラストとは、「何も信頼しない」を前提にセキュリティ対策する考え方である。従来のセキュリティ対策では、信頼できる「内部」と信頼できない「外部」にネットワークをわけ、その境界線でセキュリティ対策を講じるという考え方である。こうした考えの背景は、保護すべきデータやシステムがネットワークの内部にあることを前提としている。しかし、クラウドコンピューティングの普及に伴い、外部であるインターネット上に保護すべきデータやシステムがある状況が増えたことで、守るべき対象が様々な場所に点在するようになったことで、内部と外部の境界が曖昧になり、従来の考え方では十分なセキュリティ対策を講じることが難しくなりつつある。このような中で、ゼロトラストというセキュリティ対策に対する考え方が普及している。ゼロトラストの考え方を具現化したセキュリティ対策には、ネットワークの内外に関わらない通信経路の暗号化や多要素認証の利用などによるユーザ認証の強化、ネットワークやそれに接続される各種デバイスの統合的なログ監視などがある。

ア ×：**利用者を早期に特定し教育すること**は、ゼロトラストの考え方に関連しない。

イ ×：**VPNを撤廃すること**は、ゼロトラストの考え方に相反する。

ウ ×：ゼロトラストは、**ネットワーク環境の外部での利用も含めたセキュリティ対策**の考え方であるため、組織が管理する機器のみを構成員に利用させるという部分が不適切である。

エ ○：正しい。他の選択肢と比べ最もゼロトラストの考え方に合致する。

オ ×：ゼロトラストには、**「何も信頼しない」という前提がある**ため、一度許可されたアクセス権は制限しないという部分が不適切である。

よって、**エ**が正解である。

第22問

情報セキュリティ５か条に関する問題である。情報処理推進機構（IPA）が公開している「中小企業の情報セキュリティ対策ガイドライン」の付録である「情報セキュリティ５か条」の内容が問われており、対応は難しい。

情報セキュリティ５か条の内容は、次の通りである。

1 OSやソフトウェアは常に最新の状態にしよう！

OSやソフトウェアを古いまま放置していると、セキュリティ上の問題点が解決されず、それを悪用したウイルスに感染してしまう危険性があります。お使いのOSやソフトウェアには、修正プログラムを適用する、もしくは最新版を利用するようにしましょう。

2 ウイルス対策ソフトを導入しよう！

ID・パスワードを盗んだり、遠隔操作を行ったり、ファイルを勝手に暗号化するウイルスが増えています。ウイルス対策ソフトを導入し、ウイルス定義ファイル(パターンファイル) は常に最新の状態になるようにしましょう。

3 パスワードを強化しよう！

パスワードが推測や解析されたり、ウェブサービスから流出したID・パスワードが悪用されたりすることで、不正にログインされる被害が増えています。パスワードは「長く」、「複雑に」、「使い回さない」ようにして強化しましょう。

4 共有設定を見直そう！

データ保管などのウェブサービスやネットワーク接続した複合機の設定を間違ったために、無関係な人に情報を覗き見られるトラブルが増えています。無関係な人が、ウェブサービスや機器を使うことができるような設定になっていないことを確認しましょう。

5 脅威や攻撃の手口を知ろう！

取引先や関係者と偽ってウイルス付のメールを送ってきたり、正規のウェブサイトに似せた偽サイトを立ち上げてID・パスワードを盗もうとする巧妙な手口が増えています。脅威や攻撃の手口を知って対策をとりましょう。

出所：独立行政法人情報処理推進機構セキュリティセンター

ア ○：正しい。情報セキュリティ５か条の**2**の内容である。

イ ○：正しい。情報セキュリティ５か条の**5**の内容である。

ウ ○：正しい。情報セキュリティ５か条の**4**の内容である。

エ ○：正しい。情報セキュリティ５か条の**3**の内容である。

オ　×：情報セキュリティ５か条には含まれていない。

よって、**オ**が正解である。

第23問

顧客生涯価値に関する問題である。デジタルマーケティングのKPI（Key Performance Indicator：重要業績評価指標）として用いられる顧客生涯価値の計算が求められている。平均継続期間の算出方法がわからないと顧客生涯価値が求められないため、対応は難しい。

平均継続期間は、次の式で求めることができる。

$$平均継続期間 = \frac{\frac{契約数}{解約率}}{契約数} = \frac{契約数}{解約率} \times \frac{1}{契約数} = \frac{1}{解約率}$$

以上から、平均継続期間$= \frac{1}{0.05} =$20か月であることがわかる。顧客生涯価値を求める計算式は、問題で与えられているため、顧客生涯価値＝10,000円×20か月＝200,000円となる。

よって、**オ**が正解である。

第24問

統計的仮説検定の種類に関する問題である。代表的な統計的仮説検定の手法と利用シーンの組み合わせが問われており、対応はやや難しい。

用語		内容
a	t検定	２つの変数の相関係数が０かどうかを検定することを無相関の検定という。標本では相関がある場合に、母集団でも同様に相関があるかどうかを確認できる。この場合、帰無仮説は「母相関係数は０（無相関）である」とする。無相関の検定はｔ分布（ｔ検定）を用いる。
b	カイ二乗検定	２つの変数について、実際の観測値と期待値のずれを調べ、２つの変数に関連性があるかどうかを検定する独立性の検定はカイ二乗分布（カイ二乗検定）を用いる。
c	t検定	偏回帰係数の有意性の検定はｔ分布（ｔ検定）を用いる。偏回帰係数の有意性の検定とは、定数項も含めた各偏回帰係数の値が０であるかについての検定結果である。帰無仮説は「偏回帰係数＝０」とする。

d	F 検定	一元配置の分散分析とは、ひとつの因子による平均値の差を分析する手法である。一元配置は、１種類の因子（データ）の影響による水準間の平均値の差を解析する場合を示す。例えば、A 群、B 群、C 群の３水準のデータをもった「群」というひとつの因子で平均値の差があるかを検定する一元配置の分散分析はＦ分布（Ｆ検定）を用いる。

よって、**ウ**が正解である。

正解以外の用語については以下の通りである。

用　　語	内　　　　容
z 検定	母集団の平均値と標本の平均値に違いがあるかどうかの検定などに用いられる。母集団の分散が既知の場合に用いられる。
ウェルチ検定	２つの母集団の平均値に違いがあるかどうかの検定などに用いられる。一般的に、２つの標本の母分散が未知である場合に用いる。

第25問

テレワークセキュリティガイドラインに関する問題である。総務省が2021年５月に発表した「テレワークセキュリティガイドライン第５版」に記載されているテレワーク方式が問われており、対応は難しい。

同ガイドラインでは、基本的なテレワーク方式として次の７種類が整理されている。

① **VPN方式**

テレワーク端末からオフィスネットワークに対してVPN接続を行い、そのVPNを介してオフィスのサーバ等に接続し業務を行う方法

② **リモートデスクトップ方式**

テレワーク端末からオフィスに設置された端末（PC等）のデスクトップ環境に接続を行い、そのデスクトップ環境を遠隔操作し業務を行う方法

③ **仮想デスクトップ（VDI）方式**

テレワーク端末から仮想デスクトップ基盤上のデスクトップ環境に接続を行い、そのデスクトップ環境を遠隔操作し業務を行う方法

④ **セキュアコンテナ方式**

テレワーク端末にローカル環境とは独立したセキュアコンテナという仮想的な環境を設け、その環境内でアプリケーションを動かし業務を行う方法

⑤ **セキュアブラウザ方式**

テレワーク端末からセキュアブラウザとよばれる特殊なインターネットブラウザを利用し、オフィスのシステム等にアクセスし業務を行う方法

⑥　**クラウドサービス方式**

オフィスネットワークに接続せず、テレワーク端末からインターネット上のクラウドサービスに直接接続し業務を行う方法

⑦　**スタンドアロン方式**

オフィスネットワークには接続せず、あらかじめテレワーク端末や外部記録媒体に必要なデータを保存しておき、その保存データを使い業務を行う方法

出所：テレワークセキュリティガイドライン第５版

ア　×：本肢は、**仮想デスクトップ方式**の内容である。

イ　×：本肢は、**VPN方式**の内容である。

ウ　×：本肢の、「**ファイアウォールで保護された仮想的なWeb環境**を設け」、の部分が上の④セキュアコンテナ方式の内容として不適切である。

エ　×：本肢の、「**Torブラウザ**」、の部分が上の⑤セキュアブラウザ方式の内容として不適切である。

オ　〇：正しい。上の②リモートデスクトップ方式の内容である。

よって、**オ**が正解である。

令和2年度問題

令和2年度 問題

第1問 ★重要★

業務内容に応じて、さまざまな種類の周辺機器をパーソナルコンピュータ（PC）本体に接続して利用することがある。

接続のための入出力インタフェースに関する以下の①～③の記述と、それらに対応する用語の組み合わせとして、最も適切なものを下記の解答群から選べ。

① 外付けハードディスク装置（HDD）や外付けブルーレイディスク装置といった周辺機器の接続を可能にするシリアル・インタフェースである。

② 外付けHDDやスキャナといった周辺機器の接続を可能にするパラレル・インタフェースである。

③ スマートフォン、キーボード、マウス、プリンタなどの周辺機器のワイヤレス接続を可能にするインタフェースである。

［解答群］

ア ①：e-SATA ②：SCSI ③：Bluetooth

イ ①：e-SATA ②：USB ③：IrDA

ウ ①：IEEE1284 ②：SCSI ③：IrDA

エ ①：IEEE1284 ②：USB ③：Bluetooth

第2問 ★重要★

データのバックアップの際には、フラッシュメモリを利用した記憶装置を利用することも多いので、その特性や用途を理解しておくことが望ましい。

フラッシュメモリに関する記述として、最も適切なものの組み合わせを下記の解答群から選べ。

a 紫外線でデータを消去して書き換えることができる。

b 磁気でデータを消去して書き換えることができる。

c 電源が遮断された状態でも記憶したデータを保持できる。

d USBメモリ、SDメモリカード、SSDといった記憶装置に使われる。

[解答群]
ア　aとb　　イ　aとc　　ウ　bとd　　エ　cとd

第3問

オブジェクト指向の考え方は、情報システムの開発において最も重要なものの一つである。

オブジェクト指向のモデル化とプログラミングの基本に関する以下の文章の空欄A～Dに入る語句として、最も適切なものの組み合わせを下記の解答群から選べ。

オブジェクト指向では、実世界をオブジェクトの観点からモデル化し、その結果をプログラミングによって実現する。モデル化の際は、おのおののオブジェクトを[A]と状態で定義し、プログラミングの際は、[A]を手続きとして、状態はデータとして記述する。このとき、手続きを[B]と呼ぶ。[B]は、他のオブジェクトから送られてくる[C]によって起動する。つまり、[C]とは、そのオブジェクトへの仕事の依頼といえる。

また、プログラミングの際は、類似のオブジェクトをまとめて扱うことでプログラミングの効率を高めることができるので、プログラミングの対象は類似のオブジェクトの集まりである[D]となる。

[解答群]

ア	A：機能	B：メソッド	C：メッセージ	D：カプセル化
イ	A：機能	B：メソッド	C：メッセージ	D：クラス
ウ	A：サブルーチン	B：メッセージ	C：メソッド	D：クラス
エ	A：プロセス	B：メッセージ	C：メソッド	D：カプセル化

第4問　★重要★

3層クライアントサーバシステムは、現在の情報システム構成の中で最も主流となっているシステムの一つであるので、この特徴を把握しておく必要がある。

3層クライアントサーバシステムに関する記述として、最も適切なものはどれか。

ア　インフラ層、プラットフォーム層、ソフトウェア層という3層で構成するシステムをいう。

イ　概念レベル、外部レベル、内部レベルという論理的に異なる3層に分けて構成するシステムをいう。

ウ　ネットワーク層、サーバ層、クライアント層という3種類のハードウェア層に分けて構成するシステムをいう。

エ　プレゼンテーション層、ファンクション層、データベースアクセス層という機能的に異なる3層で構成するシステムをいう。

第5問　★重要★

中小企業診断士であるあなたは、Webアプリケーションで利用するCookieとは何かについて顧客から質問を受けた。

この質問に答えるためのCookieに関する説明として、最も適切なものの組み合わせを下記の解答群から選べ。

a　Webページなどに埋め込まれた小さな画像であり、利用者のアクセス動向などの情報を収集する仕組みである。

b　いつ、どのWebサイトを見たかといった履歴や、パスワードなどのログイン情報などを利用者のPCやスマートフォンで使うブラウザごとに保存する仕組みである。

c　いつ、どのWebサイトを見たかといった履歴や、パスワードなどのログイン情報などをサーバ側に保存する仕組みである。

d　個人を特定する情報がCookieに含まれなくても、使う側の企業が他の名簿データなどと組み合わせれば、個人を特定できる可能性がある。

[解答群]

ア　aとb　　イ　aとc　　ウ　bとd　　エ　cとd

第6問　★重要★

A社は、リレーショナルデータベースによって管理するために、販売業務に関する取引データを正規化する必要があるかどうかを検討している。現状では、A社は以下のような「売上表」を用いて取引データを管理している。

現状の「売上表」に関する記述として、最も適切なものを下記の解答群から選べ。

売上表

売上番号	顧客番号	顧客名	売上日	商品名	単価	数量	小計	売上合計
S001	C005	山田太郎	5月1日	商品A	100	1	100	
				商品C	300	2	600	700
S002	C006	田中一郎	5月2日	商品A	100	2	200	
				商品B	200	1	200	
				商品C	300	1	300	700
S003	C005	山田太郎	5月10日	商品A	100	2	200	200

[解答群]

ア　顧客名の欄に山田太郎が２回出てくるのはデータの重複であることから、非正規形である。

イ　すでに第二正規形であるので、依存関係がある顧客番号と顧客名を別表に移せば第三正規形になる。

ウ　すでに第三正規形であるので、これ以上正規化する必要はない。

エ　一つの売上番号に対して、商品名、単価、数量および小計の項目が複数あるので、非正規形である。

第7問

データベースのデータ処理では、アプリケーションにおけるひとまとまりの処理単位を「トランザクション」と呼ぶ。たとえば、ある消費者の口座からある小売店の口座に振込送金する場合、(1)消費者の口座残高から振込金額を引き、それを新しい口座残高にすることと、(2)小売店の口座残高に振込金額を足し、それを新たな口座残高にすること、という２つの更新処理が必要になる。このような出金処理と入金処理をまとめて扱う必要がある場合が「トランザクション」の例である。

トランザクションの処理には、一般にACID特性（Atomicity, Consistency, Isolation, Durability）と呼ばれる技術的に満たすべき要件がある。

ACID特性に関する記述として、最も適切なものはどれか。

ア　システムに異常が発生したときに、ログなどを用いて異常発生前の状態にまで復旧できることを保証しなければならない。このような特性を「独立性（Isolation）」という。

イ　データの物理的格納場所を意識することなくトランザクションの処理が実行される必要がある。このような特性を「耐久性（Durability）」という。

ウ　トランザクションを構成する全ての処理が正常に終了したときだけ、処理結果をデータベースに反映する必要がある。このような特性を「原子性（Atomicity）」という。

エ　複数のトランザクションを処理する際には、各トランザクションを逐次的に実行する場合と同時に実行する場合で、処理結果が同じである必要がある。このような特性を「一貫性（Consistency）」という。

第8問　★ 重要 ★

PCを用いる業務処理では多様なソフトウェアが使われていることから、異なるソフトウェア間でデータを交換する場合がよくある。

データ交換に利用するデータ形式としてのCSVに関する記述として、最も適切なものはどれか。

ア　文字データや数値データだけではなく、データ間の区切り位置にタグを挿入することで画像やプログラムも記録できる。

イ　文字データや数値データだけではなく、データ間の区切り位置にタブを挿入することで計算式や書式情報も記録できる。

ウ　文字データや数値データのデータ間の区切りとしてカンマを、レコード間の区切りとして改行を使用する。

エ　文字データや数値データのデータ間の区切りとして空白、コロンあるいはセミコロンを使用する。

第9問

ケーブルを必要とせずに電波などを利用して通信を行う無線LANは、信号が届く範囲であれば、その範囲内でコンピュータを自由に設置できるために、中小企業でも有用である。したがって、その特性を理解しておく必要がある。

無線LANに関する記述として、最も適切なものはどれか。

ア　SSIDは無線LANにおけるアクセスポイントの識別名であるが、複数のアクセスポイントに同一のSSIDを設定できる無線LAN装置の機能をマルチSSIDという。

イ　無線LANにおけるアクセス制御方式の一つであるCSMA/CA方式では、データ送信中にコリジョンを検出した場合には、しばらく時間をおいてから送信を開始することで、コリジョンを回避する。

ウ　無線LANにおけるアクセス制御方式の一つであるCSMA/CD方式では、利用する周波数帯を有効に利用するために、それをタイムスロットと呼ばれる単位に分割することで、複数ユーザの同時通信を提供することができる。

エ　無線LANの暗号化の規格であるLTEは、アルゴリズムの脆弱(ぜいじゃく)性が指摘されたWEPを改良したことから、より強固な暗号化を施すことができる。

第10問　★重要★

近年、情報ネットワークが発展・普及し、その重要性はますます高まっている。

安全にネットワーク相互間の通信を運用するための記述として、最も適切なものの組み合わせを下記の解答群から選べ。

a　SSL/TLSは、インターネットを用いた通信においてクライアントとサーバ間で送受信されるデータを暗号化する際に使われる代表的なプロトコルである。

b　IDSは、大切な情報を他人には知られないようにするために、データを見てもその内容が分からないように、定められた処理手順でデータを変換する仕組みである。

c　VPNは、認証と通信データの暗号化によってインターネット上に構築された仮想的な専用ネットワークである。

d　DMZは、LANに接続するコンピュータやデバイスなどに対して、IPアドレス、ホスト名やDNSサーバの情報といった通信に必要な設定情報を自動的に割り当てるプロトコルである。

[解答群]

ア　aとb　　イ　aとc　　ウ　bとd　　エ　cとd

第11問

以下の文章は、AI（Artificial Intelligence）を支える基礎技術である機械学習に関するものである。文中の空欄A～Dに入る語句として、最も適切なものの組み合わせを下記の解答群から選べ。

機械学習は[A]と[B]に大きく分けることができる。[A]はデータに付随する正解ラベルが与えられたものを扱うもので、迷惑メールフィルタなどに用いられている。[B]は正解ラベルが与えられていないデータを扱い、[C]などで用いられることが多い。

また、自動翻訳や自動運転などの分野では、人間の神経回路を模したニューラルネットワークを利用する技術を発展させた[D]が注目されている。

[解答群]

ア　A：教師あり学習　　B：教師なし学習
　　C：手書き文字の認識　D：強化学習

イ　A：教師あり学習　　B：教師なし学習
　　C：予測や傾向分析　D：深層学習

ウ　A：教師なし学習　　B：教師あり学習
　　C：手書き文字の認識　D：深層学習

エ　A：教師なし学習　　B：教師あり学習
　　C：予測や傾向分析　D：強化学習

第12問

スマートフォンには、いろいろなセンサーが搭載されている。

スマートフォンに一般的に搭載されている４つのセンサーの機能・役割に関する記述の正誤の組み合わせとして、最も適切なものを下記の解答群から選べ。

a　ジャイロセンサー（ジャイロスコープ）は、地磁気を観測するセンサーで、方位を検知して、スマートフォンの地図アプリで北の方角を示すのに使われる。

b　加速度センサーは、重力加速度も検出できるセンサーで、スマートフォンの傾きに応じて自動的に画面の向きを変えるのに使われる。

c　磁気センサー（電子コンパス）は、角速度を検出するセンサーで、スマートフォンがどのような方向に動いたかを感知して、スマートフォンの方向に応じた画面を表示するのに使われる。

d　近接センサーは、対象物が近づくだけでON・OFFを切り替えることができるセンサーで、通話時に顔にスマートフォンを近づけても誤作動しないように画面をOFFにするのに使われる。

[解答群]

ア　a：正　b：正　c：誤　d：誤
イ　a：正　b：誤　c：正　d：誤
ウ　a：誤　b：正　c：誤　d：正
エ　a：誤　b：誤　c：正　d：正

第13問　★重要★

クラウドコンピューティングが一般化しつつあるが、このクラウドコンピューティングを支える技術の一つに仮想化がある。
仮想化に関する記述として、最も適切なものはどれか。

ア　仮想化技術を使うことによって、物理的には1台のコンピュータ上に、何台ものコンピュータがあるかのように見える使い方をしたり、逆に、複数のコンピュータをあたかも1台のコンピュータのように利用したりすることが可能となる。
イ　仮想化の実装方法の一つであるハイパーバイザー型実装方法は、仮想化ソフトウェアをサーバに直接インストールする方式であるが、サーバのOSのインストールは必要である。
ウ　クラウドサービスを管理するためにはクラウドコントローラが必要であるが、このクラウドコントローラは仮想マシンの管理に限定したソフトウェアである。
エ　サーバの仮想化とは、サーバ上で複数のOSとソフトウェアを利用できるようにすることであるが、物理的なサーバは1台に限られる。

第14問

インターネットを用いたマーケティングは、その効果を測定しやすい上、安価に利用できる。そのために、中小企業にも有力な広告媒体として期待されている。
インターネットを用いたマーケティングの効果測定指標に関する記述として、最も適切なものはどれか。

ア　Webサイトを訪れたユーザ全体の中で、商品購入や会員登録などの成果が得られた割合を示す指標を「エンゲージメント率」という。
イ　ある商品の購買が他の商品の購買とどの程度相関しているかを示す指標を「コンバージョン率」という。

ウ　訪れた最初のWebページだけを見て、他のページに移動せずにWebサイトから離れるユーザの数の全ユーザ数に対する割合を「離脱率」という。

エ　メールによる広告配信を停止したり、ユーザアカウントを解約したりしたユーザの数の全ユーザ数に対する割合を「チャーン率」という。

第15問

コーポレートガバナンスの重要性とともに、ITガバナンスの重要性が指摘されている。

経済産業省の「システム管理基準（平成30年４月20日）」では、ITガバナンスがどのように定義されているか。最も適切なものを選べ。

ア　業務の有効性および効率性、財務報告の信頼性、事業活動に関わる法令等の遵守、資産の保全を合理的に保証すること。

イ　情報技術に関するコンプライアンスを遵守し、情報セキュリティを高めることによってハッキングなどから守り、情報漏洩（ろうえい）などの不祥事が起こらないように情報管理すること。

ウ　経営陣がステークホルダーのニーズに基づき、組織の価値を高めるために実践する行動であり、情報システムのあるべき姿を示す情報システム戦略の策定および実現に必要となる組織能力のこと。

エ　投資家や債権者などのステークホルダーに対して、経営や財務の状況などを適切に開示すること。

第16問　★ 重要 ★

既存の情報システムから新しい情報システムに移行することは、しばしば困難を伴う。

システム移行に関する記述として、最も適切なものはどれか。

ア　移行規模が大きいほど、移行の時間を少なくするために一斉移行方式をとった方が良い。

イ　オンプレミスの情報システムからクラウドサービスを利用した情報システムに移行する際には、全面的に移行するために、IaaSが提供するアプリケーションの機能だけを検討すれば良い。

ウ　既存のシステムが当面、問題なく稼働している場合には、コストの面から見て、機能追加や手直しをしたりせず、システム移行はできるだけ遅らせた方が良い。

エ　スクラッチ開発した情報システムを刷新するためにパッケージソフトウェアの導入を図る際には、カスタマイズのコストを検討して、現状の業務プロセスの見直しを考慮する必要がある。

第17問　★ 重要 ★

オブジェクト指向のシステム開発に利用されるモデリング技法の代表的なものとして、UML（Unified Modeling Language）がある。

UMLで利用されるダイアグラムにはいろいろなものがあるが、下記のa～dの記述はどのダイアグラムに関する説明か。最も適切なものの組み合わせを下記の解答群から選べ。

a　対象となるシステムとその利用者とのやり取りを表現するダイアグラム。

b　対象となるシステムを構成する概念・事物・事象とそれらの間にある関連を表現するダイアグラム。

c　システム内部の振る舞いを表現するためのもので、ユースケースをまたがったオブジェクトごとの状態遷移を表現するダイアグラム。

d　活動の流れや業務の手順を表現するダイアグラム。

[解答群]

ア　a：アクティビティ図　b：オブジェクト図
　　c：ユースケース図　d：シーケンス図

イ　a：クラス図　b：配置図
　　c：コミュニケーション図　d：ステートマシン図

ウ　a：コミュニケーション図　b：コンポーネント図
　　c：アクティビティ図　d：クラス図

エ　a：ユースケース図　b：クラス図
　　c：ステートマシン図　d：アクティビティ図

第18問　★ 重要 ★

システム開発は一つのプロジェクトとして進められることが多い。プロジェクトの進捗を管理することは非常に重要である。

プロジェクトを管理するために利用される手法やチャートに関する以下のa～dの記述と、その名称の組み合わせとして、最も適切なものを下記の解答群から選べ。

a　プロジェクトの計画を立てる際に用いられる手法の一つで、プロジェクトで行う作業を、管理可能な大きさに細分化するために、階層的に要素分解する手法。
b　プロジェクトにおける作業を金銭価値に換算して、定量的にコスト効率とスケジュール効率を評価する手法。
c　作業開始と作業終了の予定と実績を表示した横棒グラフで、プロジェクトのスケジュールを管理するために利用するチャート。
d　横軸に開発期間、縦軸に予算消化率をとって表した折れ線グラフで、費用管理と進捗管理を同時に行うために利用するチャート。

[解答群]

ア	a：PERT	b：BAC	c：ガントチャート	d：管理図
イ	a：PERT	b：BAC	c：流れ図	d：トレンドチャート
ウ	a：WBS	b：EVM	c：ガントチャート	d：トレンドチャート
エ	a：WBS	b：EVM	c：流れ図	d：管理図

第19問　★重要★

Webシステムの開発では、「使いやすさ（ユーザビリティ）」の重要性が指摘されている。
ユーザビリティの向上のための方策に関する記述として、最も適切なものの組み合わせを下記の解答群から選べ。

a　応答がすぐにできない場合には、サーバ処理中などの状況を画面に表示するなど、ユーザがシステムの状態を把握できるような仕組みを実装する必要がある。
b　ユーザがミスを起こしやすい箇所が見つかった場合は、丁寧なエラーメッセージを表示させれば良い。
c　ユーザがWebサイトの画面にあるボタンを押し間違えた場合に、前の画面に後戻りできたり、最初から操作をやり直せるような仕組みを構築する必要がある。
d　ユーザビリティ評価においては、システム開発が完了した段階において、問題点を把握することが重要である。

［解答群］
ア　aとb　　イ　aとc　　ウ　bとd　　エ　cとd

第20問

　システム開発において行われるテストの一つに、ブラックボックステストがある。
　ブラックボックステストにおいて、考慮すべき条件とその条件に対する結果の組み合わせを整理するマトリックスで、テスト対象の項目を検討するために用いられるものを何というか。最も適切なものを選べ。

ア　決定表（ディシジョンテーブル）
イ　ステートダイヤグラム
ウ　直交表
エ　ペイオフマトリックス

第21問　★重要★

　情報システムにおいては、情報漏洩（ろうえい）に対する脆弱（ぜいじゃく）性に注意するなど情報セキュリティを高めることが必要である。情報セキュリティにおけるリスクに対処する方法として、「リスクの低減」、「リスクの保有」、「リスクの回避」、「リスクの移転」の4つがある。
　このうち、「リスクの保有」に関する記述として、最も適切なものはどれか。

ア　PCの社外への持ち出し禁止など最低限のことだけを行う。
イ　外部のネットワークからの不正な侵入のようなリスクが生じないように、強固なファイアウォールを構築する。
ウ　現状のリスクを分析した結果、大きなリスクと考えられない場合はセキュリティ対策をあえて行わない。
エ　災害による長時間の停止や情報漏洩に備えて、保険に加入しておく。

第22問　★重要★

　ソフトウェアやサービスを提供する場合の課金方式として、「サブスクリプション」が近年注目されている。
　サブスクリプションに関する記述として、最も適切なものはどれか。

ア　ソフトウェアやサービスの基本部分の利用は無料とし、より高度な機能などの付加的部分の利用に課金する方式。

イ　ソフトウェアやサービスの試用期間は無料で提供し、試用期間後にも継続利用する場合には課金する方式。

ウ　複数のソフトウェアやサービスをまとめて、各ソフトウェアやサービスを個別に利用する場合よりも割安になるように課金する方式。

エ　利用するソフトウェアやサービスの範囲や利用する期間に応じて課金する方式。

第23問

以下に示す４つのデータ分析の事例における調査データや統計量の解釈は統計の視点から見て正しいものであるか。それぞれの事例に関する正誤の組み合わせとして、最も適切なものを下記の解答群から選べ。

事例１：ある商品について売上高と気温の相関係数を計算すると0.855であった。相関係数の値が正で値も大きいので、売上高を決める原因は気温である。

事例２：ある企業の従業員の年収の平均値を計算すると582万円であった。この企業の従業員である私の年収は560万円である。私の年収は平均値を下回っているので、従業員の年収を高い順に並べた時、下位半分に位置する。

事例３：Ａ店舗の100日間の売上高の平均値は40万円、標準偏差は10万円であった。Ｂ店舗の同じ期間の売上高の平均値は100万円、標準偏差は20万円であった。Ｂ店舗の標準偏差はＡ店舗の標準偏差よりも大きいので、Ｂ店舗の方が売上高のばらつきが大きい。

事例４：あるレストランは男性からも女性からも評判の良い店である。既存のメニューを改善する目的で新メニューを開発した。新メニューを評価するために男女各50人に、既存メニューと新メニューに対する評価（「良い」か「悪い」か）を調査した。下表がその結果である。この調査結果によると、新メニューの方が良いと回答した割合が５ポイント高いので、既存メニューを新メニューに置き換えれば売上高は伸びる。

	良い	悪い	合計
既存メニュー	55人	45人	100人
新メニュー	60人	40人	100人

[解答群]

ア　事例1：正　事例2：正　事例3：正　事例4：正
イ　事例1：正　事例2：誤　事例3：誤　事例4：正
ウ　事例1：誤　事例2：正　事例3：正　事例4：誤
エ　事例1：誤　事例2：誤　事例3：誤　事例4：誤

第24問　★重要★

以下のa～dは、分析したい状況に関する記述である。それぞれの状況において、どのような分析手法が適切か。最も適切なものの組み合わせを下記の解答群から選べ。

a　ある企業には3つの事業部がある。事業部ごとの売上高利益率の日次データが与えられている。この3つの事業部で売上高利益率に差異が見られるのかを検討したい。

b　ある商品の売上高の日次データと、その商品の売上高に関係があると想定されるいくつかの変数のデータがある。どの変数が売上高にどの程度寄与しているのかを検討したい。

c　数千人の顧客について、属性データ（男女・所得・購入履歴など）や趣味・嗜好（しこう）に関するデータがある。顧客の特性にあったマーケティング活動をしたいので、顧客を分類したい。

d　Webサイトの候補として2つのパターンがある。どちらのパターンを採用するかを決めたい。

[解答群]

ア　a：判別分析　b：回帰分析
　　c：コンジョイント分析　d：A/B分析
イ　a：判別分析　b：相関分析
　　c：コンジョイント分析　d：アクセス分析

ウ　a：分散分析　　　　b：回帰分析
　　c：クラスター分析　d：A/B分析
エ　a：分散分析　　　　b：相関分析
　　c：クラスター分析　d：アクセス分析

第25問　★重要★

IoT（Internet of Things）、AI、RPA（Robotic Process Automation）などの新しい情報通信技術や考え方などが現れ、現場への適用が試みられつつある。

以下に示す情報化の取り組みについての記述の中で、RPAに関する事例として、最も適切なものはどれか。

ア　ある回転寿司店では、皿にICタグを取り付けて、レーンを流れている皿の売上状況を把握し、これらのデータを蓄積することで、より正確な需要を予測することが可能となり、レーンに流すネタや量をコントロールできるようになった。

イ　ある食品メーカーでは、卸売企業からPOSデータの提供を受けていた。このため、卸売企業が設置したダウンロードのためのWebサイトにアクセスして、条件を設定した上でPOSデータを収集する業務があった。これは定型的な業務であるが、かなりの時間を要していた。この作業を自動化するソフトウェアを導入することで所要時間を大幅に削減することができた。

ウ　あるパン屋では、レジの横にパンを自動判別するスキャナーを設置し、顧客が精算する際に自動的に判別したデータをネットワークにアップし、店舗と離れた場所からでも販売状況をリアルタイムで把握できるシステムを導入した。

エ　あるラーメン店では、人型をしたロボットを導入した。顧客が顔パスアプリに写真とニックネームを事前に登録しておくと、ロボットが常連客の顔を認識し、購入履歴や来店頻度に合わせてサービスを提供することが可能となった。

令和 2 年度
解答・解説

令和2年度 解答

問題	解答	配点	正答率※
第1問	ア	4	A
第2問	エ	4	A
第3問	イ	4	C
第4問	エ	4	C
第5問	ウ	4	A
第6問	エ	4	B
第7問	ウ	4	D
第8問	ウ	4	B
第9問	イ	4	C
第10問	イ	4	A
第11問	イ	4	A
第12問	ウ	4	C
第13問	ア	4	B
第14問	エ	4	E
第15問	ウ	4	D
第16問	エ	4	A
第17問	エ	4	B
第18問	ウ	4	A
第19問	イ	4	A
第20問	ア	4	D
第21問	ウ	4	B
第22問	エ	4	B
第23問	エ	4	C
第24問	ウ	4	B
第25問	イ	4	B

※TACデータリサーチによる正答率
正答率の高かったものから順に、A～Eの５段階で表示。
A：正答率80％以上　B：正答率60％以上80％未満　C：正答率40％以上60％未満
D：正答率20％以上40％未満　E：正答率20％未満

解答・配点は一般社団法人日本中小企業診断士協会連合会の発表に基づくものです。

第1問

インタフェースに関する問題である。シリアル伝送とパラレル伝送、各インタフェースの用途を押さえていれば正解の選択肢が選べるため、確実に得点したい。

用語		内容
①	e-SATA	シリアルATAの発展版であり、外付けハードディスクや外付けブルーレイディスクを接続する規格である。転送方式や転送速度などはシリアルATAに準拠しており、高速なデータ通信を可能にする。
②	SCSI	米国規格協会（ANSI）によって規格化された。周辺機器を最大7台または15台まで接続可能であり、外付けハードディスクやスキャナなど比較的高速な機器の接続に利用される。
③	Bluetooth	2.4GHz帯域の電波を用いた無線通信規格であり、コンピュータ本体とマウスやキーボードやプリンタ、スマートフォンとワイヤレスヘッドフォンなど、さまざまな機器をワイヤレスに接続する用途で使用されている。

よって、**ア**が正解である。

正解以外の用語については以下のとおりである。

用語	内容
IEEE1284	米国電気電子技術者協会（IEEE）によって標準化された主にプリンタ接続用のパラレルインタフェースである。1994年に制定された古い規格であり、最近のパソコンではプリンタ用のインタフェースとしてUSBケーブルなどが採用されており、ほとんど見られない。
USB	ハブを介し、周辺機器を最大127台まで接続可能なシリアル伝送を行うインタフェースである。
IrDA	赤外線を用いた無線通信規格である。機器間に障害物があると通信に支障を来たす。

第2問

フラッシュメモリに関する問題である。フラッシュメモリの基本的な特性や用途が問われており、確実に得点したい。

a　×：フラッシュメモリは**電気的に**内容を消去して書き換えられるメモリである。データの消去に紫外線を使用するのはEPROMである。

b　×：選択肢aの解説のとおりである。磁気でデータを消去して書き換えるのは**ハードディスク**である。

c　〇：正しい。フラッシュメモリは電源を切っても記憶情報を保持する不揮発性のメモリである。

d　〇：正しい。フラッシュメモリを使用した記録媒体は、USBメモリ、SDメモリカード、コンパクトフラッシュ、SSDなどがある。

よって、**c**と**d**の組み合わせが正しく、**エ**が正解である。

第3問

開発アプローチに関する問題である。オブジェクト指向アプローチ（OOA：Object Oriented Approach）のモデル化とプログラミングについて一部詳細が問われており、対応はやや難しい。

オブジェクト指向は、状態（データ）と**機能**（手続き）（空欄A）をまとめて1つのオブジェクトとしてとらえる。手続きは、**メソッド**（空欄B）ともよばれる。状態（データ）と機能（メソッド）をオブジェクトの基本単位として考える。各オブジェクト内の状態（データ）と機能（メソッド）の個数はそれぞれ自由である。

図表　オブジェクトのイメージ

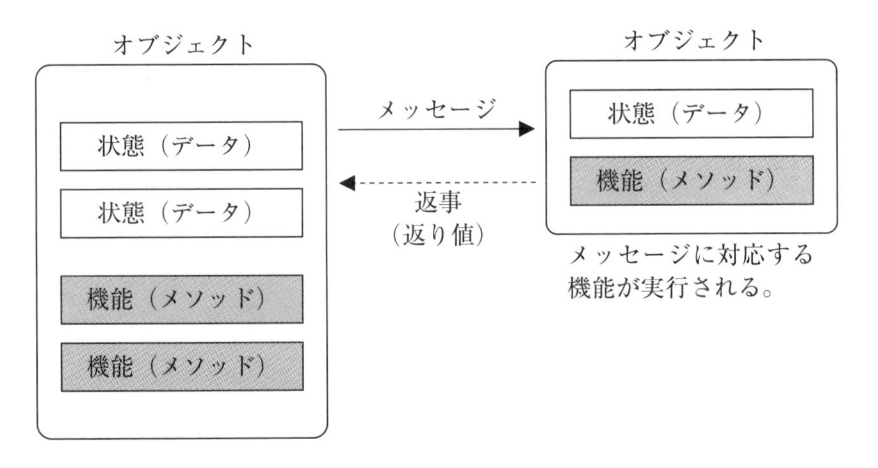

次にメソッドは、同じオブジェクト内のデータを操作できるだけでなく、他のオブジェクト内の機能に**メッセージ**（空欄C）を送ることもできる。送られてきたメッセージに対応するオブジェクト内の機能が実行される。

また、オブジェクト指向のプログラミング言語には、クラスという概念がある。クラスは、類似したオブジェクトを抽象化したものである。別な言い方をすると、**クラス**（空欄D）は類似した複数のオブジェクトの集合を表す。プログラミング言語におけるクラスでは、オブジェクトを作る際にデータやメソッドの定義を行うことからオブジェクトの設計図のような位置付けである。

図表　オブジェクト指向のプログラミング言語におけるクラスのイメージ

```
Class クラス名　{
データの定義
データの定義
・・・
メソッドの定義
メソッドの定義
・・・
}
```

よって、**イ**が正解である。

正解以外の用語については以下のとおりである。

用　　語	内　　容
サブルーチン	コンピュータプログラムにおいて特定の機能や処理を1つにまとめた集合であり、他のプログラムから呼び出し実行できるようにまとめたものである。単にルーチンとよぶこともある。
カプセル化	オブジェクトを作成することをカプセル化という。カプセル化によりオブジェクト内のデータの操作は一体化されている手続き（メソッド）からのみ行えることになる。

第4問

クライアントサーバシステムに関する問題である。3層アーキテクチャの3つの層の名称が問われており、正答したい。

ア　×：クライアントサーバシステムの3つの層は、**プレゼンテーション層**、**ファンクション層**、**データベース層**であるため誤りである。

図表　3層アーキテクチャのイメージ

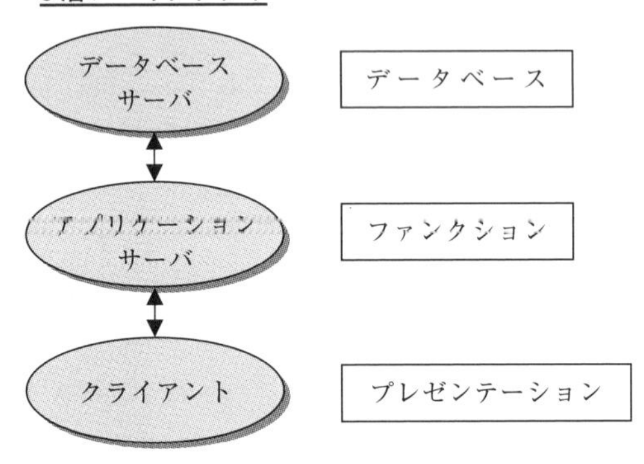

名　　称	内　　容
データベース層	データベースへのアクセスを行う。
ファンクション層	データの処理および加工を行う。
プレゼンテーション層	ユーザインタフェースを提供する。

イ　×：本肢は、データベースを設計する場合に用いられる**3層スキーマ**の内容である。3層スキーマは、外部スキーマ、概念スキーマ、内部スキーマという3つの階層に分けて行われる。

図表　3層スキーマの定義

名　　称	内　　　　容
外部スキーマ	特定の利用者やアプリケーションソフトウェアで利用する観点から表現されるデータ構造である。具体的には、システム化対象となるデータ項目の集合体であり、業務で発生するデータを記録する帳票（データの入力画面）や印刷した帳票などで表現される。
概念スキーマ	データベース化したいデータを、DBMSのデータモデルに従って記述したものである。データを正規化した表の集まりであり、基本的には論理データモデルそのものである。
内部スキーマ	内部スキーマとは、データの物理的な格納方式を定義したものであり、ファイル名や格納位置、領域サイズなどを指定する。

ウ　×：3層アーキテクチャは、**データベースサーバ**、**アプリケーションサーバ**、**クライアント**の3つのハードウェア層に分けるのが一般的であるため、誤りである。選択肢**ア**の図表を参照。

エ　○：正しい。選択肢**ア**の通り、3層クライアントサーバシステムはプレゼンテーション層、ファンクション層、データベース層の3つの層で構成するシステムである。

よって、**エ**が正解である。

第5問

Cookie（クッキー）に関する問題である。Cookieの基本的な機能や仕組みについて問われており、確実に得点したい。

a　×：本肢は、**Webビーコン**の内容である。Webビーコンとは、Webページに埋め込まれた小さな画像ファイルである。特定のWebページにWebビーコンを埋め込むことにより、そのWebページを訪問したユーザ数、ページの閲覧回数、滞在時間などのアクセス情報が得られる。Cookieは、Webサーバに対するアクセスがどの端末からのものであるかを識別するために、Webサーバの指示によってコンピュータ（クライアント側）にユーザ情報などを保存する仕組みである。

b　○：正しい。Cookieには、ユーザに関する情報や最後にサイトを訪れた日時、そのサイトの訪問回数などを記録しておくこともできる。

c　×：選択肢**a**の解説に記載したとおり、Cookieは**クライアント側**にユーザ情報などを保存する仕組みであるため、本肢の**サーバ側**に保存する仕組みという部分が誤りである。その他の記述は正しい。

d　○：正しい。Cookie情報だけでは個人を特定することはできないが、他の情報と合わせると個人が特定でき、個人情報に該当する可能性がある。

よって、**b**と**d**の組み合わせが正しく、**ウ**が正解である。

第6問

正規化に関する問題である。問題で与えられた売上表の正規化の種類と各正規化の内容について問う基本的な問題であるため、確実に得点したい。

図表　正規化の種類

名　称	内　容
第1正規化	非正規形の表に現れる繰り返し項目※1を分離して、独立した行にすること
第2正規化	主キーの一部だけから特定できる項目を別の表にすること※2
第3正規化	主キー以外の項目で特定できる項目を別の表にすること

※1　繰り返し項目とは、1行における1項目に複数の値を含んでいる状態を指す。

※2　主キーが複合キーでない場合、第2正規化は不要となる（第1正規形を満たし

ていれば、そのまま第2正規形を満たしていることになる)。

ア　×:顧客名の列に山田太郎が2回出てくるが、異なる行に複数表れる同一の顧客名は非正規形の繰り返し項目には該当しない。非正規形の繰り返し項目は、**1行における1項目に複数の値を含んでいる状態**を指す。

イ　×:売上表にある商品名、単価、数量、小計は1行に複数の値を含んでいるため非正規形の繰り返し項目に該当する。よって、売上表は**非正規形**である。本肢の**すでに第二正規形である**、という部分が誤りである。

ウ　×:選択肢**イ**の解説で述べたとおり、売上表は繰り返し項目があるため非正規形である。本肢の**すでに第三正規形**である、という部分が誤りである。

エ　○:正しい。選択肢**イ**の解説で述べたとおり、売上表にある商品名、単価、数量、小計は1行における1項目に複数の値を含んでいるため、売上表は非正規形であることがわかる。

よって、**エ**が正解である。

第7問

トランザクションのACID特性に関する問題である。ACID特性の各項目である原子性(Atomicity)、一貫性/整合性(Consistency)、独立性(Isolation)、持続性/耐久性(Durability)の内容を押さえている受験生であっても判別の難しい選択肢があり、対応はやや難しい。

図表　トランザクションのACID特性

名　称	内　容
Atomicity (原子性)	トランザクションを構成する処理が不可分であること。つまり、トランザクションは「完全に実行されるか」「まったく実行されないか」のいずれかの状態で終了する。 【同義】処理の一部が行われている状態は存在しない。 【同義】完了状態は処理済か未処理しかない。
Consistency (一貫性、整合性)	トランザクションによる実行結果(終了状態)にかかわらず、データベースの整合性が保たれている(矛盾のない状態である)こと。 【同義】同一処理は何度実行しても同じ結果になる。
Isolation (独立性)	トランザクションは他のトランザクションの実行による影響を受けないこと。 【同義】トランザクションを複数同時に実行しても、単独実行の場合と同じ処理結果になる。
Durability (持続性、耐久性)	トランザクションの結果は、障害が発生しても失われてはいけないこと。 【同義】トランザクション完了後、ハードウェア障害が発生しても更新内容は保証される。

ア　×：本肢は、**持続性／耐久性（Durability）**に関連する内容である。持続性／耐久性では、トランザクションの結果は、障害が発生しても失われてはいけない。トランザクション完了後、ハードウェア障害があっても更新内容は保証される。

イ　×：本肢は、**分散データベースシステムの位置透過性**に関する内容である。分散データベースシステムとは、物理的に遠隔地にある複数のデータベースをネットワークにより連携させ、協調した処理を行うシステムである。データベースが複数のサーバに分散していることをユーザが意識することなしに使えるためには分散データベースシステムの透過性という性質を満たす必要がある。透過性には以下のとおりいくつかの種類がある。

図表　分散データベースシステムの透過性の種類

名　称	内　容
アクセス透過性	利用者は、ネットワーク経由で接続されている全てのデータベースに同一の方法でアクセスできる。
位置透過性	データベースが物理的にどこに配置されていてもユーザはシステムの位置を意識せずに利用できる。
移動透過性	データの格納場所が変更されてもユーザはデータの変更場所を意識せずに利用できる。
分割透過性	1つのデータが複数のデータベースに分割して格納されていてもユーザはそれを意識せずに利用できる。
重複透過性	1つのデータが複数のデータベースに重複して格納されていてもユーザはそれを意識せずに利用できる。
規模透過性	OSやアプリケーションの構成に影響を与えることなく、システム規模を変更できる。
並行透過性	複数のユーザが同時並行でデータベースを操作できる。

ウ　○：正しい。原子性では、トランザクションは完全に実行されるか、全く実行されないかのどちらかでなければならない。具体的には、処理の一部が実行されている状態は存在しない。完了状態は処理済か未処理しかない。

エ　×：本肢は、**独立性（Isolation）**の内容である。独立性では、トランザクションを複数同時に実行しても、単独実行の場合と同じ処理結果にならなければならない。他のトランザクションの影響を受けない。

よって、**ウ**が正解である。

第8問

CSVファイルに関する問題である。CSV形式ファイルの基本的な仕様について問われており、確実に得点したい。

ア ×：CSVファイルは、XMLファイルのようにデータの区切り位置に**タグを挿入することはできない**。また、CSVファイルはテキストファイルであるため**画像やプログラムを記録することはできない**。

イ ×：データ間の区切り位置にタブを挿入する方式は、**TSV（Tab Separated Values）形式ファイル**である。CSV形式ファイルは、データ間の区切り位置にカンマ（，）を入れて区切る。また、CSVファイルはCSSのように**書式情報（文字のフォントの色、大きさ、配置など）**を記録することはできない。

ウ ○：正しい。選択肢**イ**の解説で述べたとおり、CSVファイルは、データをカンマ（，）で区切って並べたファイル形式である。汎用性が高く、異なる種類のアプリケーションソフトウェア間のデータ交換に使われることが多い。テキストファイルであるため、テキストエディタやワープロソフトなどで開いて直接編集することが可能である。

エ ×：CSVファイルは、選択肢**ウ**のとおり文字データや数字データの区切りとしてカンマを使用するため、本肢の**空白**、**コロン**あるいは**セミコロン**を使用するという部分が誤りである。

よって、**ウ**が正解である。

第9問

無線LANに関する問題である。無線LANのアクセスコントロールであるSSIDや暗号化の規格、無線LANのアクセス制御方式など無線LANに関する広範囲な知識が問われている。正解の選択肢**イ**の一部内容がCSMA/CD方式の制御方法であると読み取った受験生も多いと推測するため、対応はやや難しい。

ア ×：マルチSSIDは、**1つの無線LAN装置で複数のSSIDが使える機能**であるため、本肢の複数のアクセスポイントに同一のSSIDを設定できるという部分が誤りである。

イ ○：正しい。CSMA/CA方式は、データの送信前に他の端末がデータ送信中であるかを調べ、送信中であることを検知した場合には送信終了まで待機してからデータの送信を開始する制御方式である。CSMA/CD方式（有線通信）と異なりCSMA/CA方式はコリジョン（衝突）を直接的に検知できないが、CSMA/CA方式もデータ送信中にコリジョンが発生する可能性はある。そこで、CSMA/CA方式はデータが正しく送信されたかについて、受信側からACK（Acknowledge）信号が返ってくるかで判断する。受信側からACK信号が返ってこない場合は、コリジョン（または通信障害）が発生したと判断してデータの再送信を行う。

本肢に記述がある「CSMA/CA方式では、データ送信中にコリジョンを検出した場合には」という部分は、CSMA/CD方式の制御方式を表わすのに適した表現であるが、CSMA/CA方式でもACK信号を用いることでコリジョン（または通信障害）が発生したかを判断するため、間違いとまではいえない内容である。さらに、問題文で「最も適切なものはどれか。」と問われており、他の選択肢と比べると本肢は不適切な度合いが小さいことから正答の選択肢と判断する。

ウ　×：CSMA/CD方式は、**有線LAN**に用いられるアクセス制御方式である。無線LANのアクセス制御方式のひとつに、IEEE802.11シリーズのアクセス制御方式である**CSMA/CA**方式がある。また、本肢のタイムスロットとよばれる単位に分割することで、複数ユーザの同時通信を提供することができるのは、**TDMA方式（Time Division Multiple Access：時分割多元接続）**の内容である。TDMA方式は、中継局に割り当てられた周波数帯を周期的に繰り返す短い時間枠（タイムスロット）に区切ることで、複数のユーザにいずれかの区間を専有させて電波を多元的に使用できるようにした無線通信の接続方式である。

図表　TDMA（時分割多元接続）方式のイメージ

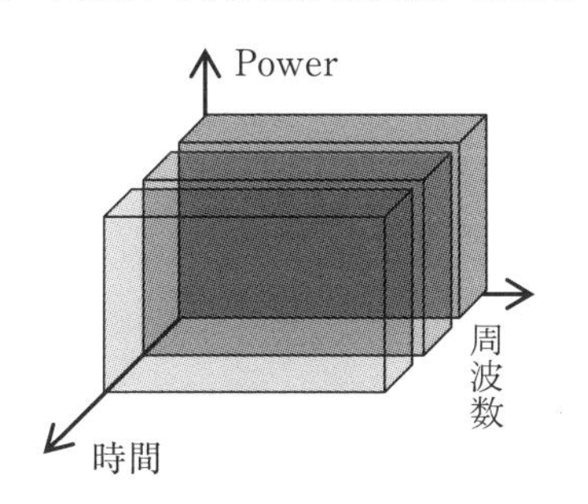

エ　×：無線LANの暗号化規格であるWEPのセキュリティ上の問題点を解消した規格は**WPA**である。LTEは、スマートフォンや携帯電話用の通信回線規格である。LTEを利用できるのは、スマートフォンやタブレットなどのモバイルデバイスに限定されており、主に大手通信キャリアが所有する基地局をアクセスポイントとして電波を飛ばしている。

よって、**イ**が正解である。

第10問

ネットワークのセキュリティ対策に関する問題である。ネットワーク通信で用いられるプロトコルやセキュリティ対策など横断的な知識が問われているがどれも基本的な内容であるため、確実に得点したい。

a　〇：正しい。SSLは、インターネット上で通信を暗号化して第三者による通信内容の盗聴を防ぎ、あわせてサーバのなりすましやデータ改ざんを防ぐセキュリティプロトコルである。TLS（Transport Layer Security）はSSLの次世代規格であるが、一般的にSSLとよんでいるものは実質TLSを指していることも多く、その両方をふまえて「SSL/TLS」と表記されることが多い。厳密には別物であるが、いずれも安全に通信をするためのセキュリティプロトコルである。

b　×：本肢は、**暗号化**の内容である。IDSは、不正アクセスを監視する侵入検知システムである。不正アクセスに関するデータベース（シグネチャデータベースという）をもち、事前に設定した不正アクセス検出ルールに基づく事象を検知する。

c　〇：正しい。VPNは、専用線ではない不特定多数の利用者が存在するネットワークにおいて、暗号化技術や認証技術、トンネリング技術などのセキュリティ技術を用いて、仮想の専用線のように「閉じたネットワーク（Private Network）」を構築し、安全に通信を行う技術の総称である。

d　×：本肢は、**DHCP**の内容である。DMZは、インターネットなどの信頼性の低い外部ネットワークと、社内ネットワークの中間に置かれる区域のことである。社内ネットワークをインターネットに接続する際に、Webサーバやメールサーバなどインターネットに公開しなければならないサーバは、DMZに設置するのが望ましい。

図表　DMZのイメージ

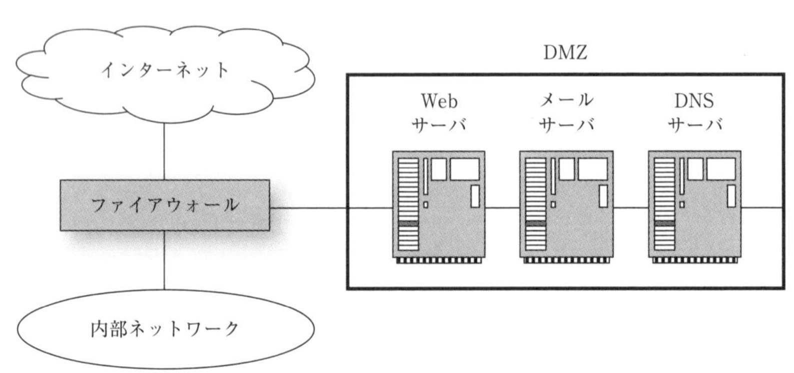

よって、**a**と**c**の組み合わせが正しく、**イ**が正解である。

第11問

機械学習に関する問題である。機械学習の分類である「教師あり学習」、「教師なし学習」、「深層学習（ディープラーニング）」、「強化学習」が問われている。初見の用語であっても空欄前後の文章をヒントにすれば正解の選択肢が絞れるため、正答したい。

機械学習とは、コンピュータが数値やテキスト、画像、音声などのさまざまかつ大量のデータからルールや知識を自ら学習する（見つけ出す）技術である。たとえば、消費者の一般的な購買データを大量に学習することで、消費者が購入した商品やその消費者の年齢等に適したオススメ商品を提示することが可能になる。

機械学習はデータのタイプや状況によって、「教師あり学習」「教師なし学習」「強化学習」の3つに大きく分類される。

図表　機械学習の分類イメージ

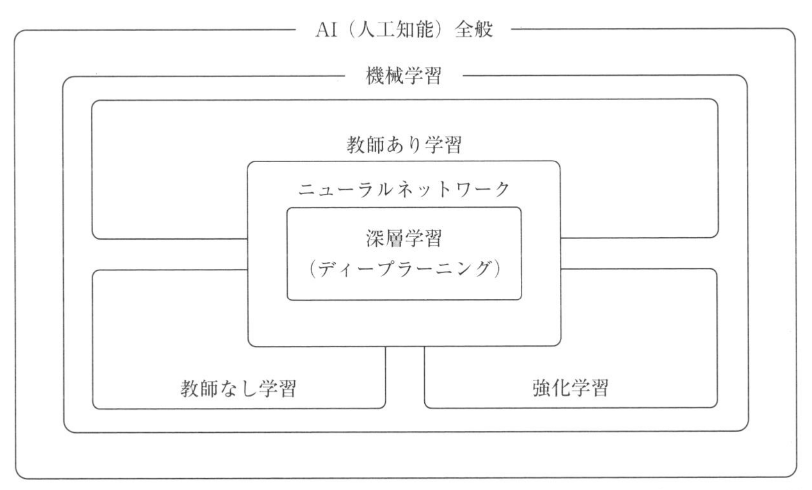

「ディップ株式会社が展開するAINOW編集部の記事」をもとに作成

解答・解説
2年度

用語		内容
A	教師あり学習	機械学習の手法のひとつである。事前に与えられた膨大なデータを正しいデータ（教師からの助言）とみなして、それに基づいて学習（データへの適合化）する。典型的な教師あり学習には、回帰分析、判別分析、決定木、サポートベクターマシン（SVM）などがある。
B	教師なし学習	機械学習の手法のひとつである。教師あり学習のように事前に与えられたデータがなく、代わりにデータそのものが持つ構造・特徴を分析し、グループ分けやデータの簡略化などを行う。典型的な教師なし学習には、クラスター分析、主成分分析、因子分析などがある。
C	予測や傾向分析	予測や傾向分析は教師あり学習と教師なし学習の両方で用いられる。空欄Cは教師なし学習の用途であるため、「予測や傾向分析」が適切な選択肢である。
D	深層学習	ニューラルネットワークを用いた機械学習の手法のひとつである。情報抽出を一層ずつ多階層にわたって行うことで、高い抽象化を実現する。従来の機械学習では、学習対象となる変数(特徴量)を人が定義する必要があった。深層学習(ディープラーニング）は、予測したいものに適した特徴量（対象の特徴を数値化した説明変数）そのものを大量のデータから自動的に学習することができる点に違いがある。

よって、**イ**が正解である。

正解以外の用語については以下のとおりである。

用語	内容
手書き文字の認識	手書き文字を認識するには一般的に教師データが必要であるため、教師あり学習に該当する。空欄Cは教師なし学習の用途であるため「手書き文字の認識」は不適切である。
強化学習	機械学習の手法のひとつである。教師あり学習や教師なし学習のような固定的で明確なデータに基づいた学習ではなく、プログラム自体が与えられた環境（＝現在の状態）を観測し、取るべき行動（戦略）を試行錯誤しながら、行動の結果（価値）が最大化する（＝報酬が最も多く得られる）ように強化（改善）する仕組みである。人が自転車に乗れるまでのプロセスを用いて強化学習の概念を説明する。 ＜例＞自転車に乗れるようになるプロセス ① 乗ってみる ② 倒れる ③ 乗り方を変える（強化学習の「戦略」に相当） ④ 少し乗れる（強化学習の「報酬」に相当） ⑤ さらに乗り方を変えて少しずつ乗れるようになる ⑥ この試行錯誤を繰り返し最終的に自転車に乗れるようになる

第12問

スマートフォンに搭載されているセンサーに関する問題である。ジャイロセンサー、加速度センサー、磁気センサー、近接センサーに関する各選択肢の正誤が問われており、対応はやや難しい。

a　×：本肢は、**磁気センサー（電子コンパス）**の内容である。ジャイロセンサー（ジャイロスコープ）は、単位時間あたりの角度の変化量（角速度）を検出するための装置である。選択肢**c**の内容にあるスマートフォンの方向に応じた画面を表示するためなどにも使われている。

b　○：正しい。加速度センサーは、単位時間あたりの速度である加速度を検出するための装置である。自動車のエアバッグやカーナビゲーションの傾斜計、ゲームのコントローラなどに使われている。

c　×：本肢は、**ジャイロセンサー（ジャイロスコープ）**の内容である。磁気センサー（電子コンパス）は、微弱な地磁気を検出してどの方角を向いているかを割り出す装置である。GPS機能をもつスマートフォン、カーナビゲーション、腕時計などに搭載されている。

d　○：正しい。近接センサーは、物理的な接触なしに近くの物体の存在を検出できる装置である。近接センサーは多くの場合電磁場または電磁放射のビームを放出し、場または戻り信号の変化を検出することで物体の存在を割り出す。この特性を活かして、通話時に顔がスマートフォンに近づいた際に、画面をOFFにすることで誤操作が発生しないようにする機能に使われている。

よって、**a**：誤、**b**：正、**c**：誤、**d**：正、なので**ウ**が正解である。

第13問

クラウドコンピューティングに関する問題である。クラウドコンピューティングを支える「仮想化技術」「分散技術」「セキュリティ技術」のうち、「仮想化技術」について問われている。仮想化技術は、ハードウェア、ソフトウェア、ネットワークなど物理的なシステム構成に依存することなくシステムを利用できる技術である。多少迷う選択肢もあるが、消去法で正答したい。

ア　○：正しい。複数のコンピュータをあたかも1台のコンピュータのように利用することはクラスタリングとよばれている。

イ　×：サーバの仮想化は利用する仮想化ソフトウェアによってホスト型とハイパーバイザー型の2種類の手法がある。本肢に記載されているサーバのOSのインストールが必要であるのは、**ホスト型**であるため、誤りである。その他の記述はハイパーバイザー型の説明としては正しい。

図表　ホスト型とハイパーバイザー型のサーバ仮想化のイメージ

ホスト型

アプリ　アプリ　アプリ　アプリ
ゲストOS　ゲストOS
仮想マシン　仮想マシン
仮想化ソフト
ホストOS
ハードウェア（物理マシン）

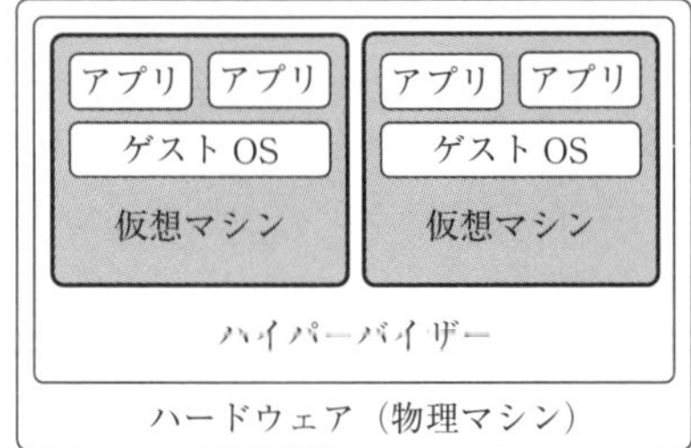

出典：https://www.kagoya.jp/howto/rentalserver/virtualization/「カゴヤ・ジャパン株式会社ホームページ」

ウ　×：クラウドコントローラは、プライベートクラウドおよびパブリッククラウドまたは複数のパブリッククラウドを横断的に管理するソフトウェアを指す。企業によるクラウド利用が拡大するにつれ、分散するデータベースやアプリケーションを統合する必要性が増し、クラウドコントローラが注目されている。クラウドコントローラは仮想マシンの管理だけでなく、ユーザ認証やオペレーティングシステムの選択なども行えるため、本肢の「管理に**限定した**ソフトウェア」という記述が誤りである。

エ　×：サーバの仮想化とは、物理的な1台のサーバ上で複数の仮想的なサーバ（仮想サーバ）を運用することであるが、物理的なサーバは**1台に限られるのではなくスケールアウト（サーバの台数を増やすことでシステム全体の性能を向上させること）ができる**。サーバをスケールアウトする場合は、複数のサーバをひとつの大きなファイルシステムとして管理する。

サーバの仮想化は、専用の仮想化ソフトウェアによって物理サーバ上のプロセッサやメモリなどの資源を複数に分割し、仮想サーバに割り当てる。1台の物理サーバ上に複数のサーバを集約できるため、管理のコストや負荷が削減できるなどのメリットがある。

図表　サーバの仮想化のイメージ

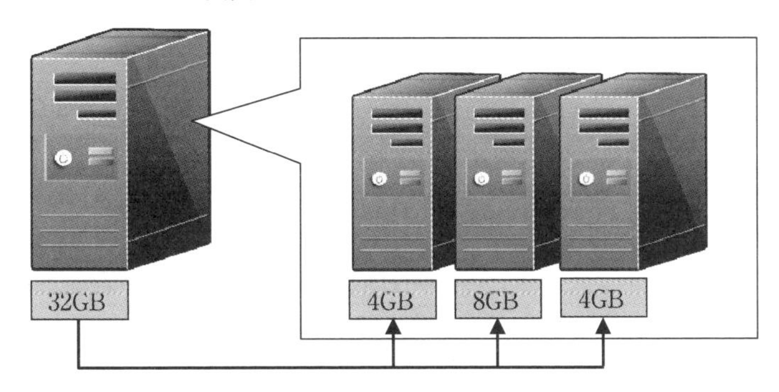

出典：https://www.kagoya.jp/howto/rentalserver/virtualization/「カゴヤ・ジャパン株式会社ホームページ」

よって、**ア**が正解である。

第14問

デジタルマーケティングの効果測定指標に関する問題である。デジタルマーケティングで用いられる重要業績評価指標（KPI）の意味が問われている。離脱率と直帰率の違いを正確に理解していないと選択肢**ウ**を選んでしまう可能性があり、難易度は高い。

ア　×：本肢は、**コンバージョン率**の内容である。エンゲージメント率は、主にソーシャルメディアで用いられる指標であり、ある投稿に対してどのくらいのエンゲージ（反応：いいね、クリック、シェアなど）があったかを計る指標である。エンゲージメントにはポジティブなものだけでなく、ネガティブなものも含まれる。いわゆる炎上商法のように、ネガティブなエンゲージメントが増加した場合にも数値上は高いエンゲージメント率として計測される。

イ　×：本肢は、ある商品の**クロスセル率を高めるための指標**について説明した内容である。コンバージョン率（成約率、CVR：Conversion Rate）は、Webサイトの目標に達した数値を目標に達する最初の段階に入った数で割った割合である。たとえば、ECサイトであればある商品を購入したユーザ数をその商品の紹介ページをみたユーザ数で割れば、紹介ページのコンバージョン率が計算できる。

ウ　×：本肢は、**直帰率**の内容である。離脱率は、個々のページのすべてのページビューでそのページがセッションの最後のページになった割合を示す指標である。一方、直帰率はそのページから始まったすべてのセッション（訪問）で、そのページがセッション（訪問）に存在する唯一のページだった割合を示す指標である。サイト内で1ページしか見ずに離脱した場合を特別に直帰とよぶ。ページの直帰率は、そのページで始まったセッション（着地）だけが計算の対象になる。直帰率と離脱率は類似した概念であるため、以下の図表で違いを示す。

図表　直帰率と離脱率のイメージ

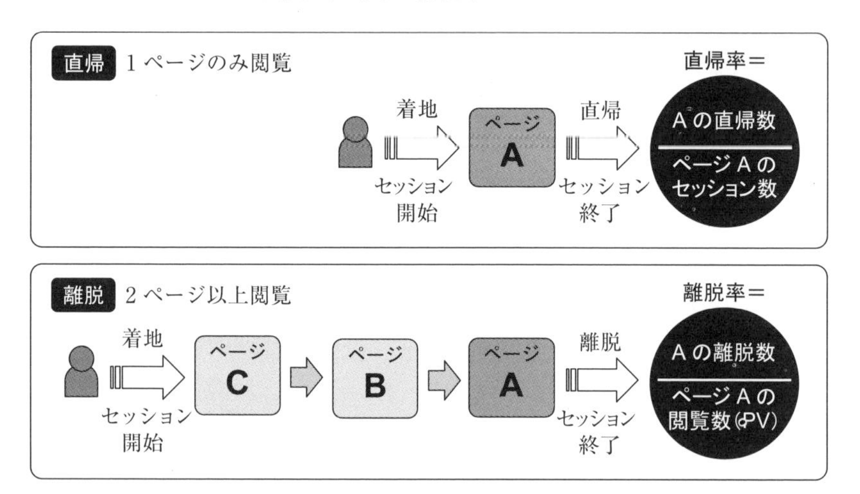

エ　〇：正しい。チャーン率は、全ユーザの中で、解約したユーザの割合を示す指標である。顧客離脱率や退会率ともよばれる。サブスクリプション型ビジネスにおいて重要業績評価指標（KPI：Key Performance Indicators）である。

よって、**エ**が正解である。

第15問

ITガバナンスに関する問題である。経済産業省の「システム管理基準（平成30年4月20日）」で、ITガバナンスをどのように定義しているかが問われており、対応はやや難しい。

経済産業省「システム管理基準（平成30年4月20日）」に記載されている「システム管理の枠組み」にITガバナンスの定義が記載されている。内容は以下のとおりである。

1．ITガバナンスの定義

あらゆる組織は、顧客、従業員、取引先、投資家その他を含む、ステークホルダに対して価値を創出することが求められる。一方、IT（情報技術）は事業戦略に欠かせないものとなっており、IT によって実現される情報システムの巧拙が経営に大きな影響を及ぼすようになっている。

情報システムの企画、開発、保守、運用といったライフサイクルを管理するためのマネジメントプロセスがITマネジメントであり、経営陣はステークホルダに対してITマネジメントに関する説明責任を有する。

ITガバナンスとは**経営陣がステークホルダのニーズに基づき、組織の価値を高めるために実践する行動であり、情報システムのあるべき姿を示す情報システム戦略の策定及び実現に必要となる組織能力である**。また、経営陣はITガバナンスを実践するうえで、情報システムにまつわるリスク（以下「情報システムリスク」という。）だけでなく、予算や人材といった資源の配分や、情報システムから得られる効果の実現にも十分に留意する必要がある。

ア　×：本肢は、金融庁が定めた**内部統制**に関する内容である。情報システムに関する記載がないので不適切であると判断するとよい。

イ　×：上に記載されていない内容である。本肢は、情報セキュリティに限定した内容になっているので不適切であると判断するとよい。

ウ　○：正しい。経済産業省が定めるITガバナンスの領域は、ステークホルダニーズ、組織の価値を高める、組織能力など情報システムに関連する比較的広範囲な定義となっている。

エ　×：本肢は、IRに関連する内容である。情報システムに関する記述がないので不適切であると判断するとよい。

よって、**ウ**が正解である。

第16問

システム移行に関する問題である。システムの移行について実務的なイメージがなくても関連知識を用いて各選択肢の正誤が判断できるため、確実に得点したい。

ア　×：システム移行の移行方式には、一斉移行、業務別移行方式、拠点別移行方式などがある。旧システムから新システムへ移行を実施する際、全ての機能を一括で移行することは一般的にリスクが大きい。万が一、新システムにてトラブルが発生した場合、旧システムを破棄してしまうとシステムのリカバリが行えず、業務への影響が甚大となる。そのため、移行規模が大きいほど業務別や拠点別など**部分的に移行を行う**ことが一般的である。

イ　×：アプリケーションの機能を提供するのは、IaaSではなくSaaSである。オンプレミスの情報システムをクラウドサービスに移行する場合は、ハードウェアからミドルウェア、アプリケーションまでのどの部分までを移行するかによって、利用するクラウドサービスの種類を検討する。

図表　サービス提供範囲によるクラウドサービスの分類

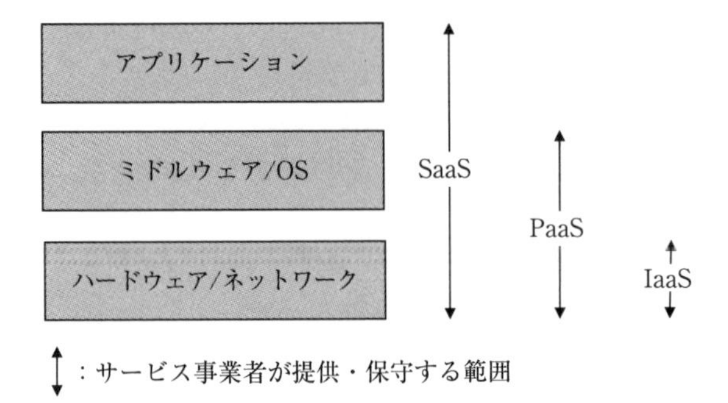

ウ　×：既存システムを移行するか否かについては、コスト面以外にも競合他社の動向（競争力の維持）や自社の生産性向上を図るための情報システム戦略など**多面的な観点**で検討すべきである。本肢は、システム移行の可否について**コスト面のみで判断**しているため不適切である。

エ　○：正しい。パッケージソフトウェアは、既製品であるためできるだけ自社業務に合ったものを選ぶべきである。パッケージソフトウェアの導入を検討する際は、できるだけそのまま利用することである。そのために、パッケージに適合するように自社業務を変更することが重要である。理由は、パッケージに手を加えれば加えるほど、パッケージソフトウェアを利用するメリットがなくなっていくからである。本肢の「スクラッチ開発した情報システム」とは、既存のパッケージなどを利用せず全てゼロから独自で開発したシステムのことである。

よって、**エ**が正解である。

第17問

モデリング技法に関する問題である。オブジェクト指向のシステム開発に用いられるUMLの代表的な図表に関する名称と概要が問われているため、確実に得点したい。

	用　語	内　容
a	ユースケース図	システムがどのように機能するかを表す図である。システムの機能を意味するユースケース、システムの外部に存在してユースケースを起動しシステムから情報を受け取るアクター、システム内部とシステム外部の境界を示すシステム境界などから構成される。システムに対するユーザ要求を明確にすることを目的としている。
b	クラス図	システムを構成するクラス（名前、属性、操作）間の関係を記述する。UMLにおいて静的な構造を示すクラス図は、E-R図に相当する。
c	ステートマシン図	オブジェクトの状態が外部からの刺激（イベント）に対してどのように変化するかを表した図であり、いわばUMLの状態遷移図といえる。オブジェクトの状態は時間の経過とともにさまざまに変化するが、ステートマシン図を用いることにより、これらの様子を視覚的に表現することが可能になる。
d	アクティビティ図	「オブジェクトがどのような処理をするか」といった作業プロセスを視覚的に表現した図である。いわばUMLのフローチャートであり、エンドユーザにも理解しやすいという特長がある。

よって、**エ**が正解である。

図表　ユースケース図のイメージ

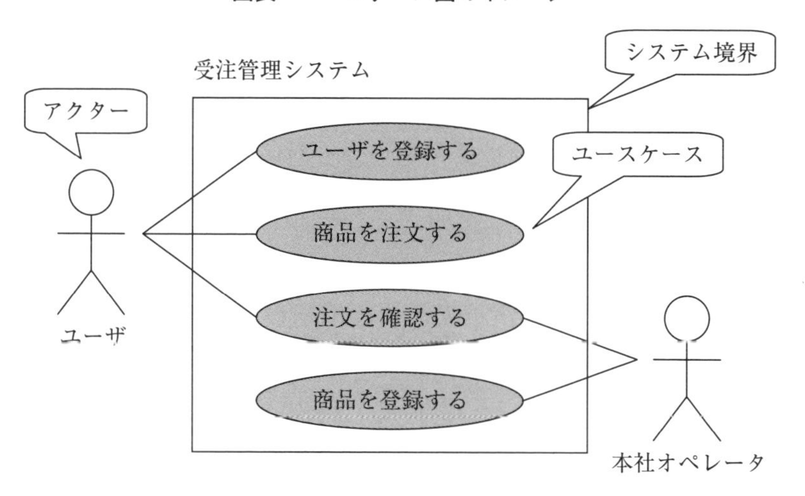

解答・解説
2年度

図表　クラス図のイメージ

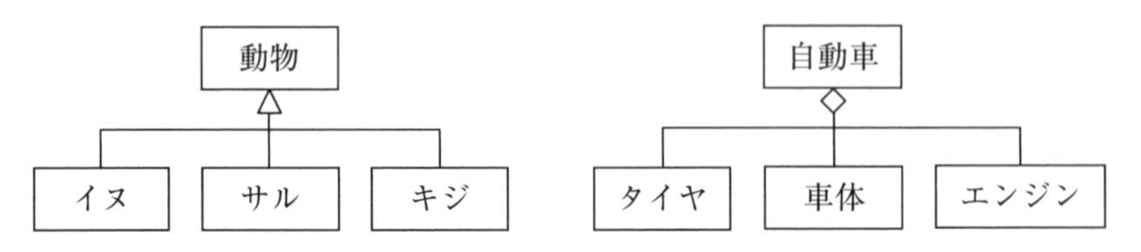

※　△は「汎化－特化」の関係、◇は「集約－分解」の関係

図表　ステートマシン図のイメージ

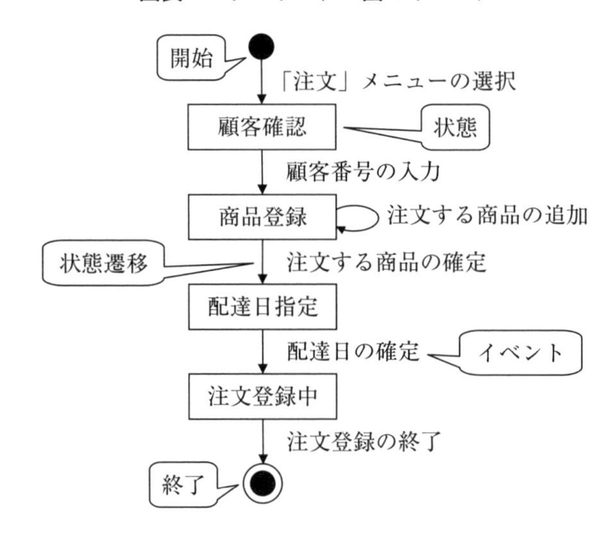

図表　アクティビティ図のイメージ

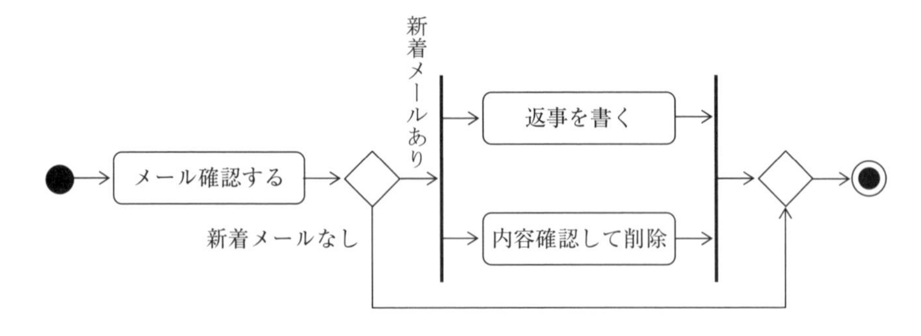

正解以外の用語については以下のとおりである。

用　　語	内　　　　容
コミュニケーション図	オブジェクト同士の相互作用を表現するための図である。シーケンス図が時系列にやり取りされるメッセージを重視しているのに対し、コミュニケーション図ではどのオブジェクトとどのオブジェクトが関係し、どのようなメッセージをやり取りするのかを表現する。
オブジェクト図	システムのある時点におけるオブジェクト間の関係を記述する。クラス図が抽象的な構造・関係を記述しているのに対し、オブジェクト図では個々のオブジェクト（インスタンス）の関係を表現する。
コンポーネント図（配置図）	オブジェクトやコンポーネントの物理的な配置関係を記述する図である。
シーケンス図	オブジェクト間で発生するメッセージのやりとりを時系列に並べた図である。サービスを要求するオブジェクトからサービスを提供するオブジェクトに向けて矢線を引くことにより、メッセージを時系列に記述できる。

図表　コミュニケーション図のイメージ

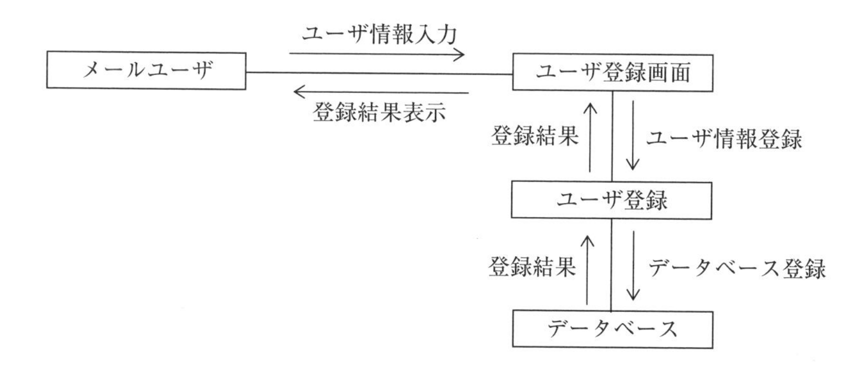

図表　オブジェクト図のイメージ

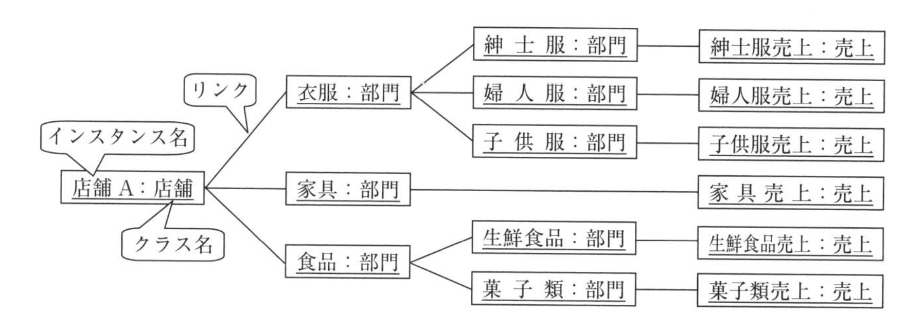

図表　コンポーネント図（配置図）のイメージ

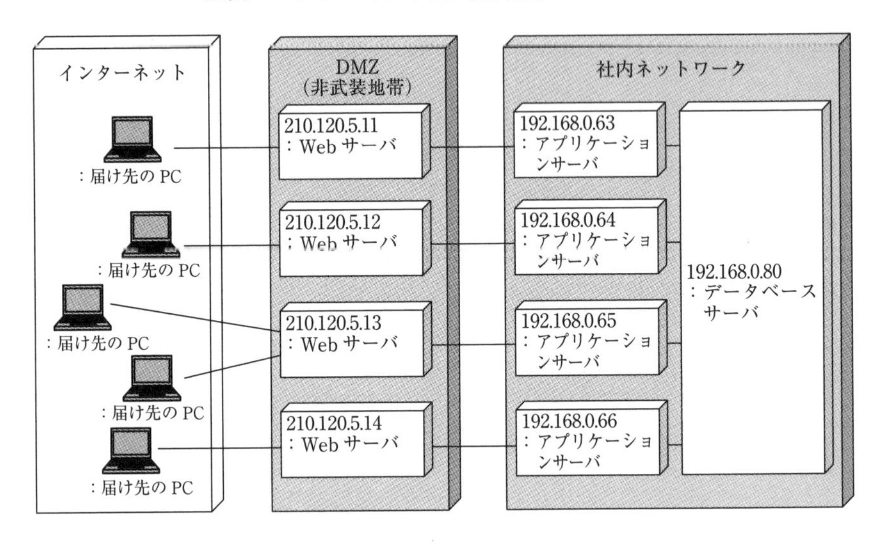

図表　シーケンス図のイメージ

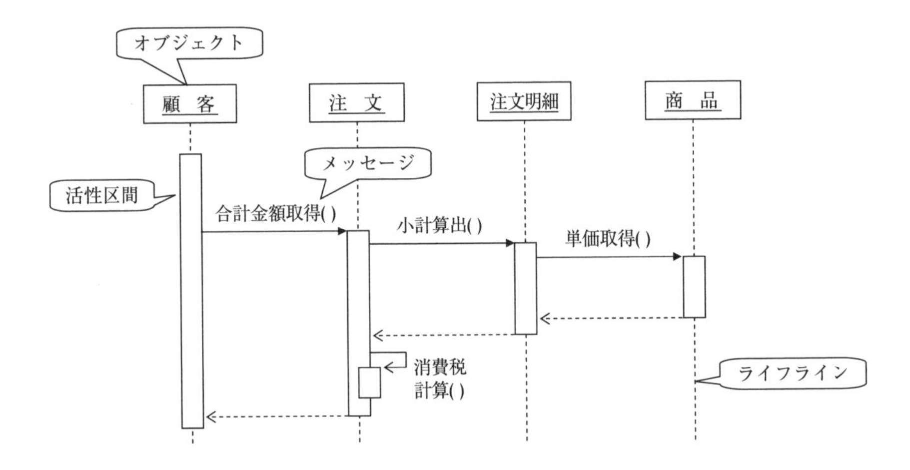

第18問

プロジェクト進捗管理に関する問題である。プロジェクト進捗管理で用いられる代表的な手法やチャートの名称と説明が問われているため、確実に得点したい。

	用　語	内　容
a	WBS	プロジェクトの目標達成に必要な作業項目を、トップダウン的に階層構造で表現したものである。最下位層の作業は個人の1週間程度の大きさの作業（タスク）までブレイクダウンしたものである。各作業項目には、作業内容、完了基準、成果物、完了日、予算などの目標値を設定しておき、各作業項目の進捗を管理するものである。WBSを網羅的に作成することで、プロジェクト管理が容易になる。
b	EVM（EVMS）	作業実績（Earned Value）を金銭表現したものを使ってプロジェクトの進捗状況（コストとスケジュール）を定量的に計測する進捗管理の技法のことである。EVMSは、ANSIによって規格化されたものである。複数のベンダによって規格化されたEVMも同義である。
c	ガントチャート	縦軸に作業項目、横軸に日付（時間）をとり、作業別に作業（タスク）内容とその実施期間を棒状に図示したものである。各作業の開始日と終了日や計画と実績の差異を表現しやすく、個人やグループの進捗管理に利用される。
d	トレンドチャート	縦軸に予算、横軸に工期を設定した折れ線グラフを用いてプロジェクト全体の費用と進捗を同時に管理する手法である。

よって、**ウ**が正解である。

図表　WBSのイメージ

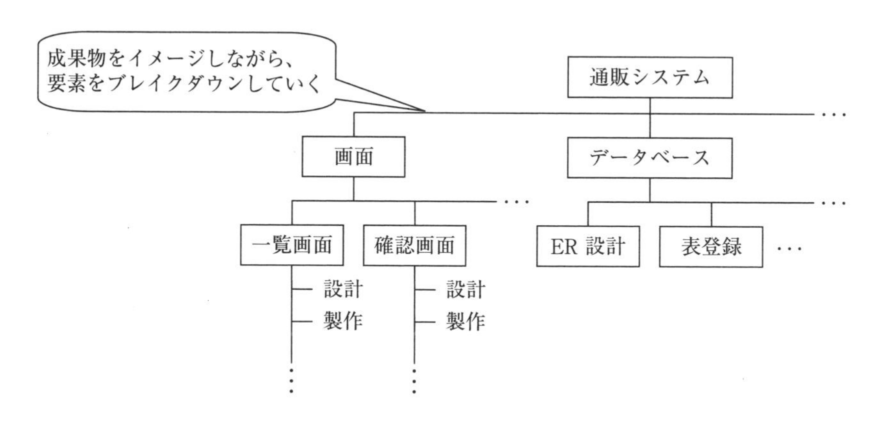

図表　ガントチャートのイメージ

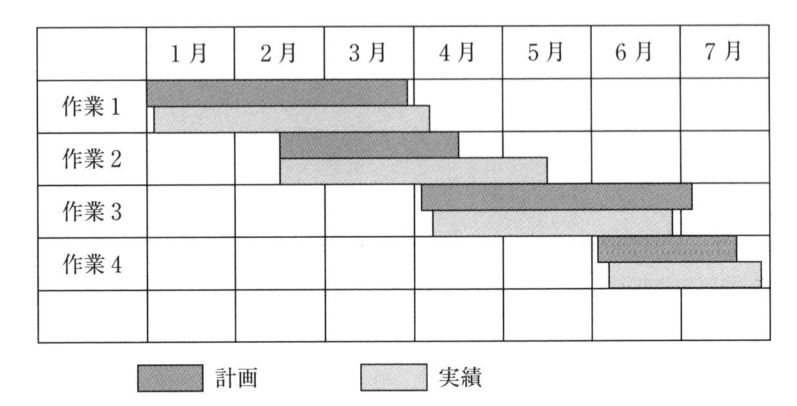

図表　トレンドチャートのイメージ

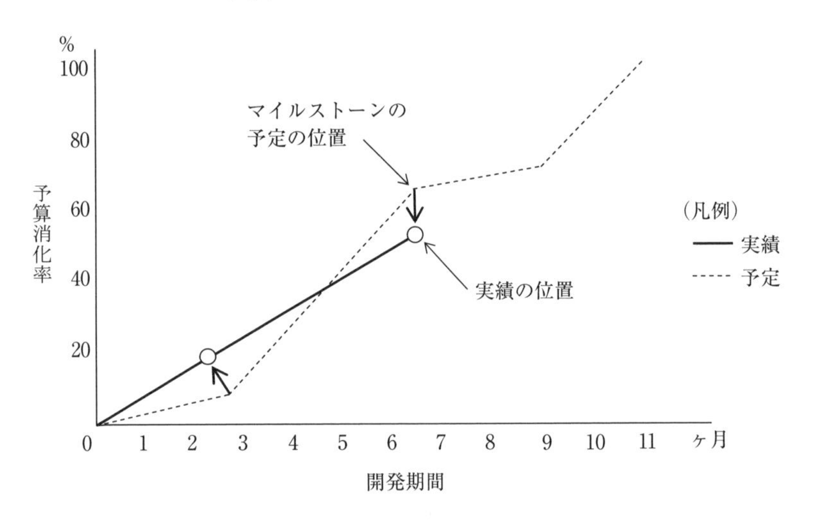

正解以外の用語については以下のとおりである。

用　　語	内　　　　容
PERT	順序関係が存在する複数のアクティビティ（作業）で構成されるプロジェクトを効率よく実行するためのスケジューリング手法である。アローダイアグラムとよばれる表記法を使って作業の全体像を図で表現する。
BAC	EVM（EVMS）で用いられる完成時総予算（Budget At Completion）を示す指標である。

流れ図 (フローチャート)	流れ図は「フローチャート」ともよばれ、処理のアルゴリズムを視覚的に表現するための図解法である。プログラムの設計によく用いられる。
管理図	生産管理において、品質や製造工程が安定な状況で管理されている状態にあるかどうかを判定するために使用するグラフである。時間ごとの状態をグラフ上に配置し、従来までの傾向と異なるデータや管理限界線を逸脱したデータの有無から異常の発生を判定する。QC 7つ道具のひとつである。

図表　アローダイアグラム（PERT図）のイメージ

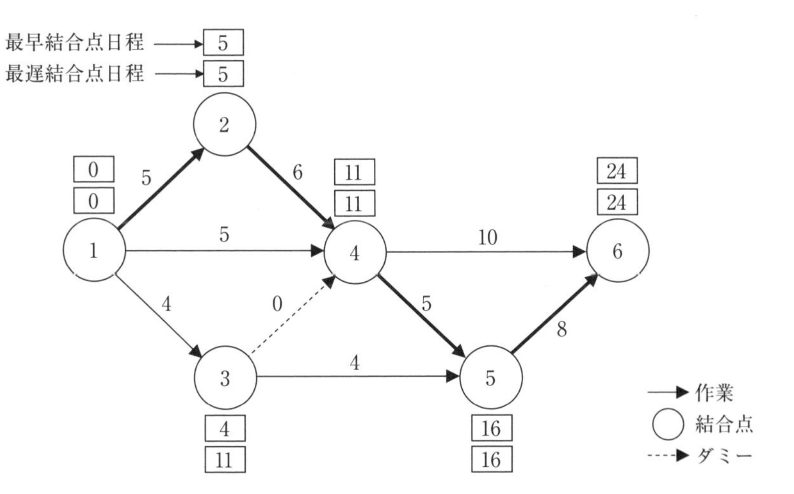

図表　流れ図（フローチャート）のイメージ

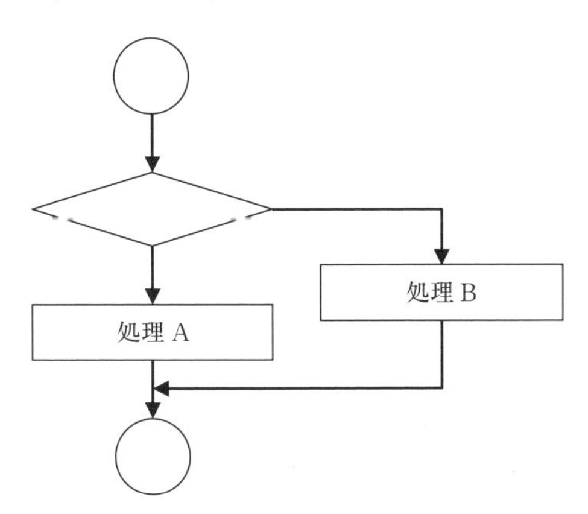

図表　管理図のイメージ

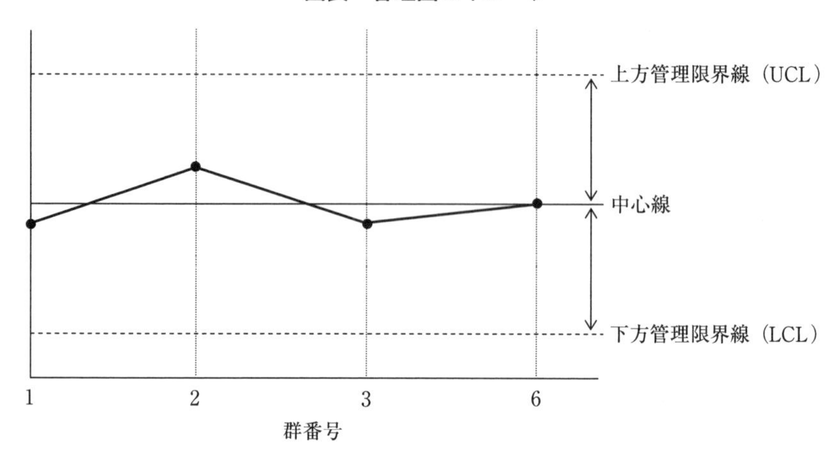

第19問

ユーザビリティに関する問題である。ユーザビリティを向上するための取り組み例が問われている。ユーザビリティの意味とWebシステム開発の基本的な知識があれば正解が選べるため、確実に得点したい。

a　○：正しい。ユーザビリティは、一般的にWebシステムなどの操作性や使いやすさを示す用語である。本肢は、Webシステムの使いやすさの向上に寄与する。

b　×：本肢は、障害対策における**フールプルーフ**の方策である。フールプルーフは、ユーザが入力ミスをしても、そのミスをカバーするシステムを設計しようというアプローチ全般のことである。

c　○：正しい。本肢は、選択肢**a**の解説に記載したWebシステムの操作性や使いやすさ向上に寄与する方策である。

d　×：ユーザビリティ評価は、システム開発の**途中段階において複数回実施**することが一般的である。システム開発が完了した段階で問題点を把握してUIやGUIを変更することはシステム開発の手戻りが多く発生するため開発効率が低下する。

よって、**a**と**c**の組み合わせが正しく、**イ**が正解である。

第20問

ブラックボックステストに関する問題である。ブラックボックステストで用いられるテスト対象項目の整理方法が問われており、難易度は高い。

ア　○：正しい。ソフトウェアのテストは、ソフトウェアが仕様どおり動作するかを検証することが目的である。また、複雑な条件が重なり合ったプログラムをテストするためには、仕様を整理することが重要になる。そこで用いられるのが決定表(ディシジョンテーブル)である。決定表は、ソフトウェアの動作に関する複数の条件について、その真・偽の組み合わせを表にまとめて、それぞれの場合に対応する結果(どのような動作をするのか)を示す。

図表　決定表(ディシジョンテーブル)のイメージ

例：映画の料金

①条件記述部(条件の一覧)
③条件指定部(条件の組み合わせ)

	1	2	3	4	5	6
男性	T	F	T	F	T	F
女性	F	T	F	T	F	T
子ども	F	F	T	T	F	F
シニア	F	F	F	F	T	T
割引なし	X	−	−	−	−	−
30%OFF	−	X	X	X	−	−
50%OFF	−	−	−	−	X	X

②動作記述部(結果の一覧)
④動作指定部(条件の組み合わせに対する動作結果)

① 条件記述部
条件の一覧を書く部分である。テスト対象の入力条件や、実際の入力データが入る。

② 動作記述部
結果の一覧を書く部分である。条件に合わせて、実際の動作や処理の内容が入る。

③ 条件指定部
条件の組み合わせを書く部分である。条件の判定結果の組み合わせが入る。
T：この行に対応する条件・原因が真であることを意味する。
F：この行に対応する条件・原因が偽であることを意味する。

④ 動作指定部
X：条件指定部の組み合わせに対して適用される動作結果を意味する。

イ ×：ステートダイヤグラム(状態遷移図)は、発生した事象に応じてシステムの状態がどのように遷移するのかを表現する図式化技法である。状態を表す円と状態の遷移を表す矢印で構成され、外部設計工程における画面設計や内部設計工程におけるプログラム設計の際などに用いられる。

図表　ステートダイヤグラム（状態遷移図）のイメージ

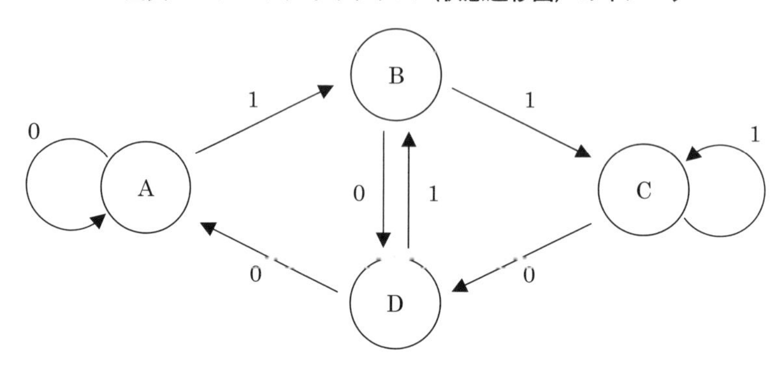

ウ　×：直交表は、ソフトウェアやハードウェアのテストパターンをつくる際に用いられる。これらのテストでパラメータ（変数）の組み合わせを網羅しようとするとテストパターンが膨大になり非効率になる。すべてのパラメータをテストするのは非効率であるので重要なパターンは押さえておきたいというときに役立つのが直交表である。

たとえば、スキャナのドライバのソフトウェアをテストする場合を考える。スキャナの動作を決めるパラメータは「用紙サイズ」、「解像度」、「色」の３つであるとする。用紙サイズには「A４とB５」、解像度には「普通ときれい」、色には「白黒とカラー」のそれぞれ２つの選択肢があるとする。全部の組み合わせをテストすると８パターンになるが、直行表を用いてパラメータの効率的な組み合わせを作成する。スキャナの３つのパラメータ（用紙サイズ、解像度、色）を、直交表の用語では因子とよぶ。それぞれの選択肢（A４/B５、普通/きれい、白黒/カラー）を水準とよぶ。スキャナドライバには、３因子２水準の組み合わせパターンがある。

もっとも規模の小さい直行表である３因子２水準のテストではL４直交表が用いられる。直行表では任意の因子間の水準の組み合わせが均等になるように組み合わせる。この組み合わせ方に従うとスキャナドライバのテストパターンは、下の図表のように８パターンのテスト項目が４パターンに減る。この４パターンをテストすればほとんどのバグが洗い出せる。このように効率的な組み合わせを示した表が直交表である。

図表　直交表のイメージ

すべての組み合わせ

	因子		
No.	サイズ	解像度	色
1	B 5	普通	白黒
2	B 5	普通	カラー
3	B 5	きれい	白黒
4	B 5	きれい	カラー
5	A 4	普通	白黒
6	A 4	普通	カラー
7	A 4	きれい	白黒
8	A 4	きれい	カラー

L4 直交表によるテストパターン

	因子		
No.	サイズ	解像度	色
1	B 5	普通	白黒
2	B 5	きれい	カラー
3	A 4	普通	カラー
4	A 4	きれい	白黒

エ　✕：ペイオフマトリックスは、新たな打ち手を策定する際に多くの選択肢の中から有力な選択肢を絞り込む手法である。アイデアの優先順位を短時間で決めるために用いられる。なお軸はアイデアを評価する基準を設定する。次の図表は評価基準を「成果の大きさ」「実行までのスピード」とした例である。

図表　ペイオフマトリックスのイメージ

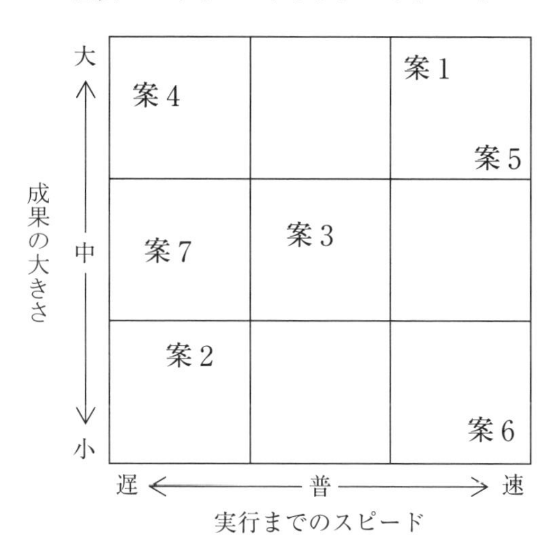

よって、**ア**が正解である。

第21問

リスクマネジメントに関する問題である。情報セキュリティにおけるリスク対処法の1つである「リスクの保有」に関する具体例が問われている。4つの対処法がそれぞれ選択肢**ア**から**エ**に該当すると推測できるので、消去法で正答したい。

独立行政法人情報処理推進機構（IPA）によるリスク対応では、リスク評価の作業で明確になったリスクに対して、どのような対処を、いつまでに行うかを明確にする。対処の方法には、大きく分けて「リスクの低減」「リスクの保有」「リスクの回避」「リスクの移転」の4つがある。

図表　リスク発生への対応

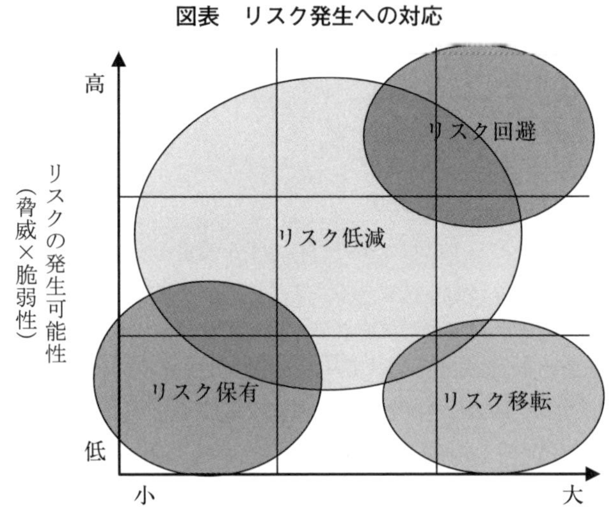

出典：独立行政法人情報処理推進機構「情報セキュリティマネジメントとPDCAサイクル」

ア　×：本肢の「最低限のことだけを行う」という記述以外は、**リスクの回避**に関連する内容である。リスク回避は、脅威発生の要因を停止あるいは全く別の方法に変更することにより、リスクが発生する可能性を取り去ることである。たとえば、「インターネットからの不正侵入」という脅威に対し、外部との接続を断ち、Web上での公開を停止してしまうような場合や、水害などの被害が頻繁にありリスクが高いため、そのリスクの低い安全と思われる場所に変更するなどが該当する。リスクを保有することによって得られる利益に対して、保有することによるリスクのほうが極端に大きな場合に有効である。なお、本肢に記載がある「最低限のことだけを行う」という箇所は、リスクの回避に含まれる内容ではない。

イ　×：本肢は、**リスクの低減**に関する内容である。リスクの低減は、脆弱性に対して情報セキュリティ対策を講じることにより、脅威発生の可能性を下げることである。ノートパソコンの紛失、盗難、情報漏えいなどに備えて保存する情報を暗号化しておく、サーバ室に不正侵入できないようにバイオメトリック認証技術（生体認証技術）を利用した入退室管理を行う、従業員に対する情報セキュリティ教育を実施するなどがある。

ウ　〇：正しい。リスク保有は、そのリスクのもつ影響力が小さいため特にリスクを低減するためのセキュリティ対策を行わず、許容範囲内として受容することである。許容できるリスクのレベルを超えるものの、現状において実施すべきセキュリティ対策が見当たらない場合や、コスト（人、物、金等）に見合ったリスク対応の効果が得られない場合等にも、リスクを受容する。

エ　×：本肢は、**リスクの移転**に関する内容である。リスク移転は、リスクを他社などに移すことである。たとえば、リスクが顕在化したときに備えリスク保険などで損失を充当したり、社内の情報システムの運用を他社に委託し、契約などにより不正侵入やウイルス感染の被害に対して損害賠償などの形で移転するなどが該当する。しかし、リスクがすべて移転できるとは限らない。多くの場合、金銭的なリスクなどリスクの一部のみが移転できる。

よって、**ウ**が正解である。

第22問

サブスクリプションに関する問題である。インターネット企業を中心に近年多くの企業が採用している価格戦略のひとつであるサブスクリプションモデルの課金方法が問われており、確実に得点したい。

ア　×：本肢は、**フリーミアム**の内容である。フリーミアムとは、基本的なサービスや製品は無料で提供し、さらに高度な機能や特別なサービスについては料金を課金する仕組みの課金モデルである。

イ　×：本肢は、**試用版ソフトウェアの課金プロセス**に関する内容である。試用版ソフトウェアは、商用のソフトウェアなどの本利用に対して対価を必要とする場合に、購入前（本利用前）に試用目的で提供される。

ウ　×：本肢は、ソフトウェアやサービスの**バンドル割引（バンドル価格）**の内容である。通常販売価格のほかに、複数点数を同時購入する場合に適用されるバンドル割引・バンドル価格を設定することでセット販売によるお得感が醸成でき、ユーザあたりの購入点数や購入単価のアップが期待できる。

エ　〇：正しい。契約期間中は定められた商品やサービスを自由に利用できるが期間が過ぎれば利用できなくなるのが一般的である。近年は、コンピュータのソフトウェアの利用形態として採用されることが多い。

よって、**エ**が正解である。

第23問

統計解析に関する問題である。データ分析における統計量の解釈を中心に、統計学の広範囲な知識が問われている。また、選択肢の各事例について正誤を判断する必要があり、対応はやや難しい。

事例１　×：相関係数の値（0.855）が正で１に近いからといって、**必ずしも２つ（気温と売上高）の間に因果関係があるとは限らない**。２つのデータの関係について示す相関関係は、一見すると関係がありそうに見えるが、実は直接関係しているわけではない疑似相関（擬似相関）という見せかけの相関（２つの間に相関関係が見られるが、**直接的な因果関係はないこと**）が世の中には多く存在する。これは、相関関係があるからといって、因果関係があるとは限らないことを意味する。ただし、因果関係があれば必ず相関関係もある。疑似相関のイメージと例を下に紹介する。

図表　疑似相関のイメージ

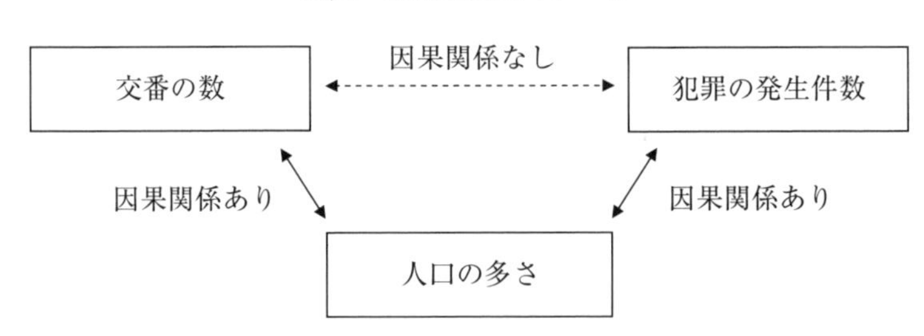

図表　疑似相関の例

疑似相関の例	直接的な原因
「交番の数」と「犯罪の発生件数」	人口の多さ
日本人男性の「体重」と「収入」	年齢
「理系の人」は、「薬指が人差し指より長い」	性別
「ビールの売上」と「水難事故」	気温
「アイスクリームの売れ行き」と「犯罪件数」	気温

事例２　×：年収や貯蓄額など分散が大きいデータ群の場合、平均値を下回っている場合であっても、**中央値よりは大きい可能性がある**。分散が大きい例として、世帯別の貯蓄額の分布を示す。次の図表で、たとえば貯蓄額が800万円の世帯は、平均値（1,299万円）より値は小さいが、中央値（734万円）よりも大きいことがわかる。

図表　世帯別の現在貯蓄額の分布

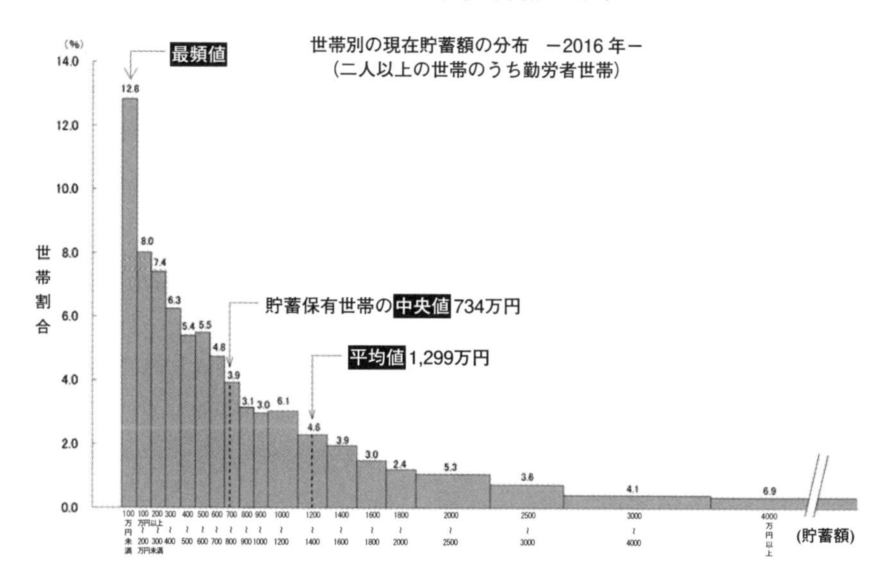

「総務省統計局（http://www.stat.go.jp/）」のデータをもとに作成

事例3　✕：２つのデータ（標本）の標準偏差を比較する場合は、一般的に**変動係数を用いて比較するためA店舗とB店舗の標準偏差の大小でどちらの売上高のばらつきが大きいかは判断できない**。変動係数は、単位の異なるデータ同士のばらつきや、平均値に対するデータのばらつき度合いを相対的に評価する際に用いられる単位をもたない数値である。変動係数を求める計算式は、下のとおりである。変動係数は、値が大きい方がデータにばらつきがある。実際に、変動係数を用いてA店舗とB店舗の売上高のばらつきを比較すると、A店舗は10万円÷40万円＝0.25である。一方、B店舗は20万円÷100万円＝0.2となり、**A店舗**の方が売上高のばらつきが大きい。

$$変動係数 = \frac{標準偏差}{平均値}$$

事例4　✕：既存メニューと新メニューそれぞれについて「良い」と回答した割合について独立性の検定（χ^2検定）を行い、**統計学的に有意（統計学的に意味のある差）であるかを検定する必要があるため**、新メニューの方が良いと回答した割合が５ポイント高いことをもって、既存メニューを新メニューに置き換えれば売上高が伸びるとは一概に判断できない。また、仮に既存メニューと新メニューの「良い」という回答の割合が統計学的に有意であった場合でも、既存メニューの愛顧が離反する可能性もあり、良いと回答した割合が5ポイント高いことをもって売上高が伸びると結論付けることは論理的な飛躍がある。

よって、**事例1**：誤、**事例2**：誤、**事例3**：誤、**事例4**：誤、なので**エ**が正解である。

第24問

統計的分析手法に関する問題である。多変量解析の代表的な分析手法が問われており、確実に得点したい。

	用語	内容
a	分散分析	3つ以上の標本の平均に違いがあるかどうかの検定などに用いられる。本肢は、3つの事業部（3つの標本）の平均売上高利益率に差異があるかを検討するので分散分析を用いると判断できる。
b	回帰分析 （重回帰分析）	複数の要因から、1つの結果を予想するときの分析手法である。2つの要因のときは、y=ax+bu+c で表すことができる（aとbとcは定数）。本肢は、いくつかの変数のデータが複数の要因に、売上高が1つの結果に相当する。
c	クラスター分析	異なる性質のものが混じり合った集団から、互いに似た性質をもつものを集め、クラスター（集団）を作る手法である。分類の方法はさまざまであり、ビッグデータの分析手法として重要なものである。
d	A/B 分析	Web サイトで2つの異なるページをランダムに表示して、それらに対する利用者の反応の違いを統計的に分析するのに使う分析手法である。複数の案のどれが優れているかについて試行を繰り返して定量的に決定する。

よって、**ウ**が正解である。

正解以外の用語については以下のとおりである。

用語	内容
判別分析	結果が0か1かを決定するときに用いられる分析手法である。
相関分析	2つのデータの関係性の強さを表す指標（相関係数）を計算し、数値化する分析手法である。選択肢bで相関分析を用いる場合、変数ごとに売上高にどの程度相関関係があるかを求めることができる。また、どの変数が売上高との相関係数が大きいかを比較できるため、選択肢bの内容は相関分析でも間違いではない。
コンジョイント分析	商品やサービスを構成する複数の要素の最適な組合せを探るためにマーケティング分野で利用される分析手法である。

アクセス分析	ホームページ上にアクセスしたユーザの属性や行動を分析することである。ユーザがどこから来たのか（流入チャネル）、どのページを見たのか（サイト内の回遊状況）、ホームページ上で行ってほしい行動（コンバージョン）がどの程度行われているかなどを分析する。

第25問

RPA（Robotic Process Automation）に関する問題である。ITトレンド用語として近年ネットニュースや書店に平積みされているムック本などで話題にあがることが多いRPAの内容が問われている。普段から多少でもIT系のネットニュースや雑誌などの見出しを閲覧している受験生であれば、正答できる。

ア　×：本肢は、**IoTを用いた需要予測**に関する内容である。RPAのキーワードである代行する（これまでヒトがやっていた作業をプログラムにより自動化／省人化する）といった内容がないため、選択肢**イ**と比較して相対的に不適切である。

イ　○：正しい。RPAは、バックオフィス業務などをはじめとするホワイトカラー層の業務をソフトウェアに組み込まれたロボットが代行（自動化／省人化）することで業務効率を高める取り組み、およびその概念を示す。

ウ　×：本肢は、**AIの要素技術を用いたシステム**の内容である。RPAのキーワードである代行（自動化／省人化）するといった内容がないため、選択肢**イ**と比較して相対的に不適切である。

エ　×：本肢は、**AIの要素技術を用いたサービス提供**の内容である。RPAのキーワードである代行（自動化／省人化）、業務効率を高めるといった内容がないため、選択肢**イ**と比較して相対的に不適切である。

よって、**イ**が正解である。

参考資料 出題傾向分析表

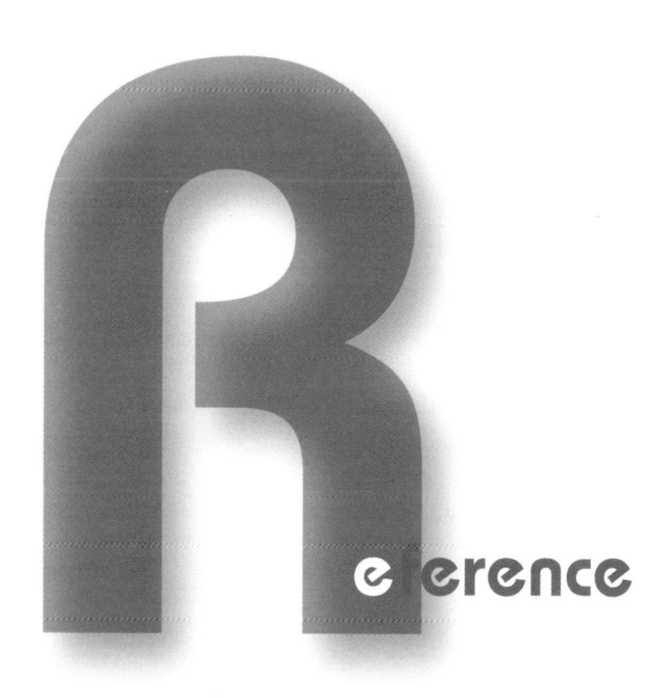

参考資料　出題傾向分析表

		R2	R3
第1章	ハードウェア	インタフェース 1 フラッシュメモリ 2 スマートフォンのセンサー 12	インタフェース 1
	ソフトウェア	CSV ファイル 8	ソフトウェアの役割・機能 4 オープンソースソフトウェア 5
	データベース	正規化 6 ACID 特性 7	データ分析 8 SQL 10
	ネットワーク	無線 LAN 9	
	インターネットの概要	Cookie 5	
	セキュリティ対策	ネットワークのセキュリティ対策 10	ユーザ認証 11 ゼロトラスト 21 情報セキュリティ 5 か条 22 テレワークセキュリティガイドライン 25
	システム構成技術	クライアントサーバシステム 4	SOA 17 障害対策の手法 20
	プログラミング言語		プログラミング言語の特徴 6
第2章	開発方法論	開発アプローチ 3 モデリング技法 17 ブラックボックステスト 20	モデリング技法 14 XP のプラクティス 18
	開発に関するガイドライン	プロジェクト進捗管理 18	共通フレーム 2013 19
第3章	経営と IT	IT ガバナンス 15 リスクマネジメント 21	DX 推進ガイドライン 16
	IT 資産管理	クラウドコンピューティング 13	クラウドコンピューティング 3 ネットワーク技術の進展 7
	IT トレンドと関連用語	機械学習 11 デジタルマーケティングの効果測定指標 14 サブスクリプション 22 RPA 25	RFID 2 チャットボット・タッチパッド 12 機械学習 13 System of Systems 15 顧客生涯価値 23
第4章	統計解析	統計量の解釈 23 多変量解析手法 24	統計的仮説検定の種類 24
その他	その他	システム移行 16 ユーザビリティ 19	データ検索 9

※出題領域の区分は、弊社「2025 年度版　最速合格のためのスピードテキスト」に準拠したものです。
※表中の項目名とともに付されている白抜き数字は、本試験における問題番号となります。

R4	R5	R6
	フラッシュメモリ 1 ストレージ技術10	タッチパネル 1 色覚を考慮した画面設計 4
	ファイル形式 7 音声データ量の計算14	文字コード 2
データレイク 4 SQL5 データベースの種類14	半構造化データ 4 DBMS5 正規化 8 SQL9 OLAP 16	正規化 7 SQL 8 バックアップ15
無線通信技術 1	LANの接続機器12	通信回線の信頼度20
プロトコル 7 IP アドレスとドメイン 8	IPアドレス11	プロトコル 9
ID とパスワードの設定と管理のあり方16 デジタル署名20	ネットワークのセキュリティ対策22	パスワードレス認証17 ゼロデイ攻撃18 情報セキュリティ管理19
性能を高める技術12 システム評価21	ネットワークの負荷分散 6 ネットワークシステムの性能13	
Python2 スクリプト言語 3	正規表現 2	オブジェクト指向プログラミング 3
クラス図の多重度11 開発モデル13	モデリング技法17 エラー埋め込み法18	スクラム14
EVMS 19	EVMS 20	見積り手法16 EVMS 21
DX レポート 9 リスクマネジメント17	リスクの定義23	デジタルガバナンス・コード10設問 1 中小規模製造業の DX 10設問 2
IT サービスマネジメント18 クラウドコンピューティング22	IT サービスマネジメント19	クラウドコンピューティング 6 クラウドサービスの責任共有モデル11
オープンデータ10 機能学習15 ブロックチェーン技術25	深層学習 3 Society5.0 15 MCM 21 二値分類問題の評価指標24 インターネット上での情報流通25	情報システムの利用のしやすさ5 キャッシュレス決済13 二値分類問題の評価指標23 ハルシネーション24
検定の誤り23 点推定24		データの代表値22
相対パス 6		ビジネスモデルキャンバス12

中小企業診断士　2025年度版
最速合格のための第1次試験過去問題集　5　経営情報システム

（2005年度版　2005年3月15日　初版　第1刷発行）
2024年12月2日　初　版　第1刷発行

編著者　TAC株式会社
（中小企業診断士講座）
発行者　多田敏男
発行所　TAC株式会社　出版事業部
（TAC出版）
〒101-8383
東京都千代田区神田三崎町3-2-18
電話　03(5276)9492(営業)
FAX　03(5276)9674
https://shuppan.tac-school.co.jp
印刷　株式会社ワコー
製本　株式会社常川製本

ISBN 978-4-300-11419-3
N.D.C. 335

乱丁・落丁による交換,および正誤のお問合せ対応は,該当書籍の改訂版刊行月末日までといたします。なお,交換につきましては,書籍の在庫状況等により,お受けできない場合もございます。
また,各種本試験の実施の延期,中止を理由とした本書の返品はお受けいたしません。返金もいたしかねますので,あらかじめご了承くださいますようお願い申し上げます。

資料請求はこちらから!!

詳しい資料をお送りいたします。
右記電話番号もしくはTACホームページ
(https://www.tac-school.co.jp/)にてご請求ください。

通話無料 0120-509-117
受付時間 9:30〜19:00(月〜金) 9:30〜18:00(土・日・祝)
営業時間短縮の場合がございます。詳細はHPでご確認ください。

サポートサービスを活用しよう!

モチベーションを高める
(将来の選択肢 〜合格者のその後〜)

将来、中小企業診断士に合格して何ができるのか?合格者のその後を取材した記事を読んで合格後の夢を広げてモチベーションを高めましょう!

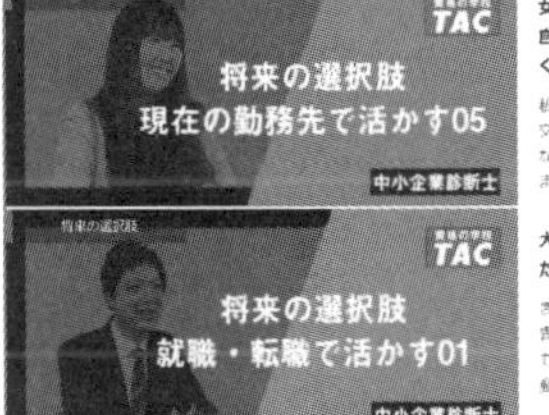

TAC 診断士とは 検索

https://www.tac-school.co.jp/kouza_chusho/chusho_sk_idx.html

TACのYoutube動画
(得する情報を提供中)

TACでは、Youtubeでも学習法や試験解説、実務家インタビュー等の動画を配信しています。是非、チャンネル登録してチェックしてみてください。

TAC 診断士 youtube 検索

https://www.youtube.com/@tac3644/videos

TAC中小企業診断士講座「第1回目講義」オンライン無料体験!
各コースの「第1回目」の講義が体験できます!

「体験Web受講」では、既にご入会されている受講生と同じWeb学習環境(TAC WEB SCHOOL)にて講義をご視聴いただけます。サンプルテキストを用意していますので、講義とあわせて教材の内容も確認してみてください。

独学では理解しづらかったり
時間がかかる内容もポイントを押さえて
スムーズに理解できるから短期合格できる

TAC 診断士 体験 検索

https://www.tac-school.co.jp/kouza_chusho/web_taiken_form.html

TAC合格者の声

祝賀会・東京会場

長山 萌音さん

表面的な理解ではなく、根本から理解をすることができた

「財務・会計」が苦手で1年目に独学で勉強していた際には理解しないまま試験を受けておりました。そこでTACに通学し、わからない箇所を講師の方に聞くことで、表面的な理解ではなく、根本から理解をすることができました。また、講義の中で効率的な勉強方法をご教示いただき、勉強への取り組み方を身につけることができました。TACを選んだ理由は、①生徒数が多く、合格ノウハウが集まっている、②一次試験から二次口述試験までのカリキュラムが組まれているため、試験ごとの情報収集や模試の検討などの手間が省けると感じたからです。

中尾 文哉さん

TACを活用し本来行うべき学習に集中して労力を割く

学習開始が12月上旬だったため、1,000時間の逆算が成り立たず、合格の為に効率を求めたこと、初回の受験で全体像を把握しながら学習ができるガイドラインや合格の為のノウハウを徹底的に仕入れたかったため、TACのWeb通信講座を受講しました。講義動画がリリースされるタイミングや、各科目のまとめテストの「養成答練」の提出期限も含め、すべてTACのノウハウに基づいてスケジュール化されています。その為、進度管理には労力をかけず、TACが敷いてくれた時間軸のレールの上で本来行うべき学習に集中して労力を割くことができました。

中小企業診断士講座のご案内

学習したい科目のみのお申込みができる、学習経験者向けカリキュラム

1次上級単科生（応用＋直前編）

- □ 必ず押さえておきたい論点や合否の分かれ目となる論点をピックアップ!
- □ 実際に問題を解きながら、解法テクニックを身につける!
- □ 習得した解法テクニックを実践する答案練習!

カリキュラム

※講義の回数は科目により異なります。

1次応用編 2024年10月～2025年4月

1次上級講義
［財務5回／経済5回／中小3回／その他科目各4回］
講義140分/回
過去の試験傾向を分析し、頻出論点や重要論点を取り上げ、実際に問題を解きながら知識の再確認をするとともに、解法テクニックも身につけていきます。
［使用教材］
1次上級テキスト（上・下巻）（デジタル教材付）
➡INPUT⬅

1次上級答練
［各科目1回］
答練60分＋解説80分
1次上級講義で学んだ知識を確認・整理し、習得した解法テクニックを実践する答案練習です。
［使用教材］
1次上級答練

⬅OUTPUT➡

1次直前編 2025年5月～

1次完成答練
［各科目2回］
答練60分＋解説80分/回
重要論点を網羅した、TAC厳選の本試験予想問題による答案練習です。
［使用教材］
1次完成答練

⬅OUTPUT➡

1次最終講義
［各科目1回］
講義140分/回
1次対策の最後の総まとめです。法改正などのトピックを交えた最新情報をお伝えします。
［使用教材］
1次最終講義レジュメ

➡INPUT⬅

1次試験【2025年8月】

1次養成答練 ［各科目1回］ ※講義回数には含まず。
基礎知識の確認を図るための1次試験対策の答案練習です。
（配布のみ・解説講義なし・採点あり）
⬅OUTPUT➡

さらに! 「1次基本単科生」の教材付き！（配付のみ・解説講義なし）

◇基本テキスト（デジタル教材付）　◇講義サポートレジュメ　◇1次養成答練　◇トレーニング　◇1次過去問題集

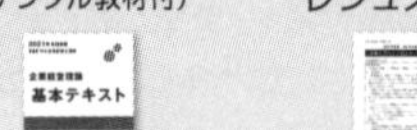

開講予定月

◎企業経営理論／10月　◎財務・会計／10月　◎運営管理／10月　◎経済学・経済政策／10月
◎経営情報システム／10月　◎経営法務／11月　◎中小企業経営・政策／11月

学習メディア

教室講座　ビデオブース講座　Web通信講座

1科目から申込できます! ※詳細はホームページまたは資料をご請求ください。（右上参照）

本試験を体感できる!実力がわかる!

2025(令和7)年合格目標　公開模試

受験者数の多さが信頼の証。全国最大級の公開模試!

中小企業診断士試験、特に2次試験においては、自分の実力が全体の中で相対的にどの位置にあるのかを把握することが非常に大切です。独学や規模の小さい受験指導校では把握することが非常に困難ですが、TACは違います。規模が大きいTACだからこそ得られる成績結果は極めて信頼性が高く、自分の実力を相対的に把握することができます。

1次公開模試	2次公開模試
2024年度受験者数	2024年度受験者数
2,504名	1,708名

TACだから得られるスケールメリット!

規模が大きいから正確な順位を把握し効率的な学習ができる!

TACの成績は全国19の直営校舎にて講座を展開し、多くの方々に選ばれていますので、受験生全体の成績に近似しており、**本試験に近い成績・順位を把握**することができます。
さらに、**他のライバルたちに差をつけられている、自分にとって本当に克服しなければいけない苦手分野を自覚することができ**、より効率的かつ効果的な学習計画を立てられます。

規模の小さい受験指導校で
得られる成績・順位よりも…

規模の大きいTACなら、
本試験に近い成績が分かる!

実施予定

1次公開模試:2025年6/28(土)・29(日)実施予定
2次公開模試:2025年9/7(日)実施予定

詳しくは公開模試パンフレットまたはTACホームページをご覧ください。

1次公開模試:2025年5月上旬完成予定　2次公開模試:2025年7月上旬完成予定

https://www.tac-school.co.jp/　TAC　診断士　検索

(2024年2月現在)

書籍のご購入は

1 全国の書店、大学生協、ネット書店で

2 TAC各校の書籍コーナーで

資格の学校TACの校舎は全国に展開!
校舎のご確認はホームページにて

資格の学校TAC ホームページ
https://www.tac-school.co.jp

3 TAC出版書籍販売サイトで

TAC 出版 で 検索

24時間
ご注文
受付中

https://bookstore.tac-school.co.jp/

新刊情報を いち早くチェック!

たっぷり読める 立ち読み機能

学習お役立ちの 特設ページも充実!

TAC出版書籍販売サイト「サイバーブックストア」では、TAC出版および早稲田経営出版から刊行されている、すべての最新書籍をお取り扱いしています。
また、会員登録(無料)をしていただくことで、会員様限定キャンペーンのほか、送料無料サービス、メールマガジン配信サービス、マイページのご利用など、うれしい特典がたくさん受けられます。

サイバーブックストア会員は、特典がいっぱい!(一部抜粋)

通常、1万円(税込)未満のご注文につきましては、送料・手数料として500円(全国一律・税込)頂戴しておりますが、1冊から無料となります。

専用の「マイページ」は、「購入履歴・配送状況の確認」のほか、「ほしいものリスト」や「マイフォルダ」など、便利な機能が満載です。

メールマガジンでは、キャンペーンやおすすめ書籍、新刊情報のほか、「電子ブック版TACNEWS(ダイジェスト版)」をお届けします。

書籍の発売を、販売開始当日にメールにてお知らせします。これなら買い忘れの心配もありません。

2025年度
中小企業診断士試験 （第1次試験・第2次試験）

TAC出版では、中小企業診断士試験（第1次試験・第2次試験）にスピード合格を目指す方のために、科目別、用途別の書籍を刊行しております。資格の学校TAC中小企業診断士講座とTAC出版が強力なタッグを組んで完成させた、自信作です。ぜひご活用いただき、スピード合格を目指してください。

※刊行内容・刊行月・装丁等は変更になる場合がございます。

基礎知識を固める

▶ みんなが欲しかった!シリーズ

みんなが欲しかった!
中小企業診断士　合格へのはじめの一歩
A5判　8月刊行

- フルカラーでよくわかる、「本気でやさしい入門書」!
- 試験の概要、学習プランなどのオリエンテーションと、科目別の主要論点の入門講義を収載。

みんなが欲しかった!
中小企業診断士の教科書
上:企業経営理論、財務・会計、運営管理
下:経済学・経済政策、経営情報システム、経営法務、中小企業経営・政策
A5判　10～11月刊行 全2巻

- フルカラーでおもいっきりわかりやすいテキスト
- 科目別の分冊で持ち運びラクラク
- 赤シートつき

みんなが欲しかった!
中小企業診断士の問題集
上:企業経営理論、財務・会計、運営管理
下:経済学・経済政策、経営情報システム、経営法務、中小企業経営・政策
A5判　10～11月刊行 全2巻

- 診断士の教科書に完全準拠した論点別問題集
- 各科目とも必ずマスターしたい重要過去問を約50問収載
- 科目別の分冊で持ち運びラクラク

▶ 最速合格シリーズ

科目別 全7巻
①企業経営理論
②財務・会計
③運営管理
④経済学・経済政策
⑤経営情報システム
⑥経営法務
⑦中小企業経営・中小企業政策

最速合格のための
スピードテキスト
A5判　9月～12月刊行

- 試験に合格するために必要な知識のみを集約。初めて学習する方はもちろん、学習経験者も安心して使える基本書です。

科目別 全7巻
①企業経営理論
②財務・会計
③運営管理
④経済学・経済政策
⑤経営情報システム
⑥経営法務
⑦中小企業経営・中小企業政策

最速合格のための
スピード問題集
A5判　9月～12月刊行

- 『スピードテキスト』に準拠したトレーニング問題集。テキストと反復学習していただくことで学習効果を飛躍的に向上させることができます。

書籍の正誤に関するご確認とお問合せについて

書籍の記載内容に誤りではないかと思われる箇所がございましたら、以下の手順にてご確認とお問合せをしてくださいますよう、お願い申し上げます。
なお、正誤のお問合せ以外の**書籍内容に関する解説および受験指導などは、一切行っておりません。**
そのようなお問合せにつきましては、お答えいたしかねますので、あらかじめご了承ください。

1 「Cyber Book Store」にて正誤表を確認する

TAC出版書籍販売サイト「Cyber Book Store」の
トップページ内「正誤表」コーナーにて、正誤表をご確認ください。

CYBER TAC出版書籍販売サイト BOOK STORE

URL:https://bookstore.tac-school.co.jp/

2 1の正誤表がない、あるいは正誤表に該当箇所の記載がない ⇒ 下記①、②のどちらかの方法で文書にて問合せをする

★ご注意ください★

お電話でのお問合せは、お受けいたしません。
①、②のどちらの方法でも、お問合せの際には、「お名前」とともに、
「対象の書籍名(○級・第○回対策も含む)およびその版数(第○版・○○年度版など)」
「お問合せ該当箇所の頁数と行数」
「誤りと思われる記載」
「正しいとお考えになる記載とその根拠」
を明記してください。
なお、回答までに1週間前後を要する場合もございます。あらかじめご了承ください。

① ウェブページ「Cyber Book Store」内の「お問合せフォーム」より問合せをする

【お問合せフォームアドレス】

https://bookstore.tac-school.co.jp/inquiry/

② メールにより問合せをする

【メール宛先 TAC出版】

syuppan-h@tac-school.co.jp

※土日祝日はお問合せ対応をおこなっておりません。
※正誤のお問合せ対応は、該当書籍の改訂版刊行月末日までといたします。

乱丁・落丁による交換は、該当書籍の改訂版刊行月末日までといたします。なお、書籍の在庫状況等により、お受けできない場合もございます。
また、各種本試験の実施の延期、中止を理由とした本書の返品はお受けいたしません。返金もいたしかねますので、あらかじめご了承くださいますようお願い申し上げます。

TACにおける個人情報の取り扱いについて
■お預かりした個人情報は、TAC(株)で管理させていただき、お問合せへの対応、当社の記録保管にのみ利用いたします。お客様の同意なしに業務委託先以外の第三者に開示、提供することはございません(法令等により開示を求められた場合を除く)。その他、個人情報保護管理者、お預かりした個人情報の開示等及びTAC(株)への個人情報の提供の任意性については、当社ホームページ(https://www.tac-school.co.jp)をご覧いただくか、個人情報に関するお問い合わせ窓口(E-mail:privacy@tac-school.co.jp)までお問合せください。

(2022年7月現在)